Curso

*La diferencia entre aprobar
y sacar plaza*

Cuerpo Técnico de Hacienda

AGENCIA ESTATAL DE ADMINISTRACIÓN TRIBUTARIA

Si aún no dispones de tu **Curso MAD360**, te ofrecemos un acceso GRATIS de 30 días para que disfrutes de los siguientes recursos:

- Técnicas de Memoria 360.
- MADTEST: Test *online* Nivel PRO.
- Temario en formato digital.
- Planificación de estudio.
- Foro entre opositores hasta la fecha del examen.*
- Recursos y novedades exclusivas.
- Consúltanos sobre tu oposición y proceso selectivo.

Para acceder a esta prueba del Curso MAD360** será necesaria la compra de todos los libros para esta especialidad de la edición 2026.

Regístrate en **mad.es/iniciar-sesion** y en la pestaña MIS CURSOS valida los códigos que encuentras en la última página de tus libros.

AF212305

NOTA IMPORTANTE:

* Examen de esta categoría profesional correspondiente a la convocatoria publicada en el BOE núm. 315, de 31 de diciembre de 2025, o hasta el 28 de febrero de 2027, lo que se cumpla antes, y previa renovación del servicio.

** El acceso al CURSO MAD360 estará disponible desde febrero de 2026 (algunos recursos podrían estar disponibles en fecha posterior). Tendrá una duración de 30 días RENOVABLES mediante pago, desde la validación de códigos, o hasta el 31 de agosto de 2027, lo que se cumpla antes.

MAD se reserva el derecho a ampliar dichas fechas.

Cuerpo Técnico de Hacienda

Agencia Estatal de
Administración Tributaria

Cuerpo Técnico de Hacienda

Agencia Estatal de Administración Tributaria

Derecho Civil y Mercantil. Economía

Volumen 2

MANUEL JOSÉ RODRÍGUEZ DE LA HERA
LICENCIADO EN EMPRESARIALES
CUERPO TÉCNICO DE HACIENDA

© 7 Editores Recursos para la Cualificación Profesional y el Empleo, S.L. (7 Editores)
© El autor
Primera edición, febrero 2026 (232 páginas)
Derechos de edición reservados a favor de 7 Editores
IMPRESO EN ESPAÑA
Diseño Portada: 7 Editores
Edita: 7 Editores
Avda. San Francisco Javier, 9 · Edificio Sevilla 2 · Planta 11 · Módulos 25-27 · 41018 Sevilla
Teléfono: 954 784 411 · WEB: www.mad.es · e-mail: administracion@7editores.com
ISBN: 979-13-702-8536-4
ISBN obra completa: 979-13-702-8537-1
© "Editorial Mad" y "Eduforma" son nombres comerciales registrados de
7 Editores Recursos para la Cualificación Profesional y el Empleo, S.L.

Presentación

Manual de desarrollo del Programa Oficial establecido en las pruebas selectivas para el ingreso por el acceso libre en el Cuerpo Técnico de Hacienda, según dispone la Resolución de 22 de diciembre de 2025, de la Presidencia de la Agencia Estatal de Administración Tributaria, publicada en el BOE n.º 315, de 31 de diciembre de 2025.

Contiene los temas 19 a 32 del **bloque 1.1** del temario, sobre **Derecho Civil y Mercantil**, así como **Economía**, convenientemente desarrollados y actualizados mediante la incorporación de las novedades legislativas que les afectan.

La colección se completa con otros volúmenes donde se contiene el resto de Bloques requeridos por el Programa, así como con un libro de test y dos libros de supuestos prácticos.

Finalmente, en el Curso MAD360 tienes todos los recursos necesarios para llevar tu preparación al siguiente nivel; consulta las condiciones en la primera página de tu manual.

Índice

Derecho Civil y Mercantil. Economía
(continuación)

TEMA 19

La actividad económica. Sistemas económicos. Tipos de organización de la actividad económica. Funciones de un sistema económico

La **velocidad de lectura** está relacionada con el tiempo que dedicas al estudio.
Todos los secretos para incrementarla con las Técnicas de Memoria 360.

Índice

1. La actividad económica

Si queremos llegar a definir qué entendemos por Actividad Económica, tenemos primero que definir el término «Economía». Simplemente viendo un noticiario en la televisión, leyendo un periódico o acudiendo a internet, veremos que una gran cantidad de las noticias y entradas que aparecen en estos medios están relacionadas con la economía. La economía forma parte de nuestras vidas ya que todos tomamos decisiones con contenido económico a diario.

La economía es una ciencia sobre la elección. Su esencia radica en estudiar cómo para satisfacer las necesidades de los miembros de una sociedad deben asignarse unos recursos que son escasos.

Podemos definir la Economía como la ciencia que se ocupa del estudio de los recursos, la creación de riqueza, y la producción, distribución y consumo de bienes y servicios, para satisfacer las necesidades humanas.

En esta definición hablamos de «bienes» para satisfacer las necesidades humanas. Podemos distinguir entre dos tipos de bienes (o servicios):

- Libres o gratuitos: Un ejemplo de ellos es el aire que respiramos. Al no ser escaso, no está sujeto a intercambio y, por lo tanto, la Economía no se ocupa de su estudio.

- Económicos: Son los bienes escasos y deseados, sujetos a intercambio, preferencia y precio. La ciencia de la Economía se ocupa de su estudio.

Sobre los bienes económicos hay que tomar decisiones económicas, ya que como hemos señalado más arriba, los bienes económicos son escasos y deseados. Las decisiones económicas implican un proceso de selección que se realiza teniendo en cuenta la satisfacción que nos produce elegir entre bienes escasos y deseados.

Llegados a este punto, podemos definir Actividad Económica como aquella actividad humana que implica la elección entre distintas alternativas posibles, relativas a bienes económicos que son escasos y susceptibles de usos alternativos.

En la actividad económica, clásicamente se han definido tres problemas fundamentales:

- Qué producir.

- Cómo producir.

- Para quién producir.

Analicemos cada uno de estos problemas de forma separada:

* Qué producir:

Esta pregunta se puede desagregar en dos: qué producir y cuánto. Para responderla debemos observar las necesidades de los agentes económicos. El problema está en que estas necesidades son ilimitadas, mientras que los recursos de que se dispone son escasos. Por ello debe realizarse una elección óptima sobre qué y cuánto producir. Para hacer esa elección óptima debemos ordenar y jerarquizar las necesidades de manera que podamos satisfacerlas convenientemente. A esa satisfacción es lo que en términos económicos llamamos *utilidad*.

* Cómo producir:

Llamamos proceso de producción al proceso de combinar factores productivos.

Los *factores productivos* son todos los bienes que sirven para elaborar otros bienes. Los podemos clasificar en:

- Naturales: minerales, petróleo, agua, etc. Estos factores no han sido producidos por el hombre, sino que están disponibles en la naturaleza.

– Humanos: nos referimos al factor trabajo, a las habilidades, tiempo y conocimientos que dedican las personas para producir.

– Capital: son bienes duraderos previamente elaborados y que sirven para fabricar otros bienes duraderos o de consumo. Son las máquinas, los ordenadores o los vehículos industriales, por poner algún ejemplo.

La forma en que se combinan los factores productivos recibe el nombre de *tecnología*.

La tecnología son las fórmulas o técnicas para producir bienes. En economía siempre que hablemos de tecnología entenderemos que se usa la más eficiente en ese momento.

* Para quién producir:

¿Quiénes van a adquirir nuestros productos? Respondiendo rápidamente podemos decir que otros productores y los consumidores. Esta pregunta es de carácter social y su solución depende del modelo que siga la organización social, ya que por ejemplo en una economía de mercado dependerá de la capacidad de compra de los distintos consumidores.

Para poder explicar las decisiones anteriores acudimos al modelo de **"la frontera de posibilidades de la producción"**.

La frontera de posibilidades de producción (FPP) es una representación gráfica de las cantidades máximas de producción que puede obtener una economía en un periodo determinado haciendo uso de todos los recursos que tiene disponibles.

Relacionado con el concepto de frontera de posibilidades de producción, tenemos el concepto de **coste de oportunidad**. Pensemos en una economía que cuenta con miles de productos. Las posibilidades, las alternativas para producir un bien u otro y qué cantidad de cada uno, son muchas. Al elegir una sola alternativa, ello supone que se está renunciando a otras posibilidades. El coste de oportunidad es la relación entre lo que elegimos y a lo que renunciamos.

Para estudiar el modelo de la frontera de posibilidades de producción vamos a suponer una economía que emplea todos sus recursos disponibles (trabajadores, tecnología) para fabricar dos bienes: automóviles (Y) y ordenadores (X). En el gráfico hemos supuesto cuatro diferentes posibilidades representadas por los puntos A, B, C y D.

En el punto A se fabrican Y_A automóviles y X_A ordenadores. En la gráfica se aprecia que se fabrican más automóviles que ordenadores. En el punto B se fabrican Y_B automóviles y X_B ordenadores (menos automóviles y más ordenadores). Los puntos A y B forman parte de la frontera de posibilidades de producción, son combinaciones posibles y eficientes de producción y por ello están situados sobre la curva que delimita la frontera de posibilidades de producción (FPP), puesto que la economía del país utiliza todos los recursos disponibles para producir distintas cantidades de automóviles y ordenadores.

El punto C, está por debajo de la FPP. También es una combinación posible de producción, pero, a diferencia de los puntos A y B, es una combinación ineficiente, porque no utiliza todos los recursos disponibles.

Nos hemos referido en un par de ocasiones al concepto de eficiencia (o ineficiencia). La **eficiencia** es un concepto esencial en la economía. Si hay eficiencia, no hay despilfarro, no se desaprovechan recursos, o lo que es lo mismo, los recursos se utilizan de la forma más eficaz posible. Podemos afirmar que la economía de un país produce eficientemente cuando no se puede producir una mayor cantidad de un bien sin producir una menor cantidad del otro. En esta situación el país se encuentra en un "optimo de Pareto", concepto sobre el que volveremos un poco más adelante.

Finalmente, el punto D supone una combinación de bienes inalcanzable con los recursos de que dispone la economía que estamos estudiando.

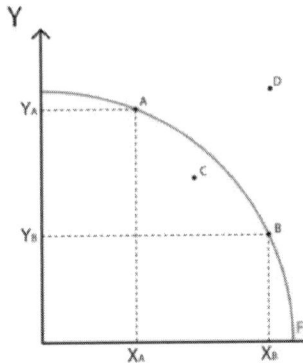

Nos hemos referido antes al concepto de coste de oportunidad. Veamos cómo calcularlo en el ejemplo que estamos viendo sobre automóviles y ordenadores: Si pasamos del punto A al punto B vemos que la producción de automóviles (Y) disminuye desde Y_A hasta Y_B para que aumente la de ordenadores (X) desde X_A hasta X_B. Podemos decir entonces que el decremento de Y es $-\Delta Y = Y_B - Y_A$ y que el aumento de X es $\Delta X = X_B - X_A$. Pues bien, calculamos el coste de oportunidad con la siguiente expresión:

Coste de oportunidad $= -\Delta Y / \Delta X = (Y_B - Y_A) / (X_B - X_A)$

A lo largo de este epígrafe sobre la Actividad Económica ha estado muy presente el concepto «decisión». Para completarla vamos a dar unas notas sobre el proceso de decisión económica tanto de los consumidores como de los productores.

Los consumidores intentan maximizar su satisfacción, su bienestar. Como veremos en otro tema, los consumidores pretenden maximizar la utilidad que le proporciona un producto pero siempre teniendo en cuenta los recursos de que dispone, sus disponibilidades, su renta.

Los productores tienen un objetivo, que es maximizar el beneficio que obtienen, es decir, dada las restricciones que soporta (impuestos, precios de los factores productivos y tecnología), que la diferencia entre sus ingresos y sus gastos sea máxima.

Es decir, tanto consumidores como productores buscan optimizar su situación.

Un cambio que permita a una persona estar mejor sin que empeore la situación de ninguna otra persona se denomina *mejora paretiana*.

Si se realizan todas las mejoras paretianas posibles llegamos al Óptimo de Pareto. Definimos el **Óptimo de Pareto** así:

Es aquella situación en la que nadie puede mejorar si no es a costa de que otro empeore.

Finalmente, para terminar este epígrafe vamos a definir Microeconomía y Macroeconomía.

Microeconomía: es la rama de la economía que estudia el comportamiento, las acciones y decisiones de los agentes económicos individuales, tales como individuos, familias o empresas, y sus relaciones e interacción en los mercados.

Macroeconomía: es una rama de la economía que estudia el comportamiento, la estructura y capacidad de grandes agregados a nivel nacional o regional, tales como: el crecimiento económico, tasa de empleo y desempleo, tasa de interés, inflación, entre otros. La palabra macro proviene del griego *makros* que significa grande.

2. Sistemas económicos

Un sistema económico es un conjunto coherente de respuestas a las preguntas básicas de qué y cuánto, cómo y para quién producir.

Otra definición de sistema económico es la que lo señala como el conjunto de instituciones, mecanismos y procedimientos por medio de los cuales una sociedad da respuesta a todas las cuestiones económicas con las que se enfrenta.

Cualquier sistema económico se basa en dos pilares fundamentales, el entorno y la organización económica.

El entorno económico son las posibilidades y los deseos de los individuos. Esto es: los recursos humanos y los recursos naturales, las preferencias de los agentes intervinientes y la tecnología disponible.

La organización económica es la relación existente entre la sociedad y el entorno y su administración.

3. Tipos de organización de la actividad económica

Los economistas generalmente reconocen cuatro tipos de organización de la actividad económica: Capitalismo o economía de libre mercado, Socialismo o economía de planificación central, Socialismo de mercado y Estado de Bienestar.

El **capitalismo** es un sistema socioeconómico en el cual los medios de producción y distribución son de propiedad privada y con fines de lucro.

Las decisiones relativas a la oferta, la demanda, el precio, la distribución y las inversiones no son tomadas por el gobierno. Los beneficios se distribuyen a los propietarios que invierten en empresas y a través de estas los salarios se pagan a los trabajadores. El capitalismo es dominante en el mundo occidental desde el fin del feudalismo en el siglo XVII en Inglaterra, y se rige por el dinero, la economía de mercado y los capitales.

El capitalismo es el sistema socioeconómico basado en el reconocimiento de los derechos individuales, donde toda propiedad es de carácter privado y el gobierno existe para prohibir el inicio de violencia humana. En una sociedad capitalista, el gobierno tiene tres órganos competentes: la policía, el ejército y los tribunales de justicia.

En la lógica del capitalismo está el aumento de los ingresos. Estos pueden ser concentrados como distribuidos sin que esto tenga nada que ver con la esencia misma del sistema. La concentración y la distribución de los ingresos capitalistas dependen mucho más de las condiciones particulares de cada sociedad.

En el capitalismo es el mercado, la libre actuación de los agentes económicos, el encargado de tomar las decisiones fundamentales ya vistas. En el capitalismo nadie planifica.

Por mercado entendemos, no un lugar concreto, un sitio, sino cualquier situación en la que se realicen intercambios, ya sea un lugar físico o virtual.

Una forma de entender el sistema capitalista es a través del **flujo circular de la renta**. A él nos podemos aproximar desde cuatro vías distintas en función de las magnitudes agregadas que utilicemos:

Desde el Producto Nacional, que es el valor de mercado de los bienes y servicios finales generados en una economía; desde la Renta Nacional, entendida como la suma de las remuneraciones de los factores que intervienen en el proceso productivo; desde el Gasto Nacional, definido como el consumo total de las economías domésticas; y finalmente desde el Valor Añadido Bruto, que es la suma del valor añadido por las distintas empresas al proceso de producción.

El flujo circular de la renta es un modelo económico que se utiliza para explicar de manera muy sencilla y simple el funcionamiento de la actividad económica.

El modelo sirve para comprender entre quienes se producen los distintos intercambios, es decir, quienes intervienen en la economía y en qué consisten esos intercambios.

En el modelo más sencillo del flujo circular se representa una economía con dos sectores, el sector familias y el sector privado. Estamos por tanto en presencia de una economía cerrada y sin sector público. Existen también otros agentes, el Estado y el sector exterior que influyen en el flujo circular de la renta. El Estado envía y adquiere factores y bienes y servicios en los mercados pagando o cobrando por ellos al igual que las familias o las empresas. Pero a la vez detrae los impuestos (directos e indirectos) y entrega transferencias a las economías domésticas. El sector exterior se manifiesta a través de las exportaciones e importaciones.

Centrándonos en las economías domésticas, se trata de familias o personas que acuden al mercado para adquirir bienes y servicios para satisfacer sus necesidades, es decir, interpretan el papel de consumidores en la economía.

Pero también las economías domésticas son propietarias de los factores de producción (tierra, capital y trabajo) y de las empresas. Las familias ofrecen los factores de producción para obtener el dinero necesario para satisfacer sus necesidades de bienes y servicios acudiendo al mercado. De esta forma, en cada período se establecen una serie de flujos que vienen recogidos en la figura 1. Como se puede comprobar, en primer lugar, las familias venden a las empresas los factores de producción y obtienen a cambio una renta, ya sea en forma de salarios o de beneficios. Por su parte, las empresas venden a las familias la totalidad de los bienes y servicios que producen y a cambio reciben un flujo de pagos que representa el gasto de consumo de las familias. Por otro lado, la parte de la renta de las familias que no es destinada al consumo se ahorra. Este ahorro es recogido por el sistema financiero, que hace de intermediario entre las familias y las empresas, y permite financiar el gasto de inversión de las empresas.

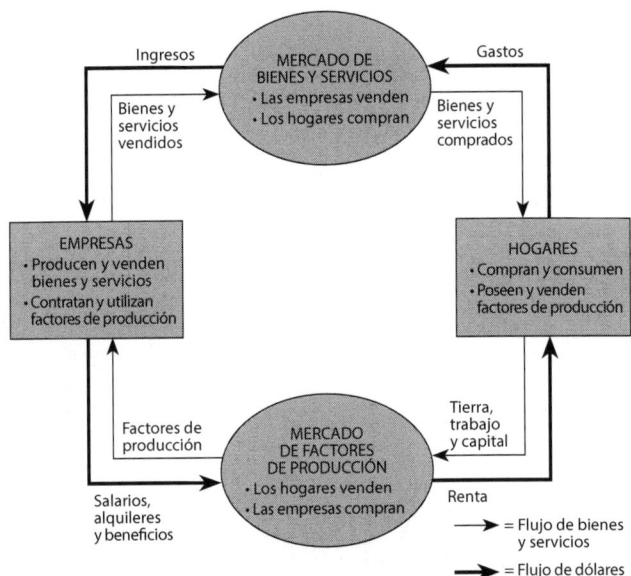

Figura 1. El flujo circular.

El **socialismo** es una doctrina sociopolítica y económica basada en la distribución equitativa de la riqueza y de la propiedad y la administración estatal de los medios de producción.

Algunos de los autores que desarrollaron este concepto son Karl Marx y Friedrich Engels.

El concepto original de socialismo se opone al de capitalismo (basado en el libre mercado y la propiedad privada de los medios de producción). Algunos principios del socialismo han evolucionado a lo largo de la historia y en diferentes lugares, identificándose en muchos casos con planteamientos políticos de izquierda.

En el socialismo funciona el sistema de planificación central: el capital y los recursos naturales son propiedad del Estado.

Las decisiones sobre qué bienes y servicios producir y cómo producirlos son tomados por una autoridad central a través de planes económicos a largo y corto plazo.

La distribución de los bienes y servicios se realiza en parte por asignación directa por la autoridad y en parte por la venta a precios controlados, aunque se permite el funcionamiento de mercados para la venta de pequeñas cantidades de productos agrícolas y artesanales.

El **socialismo de mercado** es una forma de socialismo que está enmarcada dentro de una economía de mercado. Se diferencia de otros socialismos en que utiliza el mercado para la asignación de recursos.

En el socialismo de mercado se pueden ver distintos grados de intervencionismo en el mercado. Por un lado está el modelo de Lange, defendido por Oskar Lange, Abba Lerner y Fred Taylor, donde los que los medios de producción pueden ser de propiedad estatal o cooperativa dentro de un mercado intervenido. También está el modelo defendido por David Schweickart que es más abierto al mercado. Y el de libre mercado con propiedad individual o asociada sobre los medios de producción defendido por Thomas Hodgskin, Benjamin Tucker y Kevin Carson.

No debe confundirse con la llamada «economía de mercado socialista», que corresponde a los sistemas económicos de China y Vietnam.

El **Estado de bienestar** es el conjunto de medidas o políticas desarrolladas por un gobierno con el objetivo de brindar oportunidades para ser aprovechadas por todos los ciudadanos, como por ejemplo: servicios de educación, vivienda, alimentación, entre otros servicios.

Dicho término fue acuñado a partir de 1945 en la postguerra de la Segunda Guerra Mundial.

Estado del bienestar, Estado benefactor, Estado providencia o sociedad del bienestar es un concepto de las ciencias políticas y económicas con el que se designa a una propuesta política o modelo general del Estado y de la organización social, según la cual el Estado provee servicios en cumplimiento de derechos sociales a la totalidad de los habitantes de un país.

En palabras de Claus Offe, «el Estado de bienestar ha sido el resultado combinado de diversos factores (…) El reformismo socialdemócrata, el socialismo cristiano, élites políticas y económicas conservadoras ilustradas, y grandes sindicatos industriales fueron las fuerzas más importantes que abogaron en su favor y otorgaron esquemas más y más amplios de seguro obligatorio, leyes sobre protección del trabajo, salario mínimo, expansión de servicios sanitarios y educativos y alojamientos estatalmente subvencionados, así como el reconocimiento de los sindicatos como representantes económicos y políticos legítimos del trabajo.»

Para completar esta pregunta, podríamos también referirnos a los **sistemas de economía mixta**. Se trata de un sistema económico en el que participan tanto el sector privado como el sector público. En este sistema, el Estado interviene en el sector privado, ya que actúa como regulador del mercado en el caso de que se produzcan fallos en el mismo.

En este modelo, las familias y empresas (sector privado) serán los que establezcan los precios a través de las leyes de la oferta y la demanda, pero el Estado intervendrá si se producen desigualdades o desabastecimientos.

4. Funciones de un sistema económico

Las **funciones** básicas de un sistema económico, ya las hemos enunciado antes:

– **Qué y cuánto producir**, o lo que es lo mismo, hacia dónde se orienta el proceso productivo.

– **Cómo producir**, o lo que es lo mismo, cómo se organiza el proceso productivo.

– **Para quién producir**, o lo que es lo mismo, cómo se distribuye el producto obtenido.

Además de estas funciones básicas, la sociedad debe decidir sobre otras cuestiones:

a) Qué recursos destinar a la producción de bienes y servicios de consumo y cuáles a la producción de bienes de capital.

b) Qué recursos destinar a la producción de bienes y servicios de uso privado y cuáles a la producción de bienes y servicios de uso público.

c) Qué recursos destinar a la producción de bienes y servicios civiles y cuáles a la producción de material bélico.

d) Qué recursos destinar a la producción de bienes y servicios de uso interno y cuáles destinados a la exportación.

e) Qué tiempo destinar al trabajo y qué tiempo al asueto, al ocio.

Podemos concluir este tema, a modo de resumen, señalando que la organización económica que adopte cada Estado (de las vistas anteriormente) y la forma en que el Estado responde a las cuestiones básicas (qué y cuánto producir, cómo y para quién) persiguen unos **objetivos económicos básicos** que podemos resumir en cuatro:

1. Crear riqueza.

2. Alcanzar un alto nivel de empleo.

3. Alcanzar la estabilidad de los precios.

4. Realizar una equitativa distribución de la renta.

TEMA 20

La renta nacional: Concepto
y métodos de estimación.
La contabilidad nacional. Naturaleza
y fines. El análisis «input-output».
Relaciones sectoriales

Mejorar la **comprensión lectora** es uno de los pilares para sacarle todo el rendimiento a tu estudio. ¿Cómo? Te lo contamos todo en las Técnicas de Memoria 360.

Índice

1. La renta nacional: concepto y métodos de estimación

1.1. La contabilidad nacional

La macroeconomía se dedica al estudio de la economía de un país y su lugar en el panorama económico mundial. En una economía compleja, para tener una visión global sobre las decisiones económicas tomadas durante un periodo de tiempo determinado por los diferentes agentes económicos debemos utilizar indicadores o variables que resuman el conjunto de esas decisiones. Estas variables, a las que se les denomina macromagnitudes, son el fruto de la agregación o suma de comportamientos individuales distintos. Entre estas variables se encuentran el producto nacional, la renta nacional, el gasto público, la inversión bruta o neta, el consumo agregado, el ahorro nacional o la demanda interna o nacional. Todas estas variables permiten el estudio de la economía de una forma global y nos suministran información homogénea, al estar todas las variables valoradas en términos monetarios, sobre decisiones no homogéneas de los distintos agentes económicos.

La elaboración y estimación de las macromagnitudes arriba nombradas y otras, constituye el objeto principal de la contabilidad nacional. Por ello podemos decir que la contabilidad nacional describe los fenómenos fundamentales de producción y distribución de la riqueza de una nación. Para poder describir estos fenómenos, la contabilidad nacional debe establecer una serie de hipótesis que permitan relacionar las distintas macromagnitudes entre sí mediante identidades contables.

Existen diferentes sistemas de cuentas para la elaboración de la contabilidad nacional, entre los que se pueden señalar: el Sistema de Cuentas Nacionales de las Naciones Unidas (SCN), el Sistema Normalizado de Contabilidad Nacional de la OCDE, y el Sistema Europeo de Cuentas económicas integradas (SEC), que es la adaptación del SCN al ámbito de la Unión Europea.

El Instituto Nacional de Estadística (INE) es el órgano que se encarga en España de elaborar la contabilidad nacional. El INE empezó a utilizar el SEC en el año 1970.

1.2. El producto nacional

En el apartado anterior hemos mencionado algunas variables macroeconómicas: producto nacional, renta nacional, gasto público, inversión bruta, inversión neta, consumo agregado, ahorro nacional, etc. Para llegar a los conceptos de consumo, inversión y gasto nacional vamos a partir de una sencilla definición de producto nacional:

El producto nacional (PN) de un país es el valor total de la corriente de bienes y servicios finales generados en su economía por unidad de tiempo.

De la definición anterior destacamos las siguientes notas:

– El PN es una corriente de bienes y servicios generados por unidad de tiempo. Por lo tanto, el PN es una variable flujo.

– El PN está integrado por bienes y servicios finales. ¿Qué son bienes y servicios finales? O, ¿por qué el PN solo incluye bienes y servicios finales? Empezando por contestar la segunda pregunta, el PN solo incluye bienes y servicios finales para evitar la doble contabilización. Respondiendo a la primera pregunta, por bienes y servicios finales, no debemos entender solo bienes y servicios terminados, sino que también debemos incluir las cantidades de materias primas y semifacturadas que, habiéndose generado en el período, no han sido utilizadas para su transformación en productos terminados dentro del mismo período y por lo tanto, han ido a incrementar el capital productivo en existencias de materias primas y bienes en proceso de la economía. En resumen, bienes y servicios finales serán los bienes y servicios terminados y la variación de las existencias de materias primas y semifacturadas.

– El PN se valora en términos monetarios dada la heterogeneidad de la corriente de bienes y servicios que lo componen. Es decir, el PN se valora utilizando los distintos precios de esos bienes y servicios.

1.3. Consumo, inversión y gasto nacional en una economía cerrada y privada

En aras de una mayor claridad expositiva iniciaremos nuestro análisis partiendo del estudio de una economía cerrada (no existen transacciones con el exterior, con el resto de países) y privada (sin sector público). Pues bien, en esta economía cerrada y privada (solo existen familias y empresas, repetimos), la parte del producto nacional (PN) dedicada a atender las necesidades de la población del período, es lo que vamos a denominar consumo (C). El resto de la producción nacional vamos a entender que se destina a mantener y ampliar la capacidad productiva: es la inversión (I) de la economía en el período considerado.

Llegados a este punto, podemos definir el gasto nacional (GN) de esta economía cerrada y privada como la suma del gasto de consumo (C) y del gasto de inversión (I). El GN, así definido, es idénticamente igual al PN de la economía en el período. Lo expresamos así:

$$PN = C + I = GN \ (a)$$

Sobre las variables arriba expresadas debemos aclarar dos puntos:

– El gasto en bienes de consumo duradero (excluidas las viviendas que se consideran inversión en capital fijo, es decir, están dentro de I), se considera gasto de consumo.

– Por inversión, o formación bruta de capital (FBK), como también se la denomina, entendemos la parte del PN dedicada a mantener y ampliar en el período estudiado el capital productivo de la economía. Y tendrá dos componentes: inversión en capital fijo, también denominada formación bruta de capital fijo (FBKF) e inversión en existencias (VE).

Hasta aquí hemos venido refiriéndonos a PN "a secas". Vamos a avanzar un poco más introduciendo la distinción entre producto nacional neto (PNN) y bruto (PNB). Y para ello necesitamos definir el término depreciación (D). La depreciación que experimenta el capital productivo fijo por período de tiempo en una economía tiene dos causas o componentes: depreciación física y depreciación económica. La primera (recogida contablemente como "amortizaciones") viene determinada por el desgaste y deterioro del capital por su utilización en el proceso productivo o por el mero transcurso del tiempo. La segunda es consecuencia de la obsolescencia tecnológica.

Al ser la depreciación la causa de la distinción entre PNB y PNN podremos escribir:

$$PNB - D = PNN$$

Y como lo que se deprecia es el capital productivo:

$$IB - D = IN \ (IB = \text{Inversión Bruta e } IN = \text{Inversión Neta})$$

Y partiendo de la expresión *(a)*, podríamos escribir:

$$PNB = C + IB = GNB$$

Por lo tanto, podríamos expresar o definir el gasto nacional bruto (GNB) como la suma del gasto de consumo y del gasto de inversión bruta de la economía de un período.

Y el gasto nacional neto (GNN) como la suma del gasto de consumo y de la inversión neta de la economía del período:

$$PNN = C + IN = GNN$$

Avanzamos un poco más y vamos a definir una nueva variable macroeconómica: la renta nacional (Y). Definimos la renta nacional de un país como la suma total de las rentas generadas a favor de los poseedores de los factores de producción en contraprestación por la aportación de los mismos al proceso productivo durante un período de tiempo determinado. Lo expresamos así:

$$Y = Sueldos\ y\ salarios + Rentas\ y\ alquileres + Intereses + Beneficios$$

La definición de renta nacional arriba dada, la relaciona estrechamente con el proceso productivo. Ambas son distintas vertientes de una misma magnitud. De hecho, la renta nacional, por definición, equivale (en esta economía de dos sectores) al producto nacional neto (Y = PNN). Por ello podemos escribir:

$$PNB - D = PNN = Y = C + IN = GNN\ (b)$$

La expresión *(b)* de arriba es muy importante, puesto que de ella podemos concluir que producción (PNN), distribución de rentas (Y) y gastos (GNN) son tres puntos de vista de un mismo valor total.

Finalmente, para terminar con este apartado vamos a introducir dos últimas variables, el ahorro total de la economía (S) y la renta disponible de las economías domésticas (Yd). El ahorro es la abstención del consumo presente. Ahorran las economías domésticas (Sd) y ahorran las empresas (Sf). El ahorro de las empresas son los beneficios no distribuidos (BND).

La renta disponible tiene la siguiente expresión:

$$Yd = Y - Sf$$

Y esta renta disponible la dedican las economías domésticas a satisfacer sus necesidades corrientes mediante el gasto de consumo o a ahorrar:

$$Yd = C + Sd$$

Y el ahorro total neto es la suma del ahorro de las familias y del ahorro de las empresas:

$$SN = Sd + Sf$$

Puesto que PNN = C + IN

y que PNN = Y = C + SN, podemos concluir que:

$$SN = IN$$

Igualmente podríamos concluir que SB = IB.

Es decir, que la inversión y el ahorro realizados en una economía por unidad de tiempo son idénticos entre sí tanto en términos netos como brutos.

1.4. Consumo, inversión y gasto nacional en una economía cerrada y con sector público

Vamos a introducir ahora en nuestro estudio la actividad gubernamental. Así tendremos dividida nuestra economía en tres sectores: empresas, economías domésticas y sector público, porque una parte de la producción y de la renta nacional corresponderá al sector público.

¿Cómo se manifiesta la actividad gubernamental en la economía nacional?

El sector público realiza gastos públicos corrientes en bienes y servicios. Estos gastos los componen los pagos por sueldos y salarios a los funcionarios y empleados públicos y a las fuerzas armadas y los pagos al sector privado en concepto de alquileres y compras de bienes y servicios producidos por las empresas.

También el sector público realiza gastos públicos de inversión destinados a ampliar y mantener el capital productivo del país. Entre ellos tenemos: construcción de carreteras y autovías, puertos y otras infraestructuras, centros de enseñanza, etc.

En cuanto a los ingresos del sector público, se componen fundamentalmente de los impuestos y las rentas de las empresas gubernamentales y otras propiedades públicas (de poca importancia relativa). Los impuestos los clasificamos en impuestos directos (gravan rentas generadas) e indirectos (gravan el gasto).

Por último, la actividad gubernamental se manifiesta en forma de pagos de transferencia. Estos pagos no nacen como retribución de la aportación de factores al proceso productivo y suponen una mera redistribución de la renta nacional. Entre los pagos de transferencia distinguimos:

- Subvenciones para reducir los precios de mercado de determinados bienes y servicios.

- Intereses sobre la deuda pública.

- Pagos por transferencias netos de la Seguridad Social. Decimos netos porque tienen un componente de pago y un componente de ingreso. El componente de pagos está integrado por las cantidades que la Seguridad Social satisface a las familias en concepto de prestaciones por enfermedades o accidentes, subsidios, prestaciones por desempleo, pensiones de jubilación, viudedad u orfandad, etc. Los ingresos están compuestos por las cuotas abonadas a la Seguridad Social por empresarios y trabajadores por el conjunto de las prestaciones indicadas.

Llegados ya a este punto, y puesto que un poco más arriba se ha hecho referencia a los impuestos indirectos y a las subvenciones a la explotación, vamos a distinguir entre producto nacional bruto a precios de mercado (PNBpm) y producto nacional bruto al coste de los factores (PNBcf).

Así escribimos:

$$PNBcf = PNBpm - (Ti - Subv)$$

O lo que es lo mismo:

$$PNBcf = PNBpm - (Tin)$$

Siendo Ti, el importe de los impuestos indirectos, Subv, las subvenciones y Tin los impuestos netos de subvenciones (Ti – Subv).

Como también se señaló más arriba, los gastos públicos que contribuyen al producto nacional podemos dividirlos en gastos públicos corrientes en bienes y servicios (Cg) y gastos públicos de inversión (Ig). Pues bien, vamos a representar a la suma de ambos gastos con la letra G (G = Cg + Ig), de manera que la expresión del PNBpm en una economía con tres sectores quedaría así:

$$PNBpm = C + IB + G = GNBpm$$

Partiendo del PNBpm podemos obtener el PNNpm y el GNNpm descontando la depreciación:

$$PNNpm = PNBpm - D$$

De la misma manera,

$$GNBpm - D = GNNpm$$

Finalmente, partiendo del PNNpm, podemos obtener el PNNcf si restamos los impuestos indirectos netos:

$$PNNcf = PNNpm - Tin$$

Y por definición,

$$PNNcf = Y, \text{ es decir, la renta nacional.}$$

Con la incorporación del sector público podemos definir la renta disponible de las economías domésticas de la siguiente forma:

$$Yd = Y - Sf - Td - R + H$$

siendo Td los impuestos directos, R las rentas del Gobierno procedentes de la propiedad y de las empresas públicas y H los pagos de transferencia netos del sector público a las economías domésticas.

El ahorro público (Sg), que definimos como la diferencia entre los ingresos públicos corrientes y los gastos públicos corrientes en bienes y servicios será:

$$Sg = Ti + Td + R - Cg - H$$

Siendo Cg el gasto público corriente en bienes y servicios.

Finalmente, en una economía de tres sectores, también se cumplirá que:

$$SN = IN \text{ y } SB = IB$$

1.5. Consumo, inversión y gasto nacional en una economía abierta y con sector público

Nuestra economía aparece ahora dividida en cuatro sectores: economías domésticas, empresas, sector público y sector exterior.

La principal incidencia del sector exterior en el cálculo de las macromagnitudes que venimos calculando va a venir dada porque vamos a tener en cuenta las exportaciones (X) e importaciones (M) de bienes y servicios y porque vamos a distinguir entre producción interior y producción nacional. También desde el exterior llegarán transferencias internacionales corrientes y de capital. A su vez, las transferencias internacionales corrientes podrán ser públicas o privadas. Las transferencias internacionales corrientes privadas más importantes son las remesas de los emigrantes permanentes (más de seis meses residiendo fuera del país).

El término nacional hace referencia al valor de la producción obtenida por los factores productivos nacionales situados en el país o en el extranjero, mientras que el término interior se refiere a la actividad productiva desarrollada dentro de las fronteras de un país, con independencia de la nacionalidad de los propietarios de los factores de producción.

Así definiremos Producto Interior (PI) como el valor total de los bienes y servicios finales producidos por un país dentro de sus fronteras por unidad de tiempo. No obstante, los propietarios de los factores de producción que han obtenido ese PI pueden ser residentes nacionales o residentes extranjeros. A las rentas obtenidas por los propietarios de factores extranjeros en el país cuya producción estamos calculando las representaremos con las letras Rfen (rentas de factores extranjeros en la nación), mientras que a las rentas obtenidas en el extranjero por los nacionales del país cuya producción estamos calculando, las representaremos por las letras Rfne (rentas de factores nacionales en el extranjero). Mientras que las Rfen forman parte del producto interior del país cuya producción estamos calculando, las segundas (Rfne) formarán parte del producto interior del país en el que se obtienen.

En relación con lo expuesto y partiendo del PIBpm, podemos obtener el PNBpm:

$$PIBpm + Rfne - Rfen = PNBpm$$

O partiendo del PINcf, podemos obtener el PNNcf:

$$PINcf + Rfne - Rfen = PNNcf = Y$$

Como dijimos al principio del tema cuando nos referíamos a la elaboración de la contabilidad nacional, en España, esta se elabora conforme al Sistema Europeo de Cuentas económicas integradas (SEC). Y en el SEC, el agregado que resume la producción creada en un país durante un determinado período de tiempo es el PIBpm.

En una economía de cuatro sectores el PIBpm viene determinado por la siguiente expresión:

$$PIBpm = C + IB + G + X - M$$

Partiendo de esta igualdad podemos concluir que en una economía abierta, la oferta interna (PIBpm) atiende no solo la demanda interior de consumo y de inversión (C + IB + G), sino también la demanda extranjera de los bienes y servicios generados en el país (X). Al propio tiempo, la demanda total (C + I + G + X) es atendida no solo por la oferta interna (PIBpm) sino también por la oferta externa (M).

Es decir, que podríamos escribir:

$$PIBpm = GIBpm + (X - M)$$

A la expresión (X- M) se la denomina saldo exterior neto o exportaciones netas.

Respecto de la renta nacional, ya hemos señalado que Y = PNNcf, por lo que, partiendo del PIBpm (que es la macromagnitud a la que se refiere la contabilidad nacional) podríamos llegar al PNNcf restando al PIBpm la depreciación, los impuestos indirectos netos y las rentas de los factores extranjeros en la nación y añadiéndole las rentas de los factores nacionales en el extranjero:

$$Y = PNNcf = PIBpm - D - Tin + Rfne - Rfen$$

Finalmente, la renta disponible de las economías domésticas en esta economía de cuatro sectores vendrá determinada por la expresión:

$$Yd = Y - Sf - Td - SS - R + H + Zd$$

Siendo SS las cotizaciones a la Seguridad Social y Zd las transferencias internacionales corrientes privadas netas procedentes del resto del mundo.

2. Producto interior bruto y neto: métodos de estimación

Como mencionamos anteriormente la contabilidad nacional recoge los resultados de las unidades residentes. Por este motivo, el agregado que resume la producción creada en un país durante un determinado periodo de tiempo es el producto interior bruto (PIB).

El PIB es el valor de todos los bienes y servicios finales producidos por las unidades residentes en un país en un determinado periodo de tiempo. Este indicador representa el resultado final de la actividad productora; es decir, resume toda la actividad económica, motivo por el que se utiliza para estudiar la evolución de la economía.

Para estimar el PIB podemos utilizar cualquiera de los tres métodos directos que a continuación veremos: método del gasto (punto de vista de la demanda), método de la producción (punto de vista de la oferta) y método del ingreso (punto de vista de la renta). Los resultados obtenidos desde estos tres enfoques van a ser coincidentes. No obstante, como también veremos, además de los métodos directos, debido a la insuficiencia de datos estadísticos en determinados países, será necesario utilizar métodos indirectos.

En cuanto al producto interior neto lo obtendremos restando al producto interior bruto la depreciación:

$$PIN = PIB - D$$

2.1. Método del gasto

Mediante este método vamos a obtener el PIB a precios de mercado a partir de la demanda agregada que existe sobre los productos. Es decir, dividimos la producción interior entre los diferentes fines por los que se demanda esta.

Desde esta perspectiva el PIB estará integrado por:

a) Consumo privado (C): representa el valor de los bienes y servicios utilizados por las familias para la satisfacción directa de sus necesidades.

b) Inversión Bruta privada (IB) o Formación bruta de capital (FBK): la hemos definido como la parte del producto dedicada a mantener y ampliar en el período estudiado el capital productivo de la economía. La inversión bruta está compuesta por dos variables: la formación bruta de capital fijo y la variación de existencias.

   – Formación bruta de capital fijo (FBKF): representa el valor de los bienes duraderos adquiridos por las unidades productoras residentes con el fin de utilizarlos durante más de un año en su proceso productivo.

   – Variación de existencias (VE): la también llamada inversión en existencias la calculamos por la diferencia entre las entradas y las salidas de existencias durante el período de estudio.

c) Gasto público en bienes y servicios y gasto público de inversión (G): representa el gasto que realizan las administraciones públicas tanto en bienes y servicios corrientes como en bienes de inversión. De forma más sencilla, podemos decir que mediante esta letra G representamos el consumo y la inversión públicos.

d) Exportaciones netas (X-M): es igual a la diferencia entre las exportaciones y las importaciones de bienes y servicios. También se le denomina saldo exterior neto.

   – Exportaciones (X): está compuesto por los bienes producidos por unidades residentes que salen definitivamente del país hacia el resto del mundo y los servicios prestados por las unidades residentes a unidades no residentes.

   – Importaciones (M): se trata del valor de los bienes que procedentes del resto del mundo entran definitivamente en el territorio económico del país y de los servicios prestados por unidades no residentes a las unidades residentes.

Utilizando la notación anterior expresamos el PIB a precios de mercado así:

$$PIBpm = C + IB + G + X - M$$

Si utilizamos los componentes de la IB:

$$PIBpm = C + (FBKF + VE) + G + X - M$$

Partiendo de esta expresión es muy sencillo obtener el producto interior neto a precios de mercado. Bastará restarle a la inversión bruta la depreciación (D) o consumo de capital fijo, obteniendo la inversión neta (IN):

$$IB - D = IN$$

$$PINpm = C + (IB - D) + G + X - M$$

Es decir:

$$PINpm = C + IN + G + X - M$$

O también:

$$PINpm = C + (FBKF - D + VE) + G + X - M$$

2.2. Método de la producción

También llamado método de la oferta. Este método está basado en el censo de producción, que consiste en calcular el valor de la producción neta al coste de los factores de los productos finales o valor añadido neto aportado por los diferentes sectores en que está dividida la economía. Es decir, mediante este método calculamos el PIB en cada uno de los sectores que producen y venden los distintos bienes y servicios que lo componen. Por el lado de la oferta, el PIB se desglosa en los siguientes componentes:

a) Valor añadido bruto (VAB): es la diferencia entre la producción de bienes y servicios y los consumos intermedios.

$$VAB = PBS - CI$$

- Producción de bienes y servicios (PBS): es el resultado de la actividad económica socialmente organizada, realizada por las unidades residentes y cuyo objeto es la creación de bienes y servicios.

- Consumo intermedio (CI): representa el valor de los bienes (excluidos los del capital fijo) y servicios destinados a la venta utilizados durante el período considerado en la producción de otros bienes y servicios.

b) IVA que grava los productos (IVA): es el impuesto sobre el valor añadido que grava las entregas de bienes y prestaciones de servicios.

c) Impuestos netos ligados a la importación (TQ): a título de ejemplo tendríamos la tarifa exterior común, el derecho compensatorio, etc. Estos impuestos son netos de subvenciones.

Por lo tanto, utilizando las variables que acabamos de describir, podemos expresar el PIB a precios de mercado desde el lado de la oferta como la suma de:

$$PIBpm = VAB + IVA + TQ$$

O también:

$$PIBpm = PBS - CI + IVA + TQ$$

En la práctica se suele presentar los resultados de ambas identidades por ramas de producción. Es decir, se desglosa el VAB en cada una de las principales ramas de actividad.

2.3. Método del ingreso

Este método utiliza para el cálculo de la producción, las rentas pagadas o ingresos percibidos por los propietarios de los factores de producción que han participado en el proceso económico.

Desde el punto de vista de las rentas, la estructura del PIB la obtenemos con las siguientes variables macroeconómicas:

a) Remuneración de asalariados (RA): comprenden todos los pagos en dinero y en especie efectuados por los empleadores en concepto de remuneración por el trabajo realizado por sus asalariados durante el periodo de referencia. En otra parte del tema los hemos llamado "sueldos y salarios".

b) Excedente bruto de explotación (EBE): es la diferencia entre el VAB al coste de los factores y la remuneración de los asalariados. Incluye el consumo del capital fijo (D) o amortización y el excedente neto de explotación (ENE). Por lo tanto, ENE = EBE – D.

Podríamos considerarlo una aproximación al beneficio empresarial.

c) Impuestos ligados a la producción e importación netos de subvenciones (Ti – Subv): recogen la diferencia entre los impuestos que gravan la producción y las importaciones y las subvenciones. Ya nos referimos a ellos anteriormente para poder diferenciar entre producción a precios de mercado y al coste de los factores. A la expresión (Ti – Subv), la denominamos impuestos indirectos netos (Tin).

– Impuestos ligados a la producción e importación (Ti): son impuestos indirectos sobre las unidades productoras que gravan la producción y la importación de bienes y servicios o la utilización de los factores de producción. Estos impuestos se recaudan independientemente de la realización de beneficios de explotación.

– Subvenciones (Subv): son pagos sin contrapartida que realizan las administraciones públicas a las empresas residentes que producen bienes y servicios destinados a la venta, con el fin de incidir en los precios de esos bienes reduciéndolos (pensemos en las subvenciones que perciben de los ayuntamientos las empresas de autobuses urbanos para que el importe del billete sea reducido) y/o permitir una remuneración adecuada de los factores de producción. Son las subvenciones a la explotación.

De esta manera, el PIB a precios de mercado desde el punto de vista de la remuneración a los factores productivos es igual a:

$$PIBpm = RA + EBE + Ti - Subv$$

O también:

$$PIBpm = RA + ENE + D + Ti - Subv$$

O:

$$PIBpm = RA + ENE + D + Tin$$

Evidentemente, si no tenemos en cuenta la depreciación, es decir, si utilizamos el excedente neto de explotación (ENE), obtenemos el producto interior neto a precios de mercado:

$$PINpm = RA + ENE + Tin$$

2.4. Problemas de la estimación directa del producto nacional cuando lo utilizamos como medida del bienestar social

Cuando estimamos el producto nacional, se pueden introducir una serie de opiniones o juicios de valor a la hora de valorar la corriente de bienes y servicios generados por la economía que suponen problemas cuando lo utilizamos como medida del bienestar social. Podemos enumerar los siguientes:

a) La ausencia de valoración del ocio.

b) La exclusión del trabajo en el hogar de las amas de casa.

c) La falta de valoración de los servicios prestados por los bienes de consumo duradero.

d) La no inclusión del autoconsumo o de los pagos en especie.

e) La infravaloración del gasto público.

f) La falta de contabilización de la variación del valor de las existencias de las empresas.

Hasta hace bien poco, entre los problemas enumerados arriba, figuraba "la no inclusión de las ganancias de la economía sumergida". Sin embargo, en la Unión Europea, de forma obligatoria en 2016, los países que la integran, entre ellos España, deberán incorporar en los cálculos del PIB las actividades ilegales como el tráfico de drogas o la prostitución.

2.5. Métodos indirectos de estimación del PIB

Como ya adelantamos, los métodos indirectos se utilizan debido a la insuficiencia de datos estadísticos en determinados países. Se basan en una valoración ponderada de las producciones más significativas. Los métodos indirectos de estimación de la producción tienen el inconveniente de que son aproximados, pues a pesar de la relación estrecha que pudiera existir entre la renta y el fenómeno tomado como base, siempre existirá, en la práctica, un conjunto de diferencias entre ambos fenómenos que impedirán tomar como real y verdadero el coeficiente de correlación.

3. Renta nacional y renta disponible

En esta pregunta vamos a volver sobre algunos conceptos ya apuntados e incluso desarrollados en preguntas anteriores.

Para obtener la renta nacional (Y) o PNNcf vamos a partir de la definición del PIB a precios de mercado en una economía de cuatro sectores. Nuestro objetivo final es obtener, partiendo de la renta nacional, la renta de la que disponen las familias para consumir o ahorrar, es decir la renta personal disponible o renta disponible (Yd).

Para empezar nuestra exposición debemos recordar la expresión:

$$PIBpm = C + IB + G + X - M$$

Y que:

$$PNBpm = PIBpm + Rfne - Rfen$$

A la diferencia (Rfne – Rfen) podemos llamarla también Rne (Rentas netas del/al exterior).

La renta nacional (Y), como ya vimos, es el conjunto de remuneraciones de los factores nacionales por su actividad productiva. En la ecuación anterior el PNB está valorado a precios de mercado, es decir, los impuestos indirectos netos de subvenciones están contabilizados. Es evidente que estos no forman parte de la remuneración de los factores de producción, al ser introducidos por las administraciones públicas. Por ello, para irnos acercando a la renta nacional, debemos expresar el PNB al coste de los factores:

$$PNBcf = PNBpm - Ti + Subv$$

La expresión anterior es también denominada renta nacional bruta al coste de los factores (RNBcf).

Como sabemos, parte del excedente bruto de explotación es destinado a reponer el desgaste, la obsolescencia y las averías que sufren los bienes de equipo ya existentes en la economía.

Este concepto, que hemos venido denominando depreciación (D), no puede ser considerado como remuneración de los factores de producción, ya que solo repone el *stock* de capital existente. Por este motivo, como también ya se había mencionado, por definición, la renta nacional es el PNN al coste de los factores:

$$Y = PNNcf = PNBcf - D$$

De esta forma, la renta nacional recoge la remuneración de los factores nacionales. A la expresión de arriba también se la denomina renta nacional neta al coste de los factores (RNNcf).

Una vez determinada la renta nacional podemos analizar los componentes que la forman. También en la pregunta anterior vimos que podíamos expresar el producto interior neto a precios de mercado así:

$$PINpm = RA + ENE + Tin$$

Si a esta expresión le restamos los impuestos indirectos netos de subvenciones y sumamos (Rfne – Rfen) tenemos el PNN a coste de los factores, es decir, la renta nacional.

Y la renta nacional, como expresión de la remuneración a los factores productivos nacionales también equivale a:

Y = PNNcf = sueldos y salarios netos + cotizaciones a la seguridad social + alquileres + rentas de los propietarios + beneficios de las sociedades + intereses netos

Antes de llegar a la renta personal disponible (que mide la capacidad de gasto de las economías domésticas), vamos a introducir otro concepto, la Renta Nacional Disponible (RND), que definimos como la "capacidad de la economía para financiar gasto" y se expresa como la suma de la Renta Nacional (Y) más las transferencias corrientes netas procedentes del exterior o transferencias internacionales corrientes (Z). A su vez, Z = ZG + ZED, siendo ZG las transferencias internacionales corrientes públicas y ZED las transferencias internacionales corrientes privadas.

$$RND = Y + Z = Y + ZG + ZED$$

A partir de la expresión que poníamos un poco más arriba:

Y = PNNcf = sueldos y salarios netos + cotizaciones a la seguridad social + alquileres + rentas de los propietarios + beneficios de las sociedades + intereses netos

no es difícil obtener la renta disponible que tienen las economías domésticas o renta personal disponible o renta disponible (Yd). Para ello vamos a deducir de las remuneraciones anteriores la parte que no va a llegar a las familias, como son los beneficios no distribuidos o ahorro de las empresas (Sf), los impuestos directos (Td), las cotizaciones a la Seguridad Social (SS), las rentas de las empresas públicas (R); y vamos a añadir las transferencias que reciben del sector público (H) y las transferencias internacionales privadas corrientes netas (ZED):

$$Yd = Y - Sf - Td - SS - R + H + ZED \ (c)$$

Sabiendo que los beneficios de las sociedades (B) podemos descomponerlos en beneficios no distribuidos o ahorro de las empresas (Sf) y dividendos (Dd), es decir:

$$B = Sf + Dd$$

La expresión *(c)* podemos también escribirla:

$$Yd = Y - (B + Dd) - Td - SS - R + H + Zd$$

También podríamos considerar las cotizaciones sociales como si fueran un impuesto directo (TD = Td + SS), por lo que la expresión anterior se transforma en la siguiente:

$$Yd = Y - (B + Dd) - TD - R + H + Zd$$

La renta disponible de las familias es empleada por estas en consumir o en ahorrar. Así llegamos a la última igualdad:

$$Yd = C + SN$$

donde C es el consumo privado y SN el ahorro neto de las familias.

4. Demanda agregada y préstamo neto al/del extranjero

Partiremos para exponer la parte relativa a la **demanda agregada** de esta pregunta de la ya usada, fundamental y conocidísima expresión:

$$PIBpm = C + IBi + X - M$$

Hemos denominado IBi a la Inversión Bruta *interna* del país.

En una economía abierta (de cuatro sectores), el PIBpm atiende tanto a la demanda interior de consumo e inversión (C + IBi) como a la demanda exterior (X) de los bienes y servicios generados por dicha economía. A la vez, esa demanda total o agregada (DA), es atendida no solo con el PIBpm sino también con las importaciones (M) de bienes y servicios extranjeros.

Podríamos escribir por tanto también:

$$PIBpm + M = C + IBi + X$$

Así, PIBpm va a ser la Oferta Interna (OI); M, la Oferta Externa (OE); (C + IBi) , la Demanda Interna (DI) y X la Demanda Externa(DE).

De forma abreviada:

$$OI + OE = DI + DE$$

Llegando a la expresión:

$$OA = DA$$

Que nos indica que la oferta agregada es igual a la demanda agregada.

En cuanto al **préstamo neto al/del extranjero**, lo definimos como *el saldo neto de las variaciones en los activos y pasivos del país frente al resto del mundo en un período* y lo representaremos por *So*. Si este saldo es positivo, representará la inversión exterior del país en el período y hablaremos de préstamo neto *al* extranjero. Si el saldo es negativo representará el endeudamiento (o desinversión) del país frente al resto del mundo en el período y hablaremos de préstamo neto *del* extranjero.

Debemos definir una nueva magnitud, las transferencias netas *de capital* con el exterior (del o al exterior), que vamos a representar con la letra *F*. Ejemplos de ellas tenemos, por ejemplo, en los fondos FEDER de la Unión Europea (transferencias de capital *recibidas* por España, *del exterior*); o las ayudas que pudieran enviarse desde España para construir un hospital en Malabo (Guinea Ecuatorial), que son transferencias internacionales *enviadas al exterior*.

Partiremos de la expresión:

$$PNNpm = C + INi + X - M + Rfne - Rfen$$

Sumamos Z (transferencias internacionales corrientes) a ambos lados de la igualdad:

$$PNNpm + Z = C + INi + X - M + Rfne - Rfen + Z$$

Sumamos F a ambos lados de la igualdad:

$$PNNpm + Z + F = C + INi + X - M + Rfne - Rfen + Z + F \ (a)$$

Y definimos So como:

$$So = X - M + Rfne - Rfen + Z + F \ (b)$$

Por otro lado, sabemos que $PNNpm = PNNcf + Tin = Y + Tin \ (c)$

Así podemos escribir la expresión (a) teniendo en cuenta la (b) y la (c) de esta manera:

$$Y + Tin + Z + F = C + INi + So \ (d)$$

Y de esta manera, analizando la expresión anterior, llegamos a la conclusión de que las disponibilidades totales con las que cuenta una economía abierta en un período para financiar su gasto total de consumo y de inversión (tanto interior, INi, como exterior, So), vienen dadas por la suma de su Renta Nacional y de las transferencias netas corrientes y de capital con el exterior (todo ello referido a precios de mercado).

Si pensamos que la Renta Nacional Disponible (recordemos, RND = Y + Tin + Z, en este caso a precios de mercado) de una economía abierta se destina al consumo (público y privado) y al ahorro, tanto de las economías domésticas, las empresas y el sector público, podemos escribir:

$$Y + Tin + Z = C + S_{ED} + S_F + S_G \ (e)$$

Finalmente, de las dos últimas expresiones podemos obtener la igualdad que expresa la financiación de la inversión en una economía abierta.

$$S_{ED} + S_F + S_G + F = IN_i + S_o$$

Esta identidad nos señala que, en una economía abierta, la inversión total realizada en el período, tanto la interior como la exterior ($IN_i + S_o$), es financiada por el ahorro nacional ($S_{ED} + S_F + S_G$) más las transferencias netas de capital procedentes del resto del mundo (F).

5. El análisis «input-output». Relaciones sectoriales

El modelo *input-output* es un modelo económico desarrollado por Wassily Leontief (obtuvo el premio Nobel en 1973) que trata de explicar el proceso de circulación económica de un país. El modelo viene a mostrar cómo las salidas de una industria (*outputs*) son las entradas de otra (*inputs*), mostrando una interrelación entre ellas en una tabla de doble entrada.

Leontief agrupó los sujetos económicos en sectores lo más homogéneos posible en función de la actividad que estos desarrollaban y consideró que todo grupo o sector era al tiempo comprador y vendedor de bienes y servicios.

El modelo *input-output* se basa en tres presunciones:

1. En cada sector se fabrica o produce un solo *output* con una única estructura de *input*, y no se puede dar una sustitución automática entre dos *outputs* de diferentes sectores.

2. Los *inputs* de cada sector son una función lineal de su nivel de *output*.

3. Rige el "principio de aditividad" que significa que el efecto total del desarrollo de la producción de los sectores es la suma de una serie de efectos separados.

Leontief elaboró dos tipos de modelos *input-output*. El primero fue el modelo cerrado. Después, a consecuencia de las críticas hechas a este modelo cerrado, apareció el modelo abierto.

El modelo cerrado:

En él, como ya hemos adelantado, se divide la economía en sectores lo más homogéneos posible y se estudia la interdependencia entre ellos a través de las transacciones que realizan entre sí.

Se definen las llamadas funciones de producción, que muestran las relaciones entre los factores de producción y los productos. Estas funciones de producción se consideran lineales y con término independiente nulo.

En este modelo también se definen los llamados coeficientes técnicos (aij) que representan la relación de dependencia del sector j respecto del sector i, resultando que la suma de los coeficientes técnicos de cada sector es igual a la unidad, dada la linealidad de las funciones de producción.

El modelo abierto:

En el modelo abierto Leontief dividió los sectores en dos grupos, los productivos, en los que existía una relación lineal entre los output y los inputs de cada sector y los de demanda final, en los que no se cumple esta relación.

Los sectores de demanda final serían: sector familias o economías domésticas, sector público, sector exterior, formación de capital y existencias de mercaderías.

Para terminar esta pregunta, vamos a exponer brevemente las aplicaciones del análisis input-output. Vamos a distinguir entre el análisis estructural y la previsión.

El análisis estructural incluye:

– Estudios de la estructura de costes de las industrias y la distribución de bienes y servicios entre los distintos sectores.

– Determinación de la posición funcional de un sector respecto de la economía nacional en su conjunto y en relación con cada uno de los otros sectores.

– Comparaciones intertemporales de los rasgos estructurales de una misma economía nacional.

– Comparaciones internacionales de la estructura de dos o más países.

– Análisis regionales.

Las previsiones incluyen:

– Análisis de las modificaciones intersectoriales necesarias para alcanzar ciertos objetivos.

– Análisis de precios para determinar su influencia en los sectores.

TEMA 21

El dinero: Concepto y funciones del dinero. Demanda y oferta de dinero. Formación del tipo de interés

En tu Curso MAD360 te contamos cómo realizar los **repasos** activos necesarios para potenciar tu memoria.

Índice

1. El dinero: concepto y funciones

Tradicionalmente los economistas han definido el dinero no en función de lo que es, sino en función de aquello para lo que sirve (*money is what a money does*).

En este sentido, se considera generalmente que el dinero es:

a) Un medio de cambio. Considerado como medio de cambio, dinero sería cualquier bien utilizado para facilitar transacciones. Para que un bien alcance esta consideración de instrumento o medio para realizar los intercambios es preciso que goce de general aceptación (ya sea por costumbre o por imposición legal). La confianza en esta aceptación convierte a su vez el dinero en un medio general de pago.

b) Una unidad de cuenta. Es una unidad de cuenta que permite referir el valor de todos los restantes bienes en términos de múltiplos o submúltiplos de dicha unidad homogénea. Conviene precisar que el dinero como medio de cambio y pago, y el dinero como unidad de cuenta no tienen necesariamente que coincidir.

c) Un depósito de valor. El dinero, por último, sirve como reserva o depósito de valor. Y como tal es una de las muchas formas, de los muchos activos, que puede escoger un sujeto económico para conservar su riqueza. Así, como medio de pago el dinero es un flujo, una corriente monetaria enfrentada a una corriente de mercancías; como reserva de valor, el dinero es un *stock*, un depósito susceptible de ser inventariado en un momento dado de tiempo.

Hoy en día, el dinero se representa en forma de papel. Tal y como señalan Fischer-Dornbusch-Schmalensee, podemos distinguir tres tipos de dinero:

a) El dinero-mercancía: que sirve como medio de cambio aunque también se compra y se vende como bien ordinario (como, por ejemplo, el oro, plata…).

b) El dinero-signo: que es el medio de pago cuyo valor o poder adquisitivo como dinero es superior al costo de producción y el valor de sus otros usos. Es decir, el coste económico de un billete de 500 euros es muy inferior al valor que representa.

c) El dinero-pagaré: es un medio de cambio utilizado en la deuda de una empresa o persona. Un depósito bancario es un dinero-pagaré ya que el banco debe entregar al depositario su importe cuando así lo solicite. Los cheques de viaje también son dinero-pagaré.

También podríamos discutir acerca de las tarjetas de débito y de crédito. Con respecto a las primeras, se podría admitir como un tipo de dinero por cuanto que a través de la misma se dispone de manera inmediata dinero en efectivo o se pueden efectuar compras que automáticamente son cargadas en la cuenta corriente o de ahorro a la que esté asociada. Sin embargo, y con respecto a las tarjetas de crédito, se excluyen porque son un medio de pago diferido.

Finalmente, si queremos dar una definición sencilla de lo que es el dinero, podríamos decir que este es el instrumento que nos permite intercambiar los bienes y servicios entre los distintos individuos y países.

2. Demanda y oferta de dinero

2.1. La demanda de dinero

2.1.1. Motivos y factores que influyen en la demanda de dinero

Comenzaremos esta pregunta, antes de analizar las distintas teorías sobre la demanda de dinero, estableciendo los motivos para demandar dinero y los factores que influyen en la demanda de dinero.

Los **motivos para demandar dinero** son:

1. Motivo transacción: la principal razón para tener dinero en nuestro poder es porque nos sirve para hacer intercambios. Es decir, facilita y agiliza cualquier transacción económica.

2. Motivo precaución: es frecuente tener una reserva de dinero como previsión por si ocurren acontecimientos inesperados que impliquen una serie de gastos.

3. Motivo especulación: la última razón para mantener un *stock* de dinero es para tratar de evitar pérdidas por fluctuaciones en el valor de activos rentables, como puedan ser bonos y acciones, que además de ser activos que prometen rentabilidad son menos líquidos que otras fórmulas de mantener riqueza.

Por otro lado, los **factores que influyen en la demanda de dinero** son:

1. Los precios (P): cuanto mayor sea el precio de los productos y factores, mayor será la cantidad de dinero que necesitaremos para adquirirlos. Al incremento generalizado de precios lo llamamos inflación.

2. El gasto real: que a su vez dependerá del nivel de ingresos o renta (Y). Cuanto mayor sea nuestro gasto real (en bienes y servicios), mayor será la cantidad de dinero que necesitaremos para adquirirlos (mayor será nuestra demanda de dinero).

3. El tipo de interés (o coste de oportunidad del dinero: nos referimos al tipo de interés con el que se retribuye al resto de activos financieros que no son dinero). Cuanto más alto es el tipo de interés (i), mayor es el coste de oportunidad del dinero y, por tanto, menor cantidad de dinero se va a demandar.

Por lo tanto, resumiendo, la demanda de dinero en *términos nominales* (Md) va a depender *directamente* del nivel de precios (P) y de la renta real (Y) e *inversamente* del tipo de interés (i):

$$Md = f (P, Y, i)$$

Finalmente, la demanda de dinero en *términos reales* podemos expresarla así:

$$Md/P = f(Y, i)$$

2.1.2. La demanda de dinero en el pensamiento neoclásico

Para los neoclásicos el dinero se demandaba por razones de conveniencia y seguridad; es decir, se demandaba: primero, para atender a las necesidades ordinarias de la vida y de los negocios sin incurrir en dificultades derivadas de la falta de numerario; y segundo, para hacer frente a contingencias imprevistas. En ambos casos el dinero se demandaba en cuanto poder de comprar, y por consiguiente, la demanda de dinero por ambos motivos se expresaba en términos de saldos reales.

En el análisis económico tiene gran importancia la distinción entre variables expresadas en saldos monetarios o nominales y en saldos reales, sobre todo a la hora de estudiar la variación ocurrida en dichas variables. La distinción, entre unas y otras, radica en el hecho de que, cuando se habla de saldos monetarios la variable en cuestión aparece expresada en euros corrientes, es decir, con un valor adquisitivo del euro de hoy; mientras que por el contrario, cuando hablamos de saldos reales, viene expresada en euros constantes, consiguientemente, tomando como base determinada fecha pasada y considerando la evolución habida en los precios desde ella.

Puede advertirse que si bien la demanda de dinero por el motivo de conveniencia es una demanda donde el dinero se configura, en sentido estricto, como medio general de pago y en relación con el volumen de transacciones que se espera realizar por período, en la demanda de dinero por el motivo de seguridad el dinero aparece configurado como un medio de mantener riqueza relativamente más seguro que otros medios alternativos ante la contingencia de que, en un determinado momento, resulte preciso disponer rápidamente de poder inmediato de compra para hacer frente a las exigencias imprevistas.

Por consiguiente, en la demanda de dinero por el motivo de seguridad, había de desempeñar un papel importante el coste de mantener dinero, es decir, la rentabilidad ofrecida por los activos alternativos a que renunciaban los sujetos por el deseo de mantener una parte de su riqueza en forma de dinero. Y, aunque no faltan en los autores neoclásicos observaciones al respecto en las que se señalen los efectos que los tipos de rentabilidad alternativos tienen sobre la demanda de dinero por el motivo de seguridad, es, sin embargo, característico del pensamiento neoclásico, ignorar dichos factores en el núcleo de su análisis. Dicho de otro modo: toda la demanda de dinero se trata como si pudiera reducirse al motivo de conveniencia.

2.1.2.1. La teoría cuantitativa clásica (Fisher, 1911)

La teoría cuantitativa del dinero explica que un aumento de la cantidad de dinero conduce a un aumento proporcionalmente igual del nivel de precios de la economía.

Los economistas clásicos basan su análisis en la ecuación de cambio. En ella se postula que la cantidad de dinero (M) multiplicada por la velocidad de circulación (V) es igual al volumen de transacciones reales (T) que se realizan en la economía multiplicado por sus precios (P):

$$M * V = P * T$$

En este análisis se supone que la velocidad de circulación del dinero (V) es constante y que el volumen de transacciones está relacionado con la renta real (Y) de forma estable. Así, la anterior ecuación se transforma en:

$$M * V = P * Y$$

En esta última ecuación se define de forma implícita una función de demanda de dinero:

$$M = k*P*Y$$

donde k = (1/V), es decir, k es la inversa de la velocidad de circulación del dinero.

Y partiendo de la expresión anterior, si dividimos la demanda nominal (M) entre el nivel de precios (P), obtendremos la demanda de dinero en términos reales:

$$M/P = k*Y$$

Finalmente definiremos la elasticidad precio-cantidad de dinero con la siguiente expresión:

EPM = (δP/δM)·(M/P)=1. Leyéndose (δP/δM) como "derivada del precio (P) respecto de la demanda de dinero (M)".

Si en lugar de derivadas utilizamos incrementos (Δ), la expresión anterior la escribimos así:

EPM = (ΔP/ΔM)·(M/P)=1, por lo que ΔP/P = ΔM/M,

que nos lleva a concluir que un aumento porcentual en la cantidad de dinero provoca un incremento idéntico en el nivel general de precios, lo que se conoce como teoría cuantitativa del dinero, tal como señalábamos al principio de esta pregunta.

2.1.2.2. La teoría cuantitativa clásica. La escuela de Cambridge

La escuela de Cambridge no va a diferir mucho de la de Fisher en cuanto a sus conclusiones. Sin embargo, mientras Fisher analiza la demanda de dinero desde una perspectiva macroeconómica, la escuela de Cambridge lo hace desde un punto de vista microeconómico.

2.2. La demanda de dinero en el pensamiento keynesiano: la preferencia por la liquidez

En primer lugar, vamos a establecer las diferencias fundamentales entre este y el modelo neoclásico:

a) En el modelo keynesiano la demanda de dinero se establece en términos de saldos nominales, a diferencia de los neoclásicos que la referían en términos de saldos reales.

b) En el modelo keynesiano el dinero se demanda como medio de pago y como medio de mantener riqueza, ocupando esta última consideración el eje fundamental de su análisis. Los neoclásicos consideraban la demanda de dinero como un medio general de pago, quedando relegada a un segundo plano la demanda de dinero como medio de mantener riqueza.

Keynes consideró que los motivos fundamentales para mantener dinero se podían clasificar en:

1. Motivo transacción, que es el que se debe a la utilización del dinero para realizar pagos regulares en la adquisición de bienes y servicios.

2. Motivo precaución, que surge para hacer frente a las contingencias imprevistas. Se produce por la incertidumbre de las personas acerca del momento exacto de los cobros y pagos.

3. Motivo especulación, que tiene su origen en la incertidumbre respecto al valor monetario de otros activos que puede poseer un individuo. Una persona que posee riqueza tiene que mantenerla en activos concretos y diversificados, colocando parte de esa riqueza en activos seguros (dinero) para cubrirse de las pérdidas de capital de aquellos activos cuyos precios varían de forma incierta.

La principal diferencia entre el pensamiento keynesiano y el clásico es que para Keynes la propiedad del dinero es considerada como una reserva de valor. Es decir, el dinero va a conservar su valor ante variaciones de los tipos de interés.

Para Keynes la demanda de dinero será función del nivel de renta (Y) y del tipo de interés (i). La demanda de dinero depende directamente del nivel de renta e inversamente de los tipos de interés.

Si representamos por L la demanda de dinero en términos reales: $L = M/P$.

Entonces podemos expresar la demanda de saldos reales como:

$$L = f(Y, i) = kY - hi,$$

siendo k, la sensibilidad de la demanda de saldos reales ante variaciones de la renta real y h, la sensibilidad de la demanda de saldos reales ante variaciones en el tipo de interés.

Llegados a este punto, vamos a definir la **trampa de la liquidez** como la situación en la que el público está dispuesto, dado un tipo de interés (generalmente anormalmente bajo y positivo; en torno a un 2%) a mantener en dinero cualquier cantidad que se le ofrezca).

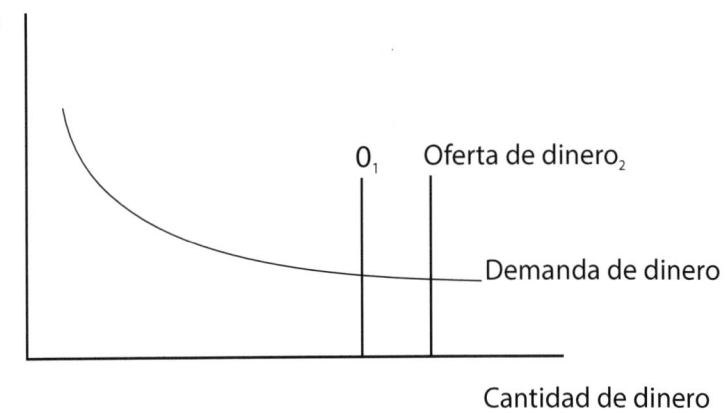

Figura 1. Trampa de la liquidez

2.3. La oferta de dinero

Podemos definir la oferta monetaria como la cantidad de dinero existente en un momento determinado en manos del público.

De forma sintética, el Banco Central Europeo (BCE) define los **agregados monetarios** del área del euro de la siguiente forma:

- M1 = Efectivos en circulación + Depósitos a la vista.

- M2 = M1 + Depósitos a plazo hasta 2 años + Depósitos disponibles con preaviso hasta 3 meses.

- M3 = M1 + M2 + Repos + Participaciones en fondos del mercado monetario (FMM) e instrumentos del mercado monetario + Valores distintos de acciones hasta 2 años (deuda pública y privada).

Entendiéndose por Repos la operación mediante la cual se adquiere un título a corto plazo con pacto simultáneo de recompra, por parte del vendedor en una fecha y plazo determinado. Estas operaciones son frecuentes sobre Deuda Pública Anotada.

2.3.1. Oferta Monetaria y Base Monetaria. El multiplicador monetario

Como señalan Fischer-Dornbusch-Schmalensee, el multiplicador monetario indica cuánto varía la cantidad de dinero por dólar en una operación de mercado abierto.

El multiplicador monetario representa la relación entre la oferta monetaria (M, cantidad de dinero existente) y la base monetaria (B).

Definimos la oferta monetaria, o dinero existente en una economía, (M) como la suma del efectivo en manos del público (E) más los depósitos a la vista (D).

$$M = E + D$$

El efectivo en manos del público está compuesto por los billetes y monedas que poseen las familias y las empresas.

Los depósitos a la vista es el dinero depositado por el público en los bancos comerciales.

Definimos la base monetaria (B) como la suma del efectivo en manos del público más las reservas (R).

$$B = E + R$$

Las reservas (R) están formadas por el efectivo que mantienen los bancos comerciales en sus cajas (Ebc) y por los depósitos que estos también tienen en el banco central (Dbc).

Para llegar a la expresión del multiplicador monetario debemos definir también el coeficiente de retención de efectivo o relación efectivo-depósitos (e), que es la parte del dinero que una persona conserva en efectivo, en sus bolsillos o su cartera (o debajo del colchón) en relación con la que tiene depositada en el banco en cuentas a la vista.

$$e = E/D$$

Despejando tendremos también que $E = e \cdot D$

También necesitamos definir el coeficiente de reservas o relación reservas-depósitos (r). Como todos sabemos, los bancos no mantienen en forma de depósitos todo el dinero que reciben, sino que solo guardan como reservas (R) una pequeña parte de esos depósitos.

$$r = R/D$$

Despejando tendremos que $R = r \cdot D$

En cuanto al coeficiente de reservas, r, debemos aclarar que existe un coeficiente legal o mínimo de reservas r_L, que es el que establece la autoridad monetaria. Si existen reservas excedentarias, es decir, si las reservas que mantienen los bancos son mayores que las obligatorias, r será, evidentemente, mayor que r_L ($r > r_L$).

Para llegar al multiplicador monetario (MM) operamos de la siguiente manera:

Partimos de que $M = E + D$ y que $E = e \cdot D$

$M = e \cdot D + D$

Sacando factor común:

$M = (1 + e)D$

Tenemos por otro lado que: $B = E + R$ y que $R = r \cdot D$

Por lo tanto, $B = E + r \cdot D$

Y como ya sabemos, $E = e \cdot D$.

Sacando factor común:

$B = (e + r) D$

Despejando:

$D = B / (e + r)$

Sustituyendo en la expresión $M = (1+e)D$ el valor de D que hemos despejado en la expresión de arriba, tendremos que:

$$M = [(1 + e)/(e + r)]B$$

Siendo el multiplicador monetario, $MM = [(1 + e)/(e + r)]$

Por lo que, como podemos deducir, la oferta y la base monetaria se relacionan a través del multiplicador monetario:

$M = MM \cdot B$

De donde se puede ver que siempre se cumple que la oferta monetaria va a ser mayor (o como poco, igual) que la base monetaria.

Y si despejamos:

$MM = M/B$

Y como consecuencia de que la oferta monetaria sea mayor que la base monetaria, el multiplicador monetario va a ser mayor que 1.

Para terminar, vamos a ver cuál sería la expresión del multiplicador monetario en una economía monetaria simple.

En una economía monetaria simple hacemos dos suposiciones:

a) Los bancos comerciales no mantienen reservas excedentarias. Es decir, los bancos comerciales mantienen como reservas únicamente aquellas a las que les obliga el banco central. Por lo tanto el coeficiente de reservas r, será igual al coeficiente legal u obligatorio de reservas r_L, $(r = r_L)$.

b) El público tiene todo su dinero depositado en los bancos. Es decir, el efectivo en manos del público (E), es igual a cero. Por lo tanto, el coeficiente de retención de efectivo, e, será cero.

Por tanto, si sustituimos los valores de r y e en la expresión del multiplicador monetario que ofrecimos un poco más arriba, esta nos quedaría así:

$$MM = 1 / r_L$$

Esta es la expresión del multiplicador monetario simple.

2.3.2. El proceso de creación del dinero bancario

Una vez visto el multiplicador monetario simple, vamos a detenernos en el proceso de creación del dinero bancario. Este nos servirá para calcular en qué medida afectará a la cantidad de dinero de una economía el hecho de efectuar un nuevo depósito.

TEMA 21

El dinero: Concepto y funciones del dinero. Demanda y oferta de dinero. Formación del tipo de interés

En tu Curso MAD360 te contamos cómo realizar los **repasos** activos necesarios para potenciar tu memoria.

Índice

1. El dinero: concepto y funciones

Tradicionalmente los economistas han definido el dinero no en función de lo que es, sino en función de aquello para lo que sirve (*money is what a money does*).

En este sentido, se considera generalmente que el dinero es:

a) Un medio de cambio. Considerado como medio de cambio, dinero sería cualquier bien utilizado para facilitar transacciones. Para que un bien alcance esta consideración de instrumento o medio para realizar los intercambios es preciso que goce de general aceptación (ya sea por costumbre o por imposición legal). La confianza en esta aceptación convierte a su vez el dinero en un medio general de pago.

b) Una unidad de cuenta. Es una unidad de cuenta que permite referir el valor de todos los restantes bienes en términos de múltiplos o submúltiplos de dicha unidad homogénea. Conviene precisar que el dinero como medio de cambio y pago, y el dinero como unidad de cuenta no tienen necesariamente que coincidir.

c) Un depósito de valor. El dinero, por último, sirve como reserva o depósito de valor. Y como tal es una de las muchas formas, de los muchos activos, que puede escoger un sujeto económico para conservar su riqueza. Así, como medio de pago el dinero es un flujo, una corriente monetaria enfrentada a una corriente de mercancías; como reserva de valor, el dinero es un *stock*, un depósito susceptible de ser inventariado en un momento dado de tiempo.

Hoy en día, el dinero se representa en forma de papel. Tal y como señalan Fischer-Dornbusch-Schmalensee, podemos distinguir tres tipos de dinero:

a) El dinero-mercancía: que sirve como medio de cambio aunque también se compra y se vende como bien ordinario (como, por ejemplo, el oro, plata…).

b) El dinero-signo: que es el medio de pago cuyo valor o poder adquisitivo como dinero es superior al costo de producción y el valor de sus otros usos. Es decir, el coste económico de un billete de 500 euros es muy inferior al valor que representa.

c) El dinero-pagaré: es un medio de cambio utilizado en la deuda de una empresa o persona. Un depósito bancario es un dinero-pagaré ya que el banco debe entregar al depositario su importe cuando así lo solicite. Los cheques de viaje también son dinero-pagaré.

También podríamos discutir acerca de las tarjetas de débito y de crédito. Con respecto a las primeras, se podría admitir como un tipo de dinero por cuanto que a través de la misma se dispone de manera inmediata dinero en efectivo o se pueden efectuar compras que automáticamente son cargadas en la cuenta corriente o de ahorro a la que esté asociada. Sin embargo, y con respecto a las tarjetas de crédito, se excluyen porque son un medio de pago diferido.

Finalmente, si queremos dar una definición sencilla de lo que es el dinero, podríamos decir que este es el instrumento que nos permite intercambiar los bienes y servicios entre los distintos individuos y países.

2. Demanda y oferta de dinero

2.1. La demanda de dinero

2.1.1. Motivos y factores que influyen en la demanda de dinero

Comenzaremos esta pregunta, antes de analizar las distintas teorías sobre la demanda de dinero, estableciendo los motivos para demandar dinero y los factores que influyen en la demanda de dinero.

Los **motivos para demandar dinero** son:

1. Motivo transacción: la principal razón para tener dinero en nuestro poder es porque nos sirve para hacer intercambios. Es decir, facilita y agiliza cualquier transacción económica.

2. Motivo precaución: es frecuente tener una reserva de dinero como previsión por si ocurren acontecimientos inesperados que impliquen una serie de gastos.

3. Motivo especulación: la última razón para mantener un *stock* de dinero es para tratar de evitar pérdidas por fluctuaciones en el valor de activos rentables, como puedan ser bonos y acciones, que además de ser activos que prometen rentabilidad son menos líquidos que otras fórmulas de mantener riqueza.

Por otro lado, los **factores que influyen en la demanda de dinero** son:

1. Los precios (P): cuanto mayor sea el precio de los productos y factores, mayor será la cantidad de dinero que necesitaremos para adquirirlos. Al incremento generalizado de precios lo llamamos inflación.

2. El gasto real: que a su vez dependerá del nivel de ingresos o renta (Y). Cuanto mayor sea nuestro gasto real (en bienes y servicios), mayor será la cantidad de dinero que necesitaremos para adquirirlos (mayor será nuestra demanda de dinero).

3. El tipo de interés (o coste de oportunidad del dinero: nos referimos al tipo de interés con el que se retribuye al resto de activos financieros que no son dinero). Cuanto más alto es el tipo de interés (i), mayor es el coste de oportunidad del dinero y, por tanto, menor cantidad de dinero se va a demandar.

Por lo tanto, resumiendo, la demanda de dinero en *términos nominales* (Md) va a depender *directamente* del nivel de precios (P) y de la renta real (Y) e *inversamente* del tipo de interés (i):

$$Md = f (P, Y, i)$$

Finalmente, la demanda de dinero en *términos reales* podemos expresarla así:

$$Md/P = f(Y, i)$$

2.1.2. La demanda de dinero en el pensamiento neoclásico

Para los neoclásicos el dinero se demandaba por razones de conveniencia y seguridad; es decir, se demandaba: primero, para atender a las necesidades ordinarias de la vida y de los negocios sin incurrir en dificultades derivadas de la falta de numerario; y segundo, para hacer frente a contingencias imprevistas. En ambos casos el dinero se demandaba en cuanto poder de comprar, y por consiguiente, la demanda de dinero por ambos motivos se expresaba en términos de saldos reales.

En el análisis económico tiene gran importancia la distinción entre variables expresadas en saldos monetarios o nominales y en saldos reales, sobre todo a la hora de estudiar la variación ocurrida en dichas variables. La distinción, entre unas y otras, radica en el hecho de que, cuando se habla de saldos monetarios la variable en cuestión aparece expresada en euros corrientes, es decir, con un valor adquisitivo del euro de hoy; mientras que por el contrario, cuando hablamos de saldos reales, viene expresada en euros constantes, consiguientemente, tomando como base determinada fecha pasada y considerando la evolución habida en los precios desde ella.

Puede advertirse que si bien la demanda de dinero por el motivo de conveniencia es una demanda donde el dinero se configura, en sentido estricto, como medio general de pago y en relación con el volumen de transacciones que se espera realizar por período, en la demanda de dinero por el motivo de seguridad el dinero aparece configurado como un medio de mantener riqueza relativamente más seguro que otros medios alternativos ante la contingencia de que, en un determinado momento, resulte preciso disponer rápidamente de poder inmediato de compra para hacer frente a las exigencias imprevistas.

Por consiguiente, en la demanda de dinero por el motivo de seguridad, había de desempeñar un papel importante el coste de mantener dinero, es decir, la rentabilidad ofrecida por los activos alternativos a que renunciaban los sujetos por el deseo de mantener una parte de su riqueza en forma de dinero. Y, aunque no faltan en los autores neoclásicos observaciones al respecto en las que se señalen los efectos que los tipos de rentabilidad alternativos tienen sobre la demanda de dinero por el motivo de seguridad, es, sin embargo, característico del pensamiento neoclásico, ignorar dichos factores en el núcleo de su análisis. Dicho de otro modo: toda la demanda de dinero se trata como si pudiera reducirse al motivo de conveniencia.

2.1.2.1. La teoría cuantitativa clásica (Fisher, 1911)

La teoría cuantitativa del dinero explica que un aumento de la cantidad de dinero conduce a un aumento proporcionalmente igual del nivel de precios de la economía.

Los economistas clásicos basan su análisis en la ecuación de cambio. En ella se postula que la cantidad de dinero (M) multiplicada por la velocidad de circulación (V) es igual al volumen de transacciones reales (T) que se realizan en la economía multiplicado por sus precios (P):

$$M * V = P * T$$

En este análisis se supone que la velocidad de circulación del dinero (V) es constante y que el volumen de transacciones está relacionado con la renta real (Y) de forma estable. Así, la anterior ecuación se transforma en:

$$M * V = P * Y$$

En esta última ecuación se define de forma implícita una función de demanda de dinero:

$$M = k*P*Y$$

donde k = (1/V), es decir, k es la inversa de la velocidad de circulación del dinero.

Y partiendo de la expresión anterior, si dividimos la demanda nominal (M) entre el nivel de precios (P), obtendremos la demanda de dinero en términos reales:

$$M/P = k*Y$$

La cantidad de dinero que genera cada sistema bancario con cada euro de reservas se llama **multiplicador del dinero bancario** (MD) o **multiplicador del dinero**. El multiplicador del dinero es la inversa del coeficiente de reservas.

Analíticamente lo expresamos así:

$$MD = 1/r$$

Veámoslo con un ejemplo: supongamos que el coeficiente de reservas de un país es del 10%. Supongamos también un depósito inicial en un primer banco de 100 euros. Este dinero es utilizado para comprar algo a otra persona, que a su vez lo deposita en un segundo banco. Como el coeficiente de reservas es del 10%, 9 euros pasan a formar parte de su activo y los 90 forman parte del pasivo. Siguiendo la misma línea, en el tercer banco se depositarán 81 euros, y las reservas serán de 8,1. En el cuarto banco el depósito será de 72,9 (81-8,1), y las reservas 7,3 (el 10% de 72,9), y así sucesivamente. De forma que el multiplicador del dinero es la inversa del coeficiente de reservas. Si el coeficiente de reservas (r) es del 10%, el multiplicador del dinero será 10, es decir:

$$MD = 1/0,10 = 10$$

Con esta fórmula se muestra que la cantidad de dinero que crean los bancos depende del coeficiente de reservas.

En nuestro ejemplo, los depósitos totales que se han generado con un depósito inicial de 100 euros y un coeficiente de caja (o lo que es lo mismo, de reservas) del 10% es:

$$100 \cdot 1/0,10 = 1000 \text{ euros.}$$

Si en lugar del coeficiente total de reservas (r), utilizamos el coeficiente obligatorio (o legal) de reservas (r_L) (o coeficiente legal de caja) el proceso sería similar:

FASE	Exceso Depósitos	Filtración reserva legal	Depósito en otros bancos
1	A_0	$r_L \cdot A_0$	$(1- r_L) A_0$
2	$(1- r_L) A_0$	$r_l (1- r_L) A_0$	$(1- r_L)^2 A_0$
3	$(1- r_L)^2 A_0$	$r_l (1- r_L)^2 A_0$	$(1- r_L)^3 A_0$
4	…	…	…

El proceso terminará cuando todo el depósito inicial (A0) se haya filtrado en forma de reservas y, al final del proceso, el total de dinero existente en la economía coincidirá con la suma de depósitos, es decir, la columna segunda.

Dicha suma será:

Suma Depósitos: $A_0 [(1- r_L) + (1- r_L)^2 + (1- r_L)^3 + \dots (1- r_L)n] = A_0 / [1- (1- r_L)] = A_0 / r_L$

Por tanto, la expansión final será tanto mayor cuanto menor sea el coeficiente legal de reservas (que siempre es menor que 1). Cuanto menor sea la obligación de los bancos de tener parte de sus recursos (depósitos de clientes) inmovilizados (bien en su propia caja o en la caja del Banco Central), mayores posibilidades de utilizar esos recursos en operaciones rentables (préstamos a otros clientes) y mayor cantidad final de dinero en la economía.

Este multiplicador, sin embargo, es bastante limitado porque no tiene en cuenta la posibilidad de que el individuo mantenga dinero en efectivo, como ya comentamos antes (E = 0).

3. Formación del tipo de interés

Como ya señalamos al principio de este tema, cuando veíamos los factores que influían en la demanda de dinero, el tipo de interés o coste de oportunidad del dinero es el *precio* del dinero.

Vamos a estudiar dos teorías fundamentales sobre la formación del tipo de interés: la de la escuela neoclásica y la de Keynes.

Para los **neoclásicos**, el concepto de tipo de interés es la recompensa por no consumir dinero.

Según esta escuela, el ahorro de los consumidores (S) depende positivamente del tipo de interés. Por el contrario, los empresarios van a invertir cuando el tipo de interés sea bajo. Por lo tanto, la inversión (I) depende inversamente del tipo de interés.

De esta manera, según los neoclásicos, el tipo de interés de equilibrio se formará cuando el ahorro (S) y la inversión (I) se igualen.

Gráficamente lo representamos en la figura 2:

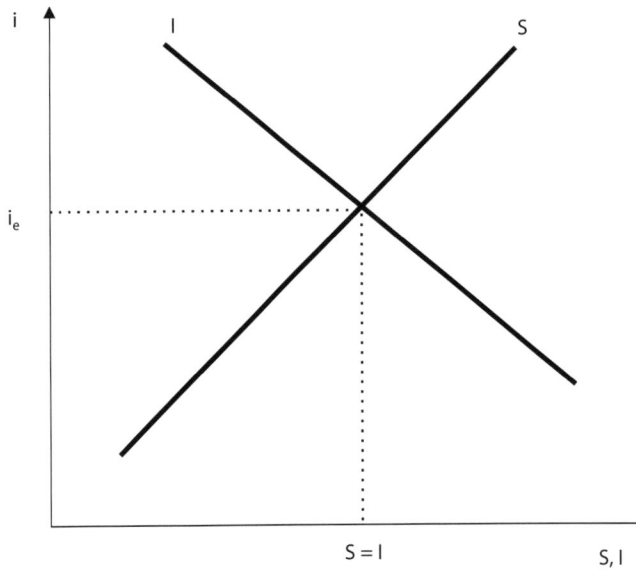

Figura 2

La teoría de **Keynes**, que es la actualmente aceptada, señala que el tipo de interés es la recompensa por no atesorar dinero.

Keynes se basa en que entre otros muchos tipos de mercados existentes en la economía, está también el mercado del dinero, el mercado monetario.

En este mercado monetario, como en el resto de los mercados existirá una oferta y una demanda sobre el producto que se negocia el dinero. Y es precisamente cuando la oferta de dinero se iguala a la demanda de dinero cuando se obtiene el interés de equilibrio.

Hemos hablado de oferta y demanda de dinero y hemos de aclarar que para Keynes, estas oferta y demanda serán de saldos reales de dinero.

Respecto de la oferta de dinero en términos reales (M/P), a corto plazo, postula Keynes que es exógena y por lo tanto se representará por una recta perfectamente vertical (inelástica).

Por otro lado, la demanda de dinero en términos reales (L), como ya vimos en una pregunta de este mismo tema, depende del nivel de renta y del tipo de interés:

$$L = f(Y, i) = kY - hi,$$

En esta expresión se aprecia cómo la demanda de dinero depende inversamente del tipo de interés (signo *menos* delante de *hi*).

Gráficamente, la formación del tipo de interés según Keynes la representaríamos así (figura 3):

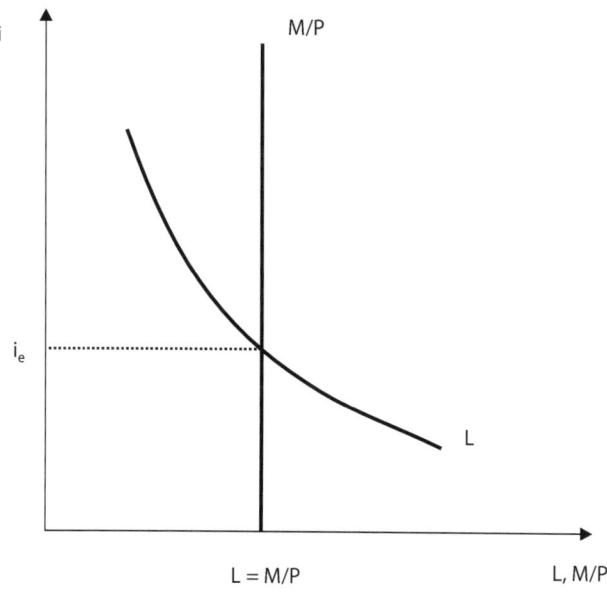

Figura 3

TEMA 22

El sistema financiero. El Banco Central. Los bancos comerciales. Otros intermediarios financieros

Organiza y respeta tus **descansos**: son imprescindibles para aumentar la memoria a largo plazo. Más tips para potenciar tu memoria en tu Curso MAD360.

Índice

1. El sistema financiero

El sistema financiero de un país está formado por el conjunto de instituciones, medios y mercados, cuyo fin primordial es el de canalizar el ahorro que generan las unidades de gasto con superávit, hacia los prestatarios o unidades de gasto con déficit.

De la definición anterior podemos resaltar la función fundamental que el sistema financiero cumple en una economía de mercado: captar el excedente de los ahorradores y canalizarlo hacia los prestatarios públicos y privados.

El sistema financiero se compone de tres elementos:

– Las instituciones que lo forman.

– Los activos financieros que se generan.

– Los mercados en que operan.

En cuanto a las instituciones que lo forman, son los denominados **intermediarios financieros.**

Los intermediarios financieros son el conjunto de instituciones especializadas en la mediación entre los prestamistas y los prestatarios últimos de la economía, transformando una parte de los activos primarios en activos indirectos o secundarios más idóneos a la demanda de los ahorradores últimos de la economía.

Podemos distinguir dos tipos de intermediarios financieros:

a) Intermediarios financieros bancarios o monetarios: están constituidos por el Banco Central y las entidades bancarias, y se caracterizan porque alguno de sus pasivos son pasivos monetarios y, por tanto, son dinero. Estas instituciones forman el sistema monetario de un país, pues tienen capacidad para crear o eliminar el dinero de la economía.

b) Intermediarios financieros no bancarios: a diferencia de los anteriores, sus pasivos no son dinero, con lo cual su actividad es más mediadora que la de aquellos.

Son funciones de los intermediarios financieros:

a) Garantizar una asignación y uso eficaz de los recursos financieros.

b) Garantizar la estabilidad monetaria y financiera.

Respecto de los **activos financieros**, podemos definirlos como cualquier documento emitido por las unidades económicas de gasto, que constituyen un medio para mantener riqueza para quienes los poseen y un pasivo para quienes los generan.

Las características de los activos financieros son:

a) Liquidez: es decir, la facilidad con que pueden ser convertidos en dinero.

b) Riesgo: es la probabilidad de que a su vencimiento el prestatario haga frente a su deuda.

c) Rentabilidad: es el rendimiento medio que genera la inversión.

En cuanto a los tipos de activos financieros, podemos clasificarlos en primarios y secundarios.

a) Primarios: son los emitidos por las unidades económicas de gasto como por ejemplo, las acciones emitidas por una empresa.

b) Secundarios o indirectos: son los que crean o emiten los intermediarios financieros. Ofrecen más liquidez, menos riesgo y menos rentabilidad que los primarios. En el ejemplo anterior, si un banco adquiere activos primarios, puede hacerlo con los depósitos realizados por sus clientes, esta deuda con los ahorradores se reconoce mediante un activo financiero secundario.

Finalmente, vamos a referirnos al último elemento del sistema financiero, los mercados financieros.

Los **mercados financieros** son el mecanismo o lugar a través del cual se intercambian los activos financieros y se fija su precio. La existencia de un mercado financiero no exige necesariamente que este se encuentre en un lugar físico porque el contacto entre los agentes que intervienen en él puede establecerse a través del teléfono, fax u otros medios telemáticos.

Las funciones de los mercados financieros son:

a) Poner en contacto a los agentes que intervienen en los mismos.

b) Ser un mecanismo apropiado para la fijación del precio de los activos.

c) Proporcionar liquidez a los activos.

d) Reducir los costes y plazos de intermediación.

En cuanto a las características de los mercados financieros, podemos enumerar:

a) Amplitud: mide el volumen de los activos que se intercambian en él.

b) Transparencia: la información en el mercado está disponible de forma sencilla, barata y veraz.

c) Libertad: cuando no existen barreras para acceder al mercado.

d) Profundidad: se refiere al mayor o menor número de órdenes de compra y venta para cada tipo de activo.

e) Flexibilidad: cuanta mayor capacidad de reacción tengan los agentes del mercado ante cambios en las condiciones del mercado.

Los mercados financieros se clasifican:

a) Por su forma de funcionamiento:

    –   Directos: los participantes no son intermediarios.

    –   Indirectos: al menos uno de los participantes es un intermediario.

b) Por la fase de negociación de los activos:

    –   Primarios: se ofertan y demandan activos financieros nuevos.

    –   Secundarios: se negocian activos financieros ya existentes, que fueron emitidos como activos primarios anteriormente.

c) Por las características de sus activos:

    –   Mercado de dinero o mercado monetario: se refiere al mercado de títulos líquidos o casi líquidos, ya porque su período de vida sea muy corto o, excepcionalmente, porque pese a tener un período de vida más largo, gocen de un mercado secundario muy desarrollado.

    –   Mercado de capitales: contempla la realización de operaciones sobre títulos a largo plazo.

d) Por el grado de intervención de las autoridades:

– Mercados libres: en ellos el volumen de activos intercambiados y su precio se fija solamente como consecuencia del libre juego de la oferta y la demanda.

– Mercados regulados: el precio o la cantidad de los títulos en ellos negociados se altera administrativamente.

e) Por su grado de formalización:

– Mercados organizados: las transacciones tienen una localización concreta para poner en contacto la oferta y la demanda, se negocia con arreglo a una reglamentación detallada, y mediante unos agentes de carácter oficial.

– Mercados no organizados o negociados: las operaciones no tienen lugar en un espacio público concreto, las normas son flexibles marcadas a menudo por el uso y la costumbre y los agentes mediadores no tienen carácter de interventores oficiales.

f) Por la posibilidad de acceso:

– Mercados abiertos: tienen acceso a él una pluralidad de operadores, compradores y vendedores, cuyas decisiones influyen en los precios.

– Mercados no abiertos: la operatoria se restringe a un número reducido de instituciones.

2. El Banco Central

El Banco de España es el banco central nacional y, en el marco del Mecanismo Único de Supervisión (MUS), el supervisor del sistema bancario español junto al Banco Central Europeo. Su actividad está regulada por la Ley de Autonomía del Banco de España.

El actual Banco de España se instituyó en las postrimerías del siglo XVIII. Desde entonces ha sido testigo y, a veces, protagonista de la evolución política, económica y social de nuestro país.

El inicio de la tercera fase de la Unión Económica y Monetaria (UEM) el 1 de enero de 1999 supuso la redefinición de algunas de las funciones ejercidas hasta entonces por el resto de los bancos centrales nacionales de la zona del euro.

En el caso de España, fue necesario modificar la Ley de Autonomía del Banco de España para recoger la potestad del Banco Central Europeo (BCE) en la definición de la política monetaria de la zona del euro y sus facultades en la política de tipo de cambio y para adaptarse a las disposiciones tanto del Tratado de la Unión Europea (TUE), como de los Estatutos del Sistema Europeo de Bancos Centrales (SEBC) y a las orientaciones e instrucciones emanadas del BCE.

A continuación vamos a exponer las funciones del Banco de España, tanto como miembro del SEBC como banco central nacional.

Desde el 1 de enero de 1999 el Banco de España participa en el desarrollo de las siguientes **funciones básicas atribuidas al SEBC**:

a) Definir y ejecutar la política monetaria de la zona del euro, con el objetivo principal de mantener la estabilidad de precios en el conjunto dicha zona.

b) **Realizar las operaciones de cambio de divisas** que sean coherentes con las disposiciones del artículo 111 del TUE, así como poseer y gestionar las reservas oficiales de divisas del Estado.

c) **Promover el buen funcionamiento de los sistemas de pago** en la zona del euro. En este contexto, se enmarcan las operaciones de provisión urgente de liquidez a las entidades.

d) **Emitir los billetes** de curso legal.

Respetando las funciones que emanan de su integración en el SEBC, **la Ley de Autonomía otorga al Banco de España el desempeño de las siguientes funciones**:

a) **Poseer y gestionar** las reservas de divisas y metales preciosos no transferidas al BCE.

b) **Promover el buen funcionamiento y la estabilidad** del sistema financiero y, sin perjuicio de las funciones del BCE, de los sistemas de pago nacionales. En este contexto, se enmarcan las operaciones de provisión urgente de liquidez a las entidades.

c) **Supervisar la solvencia** y el cumplimiento de la normativa específica de las entidades de crédito, otras entidades y mercados financieros cuya supervisión se le ha atribuido.

d) **Poner en circulación la moneda metálica** y desempeñar, por cuenta del Estado, las demás funciones que se le encomienden respecto a ella.

e) **Elaborar y publicar las estadísticas** relacionadas con sus funciones y asistir al BCE en la recopilación de información estadística.

f) **Prestar los servicios de tesorería** y de agente financiero de la deuda pública.

g) **Asesorar al Gobierno**, así como realizar los informes y estudios que resulten procedentes.

2.1. El balance del Banco Central

ACTIVO	PASIVO
Activo financiero:	**Pasivo monetario:**
Adquirido por operaciones autónomas:	Efectivo en manos del público (E)
Oro y divisas	Reservas (R):
Activos sobre el Gobierno (AG) (actualmente prohibido)	– Depósitos de los bancos en el Banco Central (DBC)
Adquirido por operaciones controlables:	– Efectivo en las cajas de los bancos (ECB)
Créditos y préstamos a los bancos (CRBC)	**Pasivo no monetario:**
Títulos adquiridos en operaciones de mercado abierto (OMA)	Depósitos del sector público en el B. Central
Activo real (edificios, maquinaria, etc.)	**Recursos propios**

El dinero del Banco Central aparece en sus balances como un pasivo resultante de la monetización de activos que incorporan créditos sobre los sectores no monetarios de la economía y sobre las demás instituciones bancarias del sistema. Podemos suponer que el Banco Central custodia las reservas de oro y divisas del país, que constituyen un activo líquido sobre el resto del mundo (sector exterior); adquiere activos sobre el sector público, aunque esta operación está actualmente prohibida (Administración Central y Organismos Públicos), quien mantiene, por otra parte, sus cuentas de depósitos en el Banco Central; adquiere activos acreditativos de préstamos sobre la banca comercial, quien mantiene, por conveniencia, una parte de su encaje en forma de depósitos inmediatamente convertibles en dinero legal en el Banco Central; y que el Banco Central no mantiene relaciones bancarias directas con el público. Como consecuencia de las relaciones con los sectores indicados, el Banco Central crea dinero legal en forma de billetes, que constituyen la circulación fiduciaria de la economía, y que aparecen como un pasivo en los balances de dicha institución.

Fijándonos en el esquema del balance del Banco Central, la base monetaria (B), también denominada "dinero de alta potencia", podemos contemplarla desde dos puntos de vista, desde el de su generación o creación (acudimos al Activo); o desde el de su materialización (acudimos al Pasivo).

B (generada) = Oro y divisas + AG (prohibida) + CRBC + OMA

B (materializada) = E + R = E + DBC + ECB

2.2. El Banco Central y la política monetaria

El Tratado Constitutivo de la Comunidad Europea establece como objetivo primordial del Eurosistema mantener la estabilidad de precios.

Este objetivo se refiere al nivel general de los precios y consiste en evitar tanto una inflación como una deflación prolongadas.

Para alcanzar el objetivo principal, esto es, la estabilidad de precios, el Eurosistema gestiona la política monetaria de la zona del euro a través de una serie de instrumentos y procedimientos que constituyen su marco operativo.

Las decisiones sobre política monetaria se adoptan en el Consejo de Gobierno del Banco Central Europeo (BCE) y son los bancos centrales nacionales de los países integrados en la zona del euro los que la llevan a cabo.

La política monetaria se ejecuta con criterios uniformes y válidos para todos mediante tres mecanismos que son accesibles en igualdad de condiciones para todas las instituciones financieras de la zona del euro:

1. Operaciones de mercado abierto:

Permiten controlar los tipos de interés, gestionar la situación de liquidez del mercado y orientar la política monetaria.

Se dividen en cuatro categorías:

a) **Operaciones principales de financiación**

Son operaciones temporales de inyección de liquidez de carácter regular, periodicidad semanal y vencimiento a una semana que ejecutan los bancos centrales nacionales mediante subastas estándar.

Son la principal fuente de financiación del sistema crediticio dentro del marco del Eurosistema.

b) **Operaciones de financiación a plazo más largo**

Son operaciones temporales de inyección de liquidez de periodicidad mensual y vencimiento a tres meses que ejecutan los bancos centrales nacionales mediante subastas estándar.

Su objetivo es proporcionar financiación adicional a plazo más largo a las entidades de contrapartida.

c) **Operaciones de ajuste**

Se ejecutan de forma *ad hoc* para gestionar la situación de liquidez del mercado y suavizar los efectos que las fluctuaciones inesperadas de liquidez en el mercado causan sobre los tipos de interés.

Los bancos centrales nacionales realizan normalmente estas operaciones mediante subastas rápidas o procedimientos bilaterales.

d) Operaciones estructurales

Se llevan a cabo siempre que el BCE desea ajustar la posición estructural del Eurosistema frente al sector financiero –con periodicidad o no–.

Se llevan a cabo mediante la emisión de certificados de deuda, operaciones temporales u operaciones simples.

2. Facilidades permanentes

Su objeto es proporcionar y absorber liquidez y controlar los tipos de interés del mercado a un día.

Son gestionadas por parte de los bancos centrales nacionales de forma descentralizada.

Las entidades que operan con el Eurosistema pueden recurrir por iniciativa propia a dos tipos de facilidades permanentes:

a) La facilidad marginal de crédito

Permite a las entidades obtener liquidez a un día de los bancos centrales nacionales contra activos de garantía.

Salvo el requisito de presentar activos de garantía suficientes, no suelen existir límites de crédito ni otras restricciones a fin de que las entidades puedan gozar de esta facilidad.

El tipo de interés de la facilidad marginal de crédito constituye normalmente un límite superior para el tipo de interés de mercado a un día.

b) La facilidad de depósito

Permite a las entidades realizar depósitos a un día en los bancos centrales nacionales.

No suelen existir límites para estos depósitos ni otras restricciones a fin de que las entidades puedan gozar de esta facilidad.

El tipo de interés de la facilidad de depósito constituye normalmente un límite inferior para el tipo de interés de mercado a un día.

3. Mantenimiento de unas reservas mínimas

Se aplica a las entidades de crédito de la zona del euro.

Su objeto es estabilizar los tipos de interés del mercado monetario y crear (o aumentar) el déficit estructural de liquidez.

Sus principales características son:

–   Que se determinan en relación con algunas partidas de su balance.

–   Que se determinan en función del nivel medio de reservas diarias durante un período de mantenimiento de un mes.

–   Que se remuneran al tipo de interés de las operaciones principales de financiación del Eurosistema.

2.3 El Banco Central Europeo: organización, objetivos y funciones

Desde el 1 de enero de 1999, el Banco Central Europeo (BCE) se ha hecho cargo de la instrumentación de la política monetaria de la zona del euro, la mayor economía del mundo después de la de Estados Unidos.

La zona del euro se creó en enero de 1999, en el momento en que los bancos centrales nacionales (BCN) de once Estados miembros de la Unión Europea (UE) transfirieron sus competencias en materia de política monetaria al BCE. El establecimiento de la zona del euro y de una nueva institución supranacional, el BCE, supuso un hito en el largo y complejo proceso de integración europea.

Para incorporarse a la zona del euro, los diecisiete países tuvieron que cumplir los criterios de convergencia, al igual que deberán cumplirlos otros Estados miembros antes de adoptar el euro. Estos criterios establecen los requisitos económicos y jurídicos necesarios para poder participar satisfactoriamente en la Unión Económica y Monetaria.

La base jurídica de la política monetaria única está establecida en el Tratado constitutivo de la Comunidad Europea y en los Estatutos del Sistema Europeo de Bancos Centrales y del Banco Central Europeo. El BCE y los BCN desempeñan conjuntamente las tareas que se les han encomendado. El BCE tiene personalidad jurídica propia de acuerdo con el derecho público internacional.

El Sistema Europeo de Bancos Centrales (SEBC) está integrado por el BCE y los BCN de la totalidad de Estados miembros de la UE (apartado 1 del artículo 107 del Tratado), independientemente de que hayan adoptado el euro. El Eurosistema está formado por el BCE y los BCN de los Estados miembros que han adoptado el euro. El Eurosistema y el SEBC seguirán coexistiendo mientras continúe habiendo Estados miembros de la UE que no pertenezcan a la zona del euro. El Eurosistema, formado por el Banco Central Europeo y los bancos centrales nacionales de los Estados miembros cuya moneda es el euro, constituye la autoridad monetaria de la zona del euro. En el Eurosistema, nuestro objetivo primordial es mantener la estabilidad de precios en aras del bien común. Asimismo, como destacada autoridad financiera, dirigimos nuestros esfuerzos a preservar la estabilidad financiera y a promover la integración financiera europea.

A fin de lograr nuestros objetivos, concedemos suma importancia a la credibilidad, a la confianza, a la transparencia y a la rendición de cuentas. Tenemos como propósito una comunicación efectiva con los ciudadanos europeos y con los medios de comunicación, y nos hemos comprometido a que nuestras relaciones con las autoridades europeas y nacionales sean plenamente acordes con las disposiciones del Tratado, observando el principio de independencia.

Conjuntamente contribuimos, tanto en el plano estratégico como en el operativo, a la consecución de nuestros objetivos comunes, respetando el principio de descentralización. Nos hemos comprometido a llevar a cabo una buena gestión y a realizar nuestras tareas de forma eficaz y eficiente, con espíritu de cooperación y de trabajo en equipo. Basándonos en nuestra amplia y profunda experiencia, así como en el intercambio de conocimientos, nos proponemos reforzar nuestra identidad común, hablar con una sola voz y aprovechar las sinergias, en un marco en el que las funciones y responsabilidades de todos los miembros del Eurosistema están claramente definidas.

Los textos jurídicos que instituyeron el Sistema Europeo de Bancos Centrales (SEBC) —el Tratado de Maastricht y los Estatutos del SEBC de 1993— se redactaron sobre el supuesto de que todos los Estados miembros de la UE adoptarían el euro y de que, en consecuencia, el SEBC asumiría todas las funciones relacionadas con la moneda única. Sin embargo, hasta que todos los países de la UE hayan adoptado el euro, el «Eurosistema» seguirá siendo el actor principal. El término «Eurosistema», recogido en el artículo 282 del Tratado de Funcionamiento de la Unión Europea (Tratado de Lisboa) comprende el BCE y los bancos centrales nacionales de los Estados miembros de la UE que han adoptado el euro, se había venido utilizando, aunque no figuraba en ningún texto legislativo.

El Eurosistema es el sistema de bancos centrales de la zona del euro y está compuesto por:

- El BCE; y
- Los bancos centrales nacionales (BCN) de los diecisiete Estados miembros de la UE que han adoptado la moneda única.

Por tanto, el Eurosistema es un subconjunto del SEBC. Dado que las decisiones del BCE sobre, por ejemplo, política monetaria, solo son aplicables a los países de la zona del euro, es el Eurosistema el que, efectivamente, desempeña las funciones de banco central en la zona. Así pues, el BCE y los BCN contribuyen conjuntamente a la consecución de los objetivos comunes del Eurosistema.

Las razones principales para la existencia de un sistema de bancos centrales en Europa son las siguientes:

-   El enfoque del Eurosistema se apoya en las actuales competencias de los BCN y en su marco institucional, infraestructura, conocimientos técnicos y excelente capacidad operativa. Además, algunos bancos centrales realizan también otras funciones distintas de las del Eurosistema.

-   Debido a la extensión geográfica de la zona del euro y a la antigüedad de las relaciones entre las comunidades bancarias nacionales y sus respectivos BCN, se consideró adecuado que las entidades de crédito dispusieran de un punto de acceso al sistema de bancos centrales en cada Estado miembro participante.

-   Debido a la variedad de naciones, lenguas y culturas de la zona del euro, los BCN están en mejor situación para servir de puntos de acceso al Eurosistema que un banco central supranacional.

El Tratado de Funcionamiento de la Unión Europea encomienda al Sistema Europeo de Bancos Centrales (SEBC) la función de banco central de la Unión. En relación con los Estados miembros de la UE que no participan en la Unión Económica y Monetaria, los términos «SEBC» y «Unión» han de entenderse, respectivamente, como «Eurosistema» y «zona del euro».

¿Cuáles son las funciones básicas del Eurosistema?

a) Política monetaria

La formulación y la aplicación de la política monetaria de la zona del euro corresponden al Eurosistema. Se trata de una función pública que se lleva a cabo, principalmente, mediante operaciones en los mercados financieros. Para desempeñar esta tarea, resulta fundamental el control pleno que el Eurosistema ejerce sobre la base monetaria. El BCE y los bancos centrales nacionales (BCN) son las únicas instituciones autorizadas a emitir billetes de curso legal en la zona del euro. Dada la situación de dependencia del sistema bancario respecto de la base monetaria, el Eurosistema puede ejercer una influencia dominante sobre la situación del mercado monetario y sobre los tipos de interés de dicho mercado.

b) Operaciones en divisas

Las operaciones en divisas afectan a dos variables relevantes para la política monetaria: los tipos de cambio y la situación de liquidez de la zona del euro. Por tanto, es lógico que esta tarea le haya sido encomendada al Eurosistema, ya que, además, los bancos centrales disponen de todos los instrumentos operativos necesarios. Asimismo, en el ejercicio de esta función, los bancos centrales garantizan que las operaciones en divisas sean compatibles con los objetivos de la política monetaria.

c) Promoción del buen funcionamiento de los sistemas de pago

Los sistemas de pago constituyen un medio de transferencia de dinero entre entidades de crédito y otras instituciones monetarias. Esta función los sitúa en el núcleo de la infraestructura financiera de la economía. Al encomendar al Eurosistema la tarea de promover el buen funcionamiento de los sistemas de pago, se reconoce la importancia de disponer de sistemas de pago eficientes para la ejecución de la política monetaria y el fomento de la estabilidad del sistema financiero y, por consiguiente, del conjunto de la economía.

d) Mantenimiento y gestión de reservas exteriores

Una de las razones principales de la gestión de la cartera de reservas exteriores es garantizar que el BCE disponga de liquidez suficiente para sus operaciones en divisas. Esta gestión la realizan actualmente de forma descentralizada los BCN que deciden participar en la gestión de las reservas exteriores del BCE. Estos BCN actúan por cuenta del BCE conforme a las instrucciones recibidas de este. Aunque los BCN gestionan de manera independiente sus propias reservas exteriores, sus operaciones en el mercado de divisas, cuando sobrepasan cierto límite, están sujetas a la aprobación del BCE para garantizar su compatibilidad con la política cambiaria y monetaria del Eurosistema.

e) Funciones consultivas

El BCE será consultado dentro de ciertos límites y condiciones:

- Sobre cualquier propuesta de acto de la Unión que entre en su ámbito de competencia.
- Por las autoridades nacionales, acerca de cualquier proyecto de disposición legal que entre en su ámbito de competencia.

El BCE ofrece asesoramiento en forma de «Dictámenes del BCE», que se publican, por ejemplo, en su sitio web.

f) Recopilación y elaboración de estadísticas

En colaboración con los BCN, el BCE recopila un conjunto amplio de información estadística necesaria para el desempeño de sus funciones. Las estadísticas son fundamentales, por ejemplo, para la decisión mensual relativa a los tipos de interés oficiales, pues reflejan la situación actual de la economía de la zona del euro.

g) Contribución a la supervisión prudencial y a la estabilidad financiera

Aunque el mantenimiento de la estabilidad financiera y la supervisión prudencial continúan siendo responsabilidad directa de las autoridades nacionales competentes, el Tratado asigna al Eurosistema la importante tarea de contribuir a la adecuada ejecución de las políticas pertinentes. Esta tarea, que se adapta a la evolución institucional y de los mercados, comprende tres actividades principales:

1. Vigilancia de la estabilidad financiera, a fin de identificar el origen de las vulnerabilidades y evaluar el grado de resistencia del sistema financiero de la zona del euro.

2. Asesoramiento a las autoridades competentes respecto al diseño y la modificación de las normas financieras y los requerimientos en materia de supervisión.

3. Fortalecimiento de los mecanismos de mantenimiento de la estabilidad financiera y de gestión eficaz de las crisis financieras, que incluye la colaboración estrecha entre bancos centrales y autoridades de supervisión.

h) Emisión de billetes en euros y garantía de su integridad

Los billetes (y monedas) en euros son los únicos de curso legal en la zona del euro. Los billetes también se utilizan en el ámbito internacional. Corresponde al Eurosistema garantizar el suministro de billetes en euros de forma fluida y eficiente y mantener la confianza de los ciudadanos en la moneda. Para preservar la integridad de los billetes en euros se realizan actividades de investigación y desarrollo de sistemas de seguridad para los billetes en euros, de vigilancia y disuasión de las falsificaciones, y se aplican normas comunes de calidad y autentificación para el procesamiento de billetes por parte de los BCN, entidades de crédito y otras entidades que participan a título profesional en el manejo de efectivo, como, por ejemplo, empresas de transporte de fondos.

i) Cooperación internacional

Algunas cuestiones (por ejemplo, los desequilibrios mundiales y la estabilidad macroeconómica y financiera sistémica) de relevancia para las funciones básicas del BCE —en particular, para la política monetaria— tienen implicaciones fuera de la zona del euro y, por tanto, han de tratarse en el ámbito internacional. Así pues, el BCE participa en reuniones de foros internacionales, en los que se analizan asuntos de interés para el Eurosistema, a fin de presentar las opiniones de este. De acuerdo con los Estatutos del Sistema Europeo de Bancos Centrales (SEBC), el presidente del BCE será quien decida cómo estará representado el Eurosistema en el ámbito de la cooperación internacional.

En cuanto al BCE, a diferencia de los bancos centrales nacionales (BCN), solo lleva a cabo un número reducido de operaciones, centrándose principalmente en la formulación de las distintas políticas y asegurando que los BCN ejecutan las decisiones de forma coherente.

En concreto, el BCE es responsable de:

- Formular las políticas del Eurosistema: el Consejo de Gobierno del BCE dirige la política monetaria en relación con la moneda única, lo que incluye la definición de estabilidad de precios, la manera de analizar los riesgos inflacionistas, etc.

- Decidir, coordinar y realizar el seguimiento de las operaciones de política monetaria: el BCE imparte instrucciones a los BCN sobre los detalles relativos a las operaciones requeridas (importe, tiempo, fecha, etc.) y comprueba su correcta ejecución.

- Adoptar actos jurídicos: dentro de los límites de su mandato, los órganos rectores tienen la facultad de adoptar actos jurídicos vinculantes para el Eurosistema, como orientaciones e instrucciones, destinados a asegurar que los BCN ejecutan las operaciones descentralizadas de forma coherente. Asimismo, y dentro de los límites establecidos, pueden adoptar reglamentos y decisiones con carácter vinculante fuera del Eurosistema.

- Autorizar la emisión de billetes: esta actividad comprende la planificación y coordinación estratégicas de la producción y emisión de billetes en euros. Además, el BCE coordina las actividades del Eurosistema de investigación, desarrollo, seguridad y calidad de la producción de los billetes en euros. Asimismo, el BCE alberga el Centro de Análisis de Falsificaciones, en el que se realiza el análisis y la clasificación de las falsificaciones de los billetes en euros, la base de datos central de las falsificaciones y el Centro Internacional para la Disuasión de Falsificaciones, que contribuye a la cooperación mundial entre bancos centrales en la lucha contra la falsificación bajo los auspicios de los gobernadores de los bancos centrales de los países del G-10.

- Intervenciones en los mercados de divisas: en caso de que resulte necesario, también conjuntamente con un BCN concreto. Estas operaciones implican comprar o vender valores en los mercados de divisas.

- El funcionamiento de los sistemas de pago y la supervisión de las infraestructuras de pago y otras infraestructuras del mercado financiero: los sistemas de pago hacen posible la transferencia de dinero dentro del sistema bancario. El BCE desempeña funciones de gestor de

T2-BCE, un sistema integrante de TARGET2, el sistema de pagos para el euro. Asimismo, el BCE, junto con los BCN del Eurosistema, realiza ciertas labores de vigilancia. Esta vigilancia es la función de banca central por la cual se fomentan la seguridad y la eficiencia de las infraestructuras del mercado financiero y de los instrumentos de pago, y se lleva a cabo mediante evaluaciones de seguimiento y, en caso necesario, propiciando cambios.

- Cooperación internacional y europea: con objeto de dar a conocer sus puntos de vista, el BCE participa en las reuniones que se celebran en distintos foros internacionales y europeos. En diciembre de 1998, el BCE se convirtió en el único banco central del mundo en obtener el estatuto de observador en el Fondo Monetario Internacional y en la actualidad asiste a todas las reuniones del Directorio Ejecutivo del FMI en las que se tratan cuestiones relacionadas con la Unión Económica y Monetaria. Por este motivo, el BCE ha creado una representación permanente en Washington D.C. Además, el BCE asiste a las reuniones del G-7, del G-20 y del Consejo de Estabilidad Financiera. En el ámbito europeo, el Eurogrupo, formado por los ministros de Economía y Hacienda de los países de la zona del euro, invita periódicamente al presidente del BCE a asistir a las reuniones que, con carácter informal, celebra mensualmente. Asimismo, el BCE puede asistir a las reuniones del Consejo de la UE cuando se discuten temas relativos a los objetivos y funciones del Eurosistema.

- La elaboración de informes: los Estatutos del Sistema Europeo de Bancos Centrales (artículo 15) establecen las obligaciones de información. El BCE elabora un Boletín Mensual, un estado financiero consolidado semanal del Eurosistema y un Informe Anual.

- El seguimiento de los riesgos financieros: que consiste en la evaluación de los riesgos para los activos, ya sean adquiridos en el contexto de inversión de los recursos propios o de las reservas exteriores del BCE, o admitidos como garantía en las operaciones de crédito del Eurosistema.

- Las actividades de asesoría a las instituciones de la Unión y a las autoridades nacionales: el BCE emite dictámenes sobre los proyectos de disposiciones legales nacionales y de la UE en materias de su competencia.

- El funcionamiento de los sistemas de información: el BCE y los BCN han creado una serie de sistemas operativos comunes que facilitan la realización de operaciones descentralizadas. Estos sistemas constituyen un soporte «logístico» para la integridad funcional del Eurosistema e incluyen sistemas de información, aplicaciones y procedimientos. Se organizan de acuerdo con un modelo radial, cuyo centro es el BCE.

- La gestión estratégica y táctica de las reservas exteriores del BCE: incluye la definición de las preferencias rentabilidad riesgo a largo plazo de los activos exteriores de reserva (asignación estratégica de los activos), la adopción de un perfil de rentabilidad riesgo teniendo en cuenta las condiciones existentes en el mercado (asignación táctica de los activos) y el establecimiento de las orientaciones de inversión y del marco operativo general.

2.4. Determinación de la cantidad de dinero y sus componentes. Control de la cantidad de base monetaria

El público influye tanto sobre el efectivo en manos del público (E) como sobre D (depósitos bancarios).

Los bancos solo influyen de manera directa sobre D.

a) Relación efectivo-depósito

La relación efectivo-depósito es e = E/D. Esta relación recoge el comportamiento del público y va a depender fundamentalmente del ratio, y esto es así porque las economías domésticas necesitan efectivo para poder realizar sus compras.

Al depender del consumo esta relación va a ser estacional ya que siempre en determinadas fechas va a seguir una pauta uniforme y repetida.

Esta relación depende también del tipo de interés ya que si este es elevado el público demandará menos efectivo y preferirá colocar este para que le genere rendimientos en forma de intereses.

Nosotros en nuestro modelo vamos a considerar la relación efectivo-depósito como constante y en general va a mostrar el comportamiento del público.

b) Relación reservas-depósito

Las reservas están formadas por los billetes y monedas poseídas por los bancos comerciales así como por los depósitos que estos mantienen en los bancos centrales.

$RE = E_b + D_{BC}$

D = Depósitos del público en los bancos comerciales.

La relación reservas-depósitos es r = RE/D, esta relación siempre es menor que 1. Sobre la relación efectivo-depósito nada podemos afirmar.

La relación reservas-depósito no va a ser constante y depende fundamentalmente de:

1. Coeficiente legal de caja (r_L).
2. Tipo de redescuento (i_R).
3. Tipo de interés en el mercado interbancario (i_B).
4. Tipo de interés del mercado (i).
5. Incertidumbre (θ).

Relación reservas-depósito es función (r_L, i_R, i_B, i , θ).

Todas estas componentes influyen sobre las reservas y para nada su variación tiene influencia sobre los depósitos bancarios.

c) Base monetaria

Constituye lo que se denomina dinero de alta potencia y está formada por el efectivo y los depósitos de los bancos comerciales en el Banco Central.

B = E+RE.

E: efectivo en manos del público.

$RE = E_B + D_{BC}$

$B = E + E_{BC} + D_{BC}$

La base monetaria está controlada por los Bancos Centrales y se genera cuando el Banco Central adquiere activos y los paga generando pasivos monetarios.

El dinero es un pasivo para el Banco Central y un activo para el público en general, los depósitos que los bancos comerciales tienen en el Banco Central son pasivos para este último.

Por tanto la base monetaria se crea comprando activos y generando pasivos mediante:

1. Operaciones de mercado abierto:

   Esto es la compra o venta de bonos o cualquier otro activo financiero emitido por el Banco Central a cualquier otro agente.

   Una compra de bonos en el mercado abierto por parte del Banco Central a un agente se traduce en un aumento de la base monetaria.

   Una venta de activos financieros disminuye la base monetaria.

2. Comportamiento del oro y las divisas:

   La adquisición de oro por el Banco Central supone un aumento de la base monetaria.

   El comportamiento de las divisas es similar al anterior en el sentido de que una compra de divisas aumenta la base monetaria y la venta de las divisas que el Banco Central tiene en sus reservas hace disminuir la base monetaria.

   El motivo de esto es que cualquier intervención en un sistema de tipos de cambio fijo para mantener este en las bandas establecidas hace que la base monetaria se modifique ya que el Banco Central debe absorber el exceso de demanda u oferta de divisas que se produzca en el mercado y esta intervención modifica la base monetaria.

   En un sistema de tipos de cambio fijo cuando el Banco Central interviene en el mercado de divisas puede realizar también operaciones de esterilización monetaria para contrarrestar los efectos que genera su intervención en los mercados de cambios, entendiendo por esterilizar realizar una operación de signo contrario en el mercado abierto.

3. Relación entre el Banco Central y el Tesoro Público.

   El Tesoro Público es el titular de los empréstitos que realiza el Estado. Es la institución que jurídicamente y respecto a temas financieros obliga al Estado.

   Cuando existe déficit público hay dos posibilidades de financiación (en el marco de nuestro análisis):

   – A través de deuda pública vendida a particulares. Con lo que aumenta el stock de deuda pública pero la base monetaria que es lo que nos importa permanece constante.

   – Mediante préstamos de Banco Central al Tesoro Público. En esta situación el stock de deuda pública permanece constante y la base monetaria aumenta, es lo que se conoce como monetización del déficit público.

3. Los bancos comerciales

Son instituciones que desarrollan una importante tarea de mediación financiera en la economía. Su actividad básica consiste, por una parte, en adquirir una variada gama de activos primarios sobre las unidades de gasto –en forma de concesión de créditos, adquisición de valores, etc.– proporcionando a estas los medios necesarios para ampliar sus tenencias de activos reales; y por otra parte, en atraer recursos mediante la generación de pasivos indirectos de plena o muy alta liquidez –depósitos– que son fácilmente colocados en las carteras de activos del público. Su tarea puede describirse como una transformación de activos primarios sobre los prestatarios últimos en activos indirectos más adaptados a las preferencias de los prestamistas últimos.

Pero los bancos comerciales se diferencian de los demás intermediarios financieros en que algunos de los pasivos que generan (los depósitos a la vista disponibles mediante cheques) son aceptados por el público como medios de pago; es decir, son dinero. La combinación de esta actividad creadora de dinero con la actividad de estricta mediación amplía las posibilidades de los bancos comerciales, que tienen así un papel de gran importancia en el funcionamiento de la economía.

3.1. El pasivo de los bancos comerciales: los depósitos

El pasivo expresa las fuentes de financiación de los bancos comerciales, es decir, el origen de los recursos que les han permitido financiar los activos que detentan. Los pasivos bancarios pueden clasificarse en dos grandes grupos: el primero comprende el capital y las reservas (recursos propios); el segundo grupo está formado por los depósitos que constituyen los recursos ajenos o pasivo exigible de los bancos. La disposición del público a mantener una parte de su riqueza en forma de depósito, permite a los bancos comerciales atraer por esta vía un volumen considerable de recursos que son su fuente primordial de financiación.

Los depósitos bancarios presentan dos modalidades básicas: los depósitos a la vista y los depósitos a plazo. Los depósitos a la vista se movilizan mediante cheque y pueden ser convertidos en dinero legal a voluntad de sus titulares. Son, por tanto, dinero. Los depósitos a plazo no son movilizables mediante cheques y sus titulares solo pueden retirarlos antes del plazo de imposición acordado con el consentimiento del banco y en las condiciones convenidas con este, incurriendo en una penalidad consistente en la pérdida de una parte de los intereses ganados, etc. No son, por tanto, dinero, y solo pueden ser convertidos en depósitos a la vista (dinero) dejando que transcurra el plazo de imposición o cumpliendo determinadas condiciones restrictivas.

Los bancos comerciales generan depósitos en sus operaciones pasivas, actuando como custodios de numerario, contra la entrega por sus clientes de dinero legal o de cheques bancarios a su favor. Estos son los llamados depósitos primarios. Pero los bancos comerciales crean también depósitos a la vista como contrapartida de los activos adquiridos en sus operaciones de crédito e inversión. Los bancos conceden un crédito abriendo un depósito a favor del deudor; pagan con depósitos los valores que adquieren, etc. Estos depósitos generados en las operaciones activas de la banca se denominan depósitos derivados.

Pero esta terminología puede inducir a error pues sugiere que los depósitos derivados proceden de los primarios y esto no es exacto. Por el contrario, el hecho de que los depósitos derivados se traduzcan en la aparición de ulteriores depósitos primarios constituye una pieza básica en el proceso de creación de dinero por los bancos comerciales.

3.2. El activo de los bancos comerciales: el encaje bancario y los activos rentables

El encaje constituye el extremo plenamente líquido de la gama de activos detentados por los bancos comerciales. Está formado por el dinero legal (moneda metálica y billetes del Banco Central) que los bancos retienen en sus cajas y por los depósitos que mantienen en el Banco Central. El primer componente está ligado a las necesidades de ventanilla, en tanto que el segundo cumple una importante función en la compensación interbancaria. En efecto, puesto que cada banco resulta, cada día, acreedor y deudor de todos los demás como consecuencia del movimiento diario de cheques en el sistema, los bancos comerciales encuentran ventajoso organizar un mecanismo de compensación diaria. Los depósitos mantenidos por los bancos en el Banco Central se utilizan como fondos a los que se cargan o abonan los saldos resultantes de dicha compensación interbancaria.

El encaje es un activo estéril, no rentable, que los bancos se ven obligados a mantener como primera línea de liquidez para hacer frente a los desfases normales entre sus corrientes de ingresos y pagos y poder atender las demandas de dinero legal de sus depositantes.

Los activos rentables de los bancos comerciales se caracterizan por su gran variedad. Sería inútil, por tanto, intentar una clasificación detallada de estos activos con pretensions de generalidad.

Los créditos a corto y medio plazo a las empresas industriales y comerciales (y, en menor medida, a la agricultura) han constituido tradicionalmente el grupo básico de los activos rentables de los bancos comerciales.

Las carteras de valores constituyen el otro grupo de activos rentables en poder de los bancos comerciales. Su composición varía de un país a otro de acuerdo con el grado de desarrollo económico y financiero y con la gama de activos disponibles.

Los fondos públicos forman la masa fundamental de este grupo. En aquellos países donde se emiten Letras del Tesoro, estas constituyen un renglón importante de las carteras bancarias, ocupando el extremo de los títulos con más cortos vencimientos. Junto a ellas aparecen los bonos gubernamentales a plazo corto y medio y los fondos públicos a más largo plazo.

3.3. El problema bancario fundamental: liquidez, solvencia y rentabilidad

Este breve repaso de los pasivos y activos de los bancos comerciales nos sitúa en condiciones de entender adecuadamente el problema fundamental bancario: su necesidad de armonizar los principios de liquidez, solvencia y rentabilidad.

Los bancos comerciales, como unidades económicas lucrativas, buscarán un beneficio que les permita ofrecer una rentabilidad adecuada a sus accionistas. Pero su actividad estará limitada por dos exigencias: en primer lugar, los bancos, dada la estructura de su pasivo, habrán de mantenerse líquidos para poder atender las demandas de dinero legal de sus depositantes; en segundo lugar, los bancos habrán de mantenerse solventes, de modo que el valor realizable de sus activos totales iguale, al menos, al valor total de sus depósitos. La liquidez bancaria es un problema a corto plazo, en tanto que la solvencia es, fundamentalmente, un problema a largo plazo.

Los dirigentes bancarios estarán desarrollando continuamente una tarea de selección de una posición óptima de activos y pasivos que proporcione aquella combinación de rentabilidad, liquidez y riesgo que mejor se adapte a sus preferencias, y reaccionarán ante cualquier perturbación de una situación óptima buscando un nuevo equilibrio a través de una reestructuración de sus activos y pasivos: un incremento en su grado de liquidez les inducirá a asumir mayores riesgos con una alta rentabilidad empleando sus tenencias de activos menos líquidos; un tentador aumento de los tipos de rentabilidad prometidos por los activos menos líquidos y más arriesgados les inducirá a sacrificar grados relativos de liquidez y seguridad, etc. Los bancos comerciales, a través de esta búsqueda continua de una posición de equilibrio, influyen estratégicamente en el funcionamiento de toda la economía.

4. Otros intermediarios financieros

Ahora tratamos los intermediarios financieros no bancarios. Aunque la gama de estos es amplia y variable, según los países, cabe clasificarlos en algunos subgrupos básicos:

1. Intermediarios financieros no bancarios cuyo pasivo, aun no siendo dinero, tiene, en general, un valor monetario fijo y puede ser convertido en dinero con facilidad. Se incluyen aquí las instituciones de ahorro –cooperativas de crédito, sociedades de préstamo a la construcción– que recogen recursos mediante depósitos de ahorro y a plazo y certificados de depósito, pasivos que les permiten conceder préstamos a medio y largo plazo y adquirir activos de renta fija a largo plazo como Deuda Pública y obligaciones. También hay que incluir en este subgrupo los bancos de negocios y las campañas de financiación de ventas a plazo.

2. Instituciones de seguros, cuyas actividades de mediación financiera son subsidiarias de su función aseguradora básica. Estas instituciones acumulan reservas nutridas por las primas y contribuciones de los asegurados y pueden invertirlas rentablemente mediante colocaciones a largo plazo en Deuda Pública, obligaciones, acciones.

3. Instituciones cuyos pasivos tienen un valor monetario que puede variar de un día para otro. Tal es, por ejemplo, el caso de los fondos de inversión, que colocan sus participaciones entre los pequeños ahorradores, para obtener recursos que emplean en la adquisición de valores bursátiles, especialmente acciones.

Los intermediarios financieros no bancarios adquieren títulos primarios sobre las unidades últimas de gasto y generan activos financieros indirectos de muy variadas características: depósitos de ahorro y a plazo, pólizas de seguros, certificados de ahorro, etc.

Los beneficios de los intermediarios financieros no bancarios se basan, naturalmente, en la diferencia entre los rendimientos obtenidos de los activos que detentan y los rendimientos abonados sobre los activos indirectos que generan más los costes de administración de sus operaciones..

El comercio internacional. Formulaciones teóricas. La protección arancelaria. La balanza de pagos: Concepto y estructura. El tipo de cambio. El equilibrio de la balanza de pagos

¿Sabes qué es un **tablero de tareas**? Es una herramienta muy útil para organizar y controlar el estudio pues registra cada avance realizado y cada fase de estudio completada. Lo tienes disponible para descargar en el Curso MAD360.

Índice

1. El comercio internacional. Formulaciones teóricas

1.1. Introducción

Los países que participan en procesos de intercambio y especialización se benefician mutuamente. Aunque en la historia se han dado países que se mostraban contrarios al comercio internacional y promocionaban un régimen de autarquía, esta se ha mostrado como uno de los mayores obstáculos para que las economías se desarrollen y enriquezcan. Igualmente, los adelantos en tecnología favorecen las relaciones entre los países porque el transporte se agiliza, las comunicaciones son más sencillas y las formas de pago se simplifican. Todo esto hace que las economías se abran al exterior cada día más, globalizándose de esta forma las relaciones económicas.

El crecimiento del comercio internacional ha contribuido en gran parte al desarrollo económico actual, ya que de esta manera se favorece la especialización y esta incrementa la productividad. Este aumento de la productividad repercute en el futuro en una mejora generalizada del nivel de vida de las sociedades que participan en el comercio.

No obstante, no todo son ventajas en el comercio internacional. En este tema vamos a ver las distintas teorías sobre el comercio internacional, las ventajas y los inconvenientes del comercio internacional y las maneras en que los países obstaculizan el comercio internacional y sus consecuencias.

En la historia de la economía existen varios autores teóricos que han estudiado el comercio internacional. De la escuela clásica destacamos a Adam Smith, David Ricardo y John Stuart Mill. También veremos el modelo Heckscher-Öhlin.

1.2. Adam Smith

La teoría clásica del comercio internacional tiene sus raíces en la obra de Adam Smith. Smith pensaba que las mercancías se producían en el país en el que fuera más bajo el coste de producción (expresado en trabajo), y desde allí se exportarían a países con costes mayores. Adam Smith defendía también un comercio libre y sin trabas para alcanzar y dinamizar el proceso de crecimiento.

En definitiva, Adam Smith es partidario del comercio basado en la ventaja absoluta y cree en la movilidad internacional de factores. La ventaja absoluta la tiene aquel país que es capaz de producir un bien utilizando menos factores productivos que otros, es decir, con un coste de producción menor.

1.3. La Ley de la Ventaja Comparativa de David Ricardo

La teoría clásica del comercio internacional da un paso adelante con la aparición de la famosa teoría de la ventaja comparativa o de los costes comparativos, como también es conocida, desarrollada por David Ricardo. David Ricardo, agente de bolsa inglés, millonario por sus propios méritos y especialista en teoría monetaria y de la renta de la tierra, publicó en 1817 la primera demostración elemental de que a los países les conviene adoptar una especialización internacional. En el tema vamos a desarrollar el modelo más sencillo de David Ricardo, basado en el ejemplo del comercio de vino y paño entre Portugal e Inglaterra con el que se llega a la conclusión de que los países se especializan en la producción del bien que cuesta menos en términos de trabajo, aunque, como veremos, Portugal produzca los dos con un coste menor. También podemos enunciar la teoría como que un país tendrá ventaja comparativa en la producción de aquel bien que es capaz de obtener con un coste de oportunidad menor al de otro país. La ventaja comparativa proporciona una razón para el intercambio y la especialización.

Las hipótesis básicas que subyacen en el modelo de Ricardo, aunque él nunca las explicitó, son las siguientes:

a) Desde el punto de vista de la producción:

1. Cada país produce únicamente dos bienes mediante el empleo de un solo factor de producción, el trabajo, que es completamente homogéneo y del que hay una dotación fija. Además, se supone que el salario es idéntico en los dos países.

2. La tecnología se representa mediante una función de producción de coeficientes fijos, por lo que las funciones de producción de ambos bienes se caracterizan por tener rendimientos constantes.

b) Desde el punto de vista de la demanda: se cumple la ley de Say: se consume todo lo que se produce. También se cumple la Ley de Walras: no se puede gastar más de lo que se produce.

c) Respecto al comercio internacional:

1. En el mundo solo existen dos países.

2. El comercio es libre: no hay barreras al comercio.

3. No hay costes de transporte.

4. El factor trabajo es inmóvil internacionalmente.

d) Supuestos institucionales:

7. Los gustos de los consumidores están dados.

8. La distribución de la renta está dada y es conocida.

9. El número de horas que incorpora el trabajador a la producción de un bien determina el valor del mismo: valor-trabajo.

10. Existe competencia perfecta en los mercados de productos y de factores y los precios son flexibles.

El Teorema de Ricardo podemos enunciarlo de la siguiente forma:

> "En el equilibrio, con comercio libre y bajo el supuesto de que ambos países consumen alguna cantidad de los dos bienes, cada país exportará aquel bien que produzca con una productividad del trabajo relativamente mayor."

El teorema de Ricardo también tiene un corolario. Sería este: Cuando las productividades relativas del trabajo sean iguales en los dos países, el volumen y la dirección del comercio son indeterminados.

El ejemplo, ya típico, que ponía el propio David Ricardo, como ya adelantamos, trata sobre el comercio de vino y paño entre Portugal e Inglaterra.

Supongamos que en Portugal producir una unidad de paño supone 100 horas de trabajo y producir una unidad de vino 80 horas. En Inglaterra el coste de producción de estos productos es de 120 y 140 horas respectivamente.

Como se puede comprobar, el coste de producción de ambos productos en Portugal es menor, por lo que en un principio podríamos concluir (siguiendo a Adam Smith) que Portugal va a producir (y exportar) ambos productos.

Sin embargo, con la teoría de Ricardo los resultados van a ser diferentes. Veámoslo:

Calculamos el precio de los bienes medido en unidades de producto:

PORTUGAL	INGLATERRA
1 paño = 100/80 = 1,25 vino	1 paño = 120/140 = 0,857 vino
1 vino = 80/100 = 0,80 paño	1 vino = 140/120 = 1,166 paño

Con estos resultados, a Portugal le va a interesar producir vino y cambiarlo en Inglaterra por paño, ya que por cada unidad de vino obtiene en Inglaterra 1,166 unidades de paño y dentro del país solo obtendría 0,80. De la misma manera, a Inglaterra le interesa producir paño, ya que si lo exporta, por una unidad de paño, obtiene en Portugal 1,25 unidades de vino, mientras que dentro del país solo obtendría 0,857 unidades de vino.

Es decir, que lo que determina el comercio internacional, según la teoría de David Ricardo son las relaciones entre los precios dentro de cada país:

– Precio del vino/Precio del paño = 80/90 (Portugal)

– Precio del vino/Precio del paño = 140/120 (Inglaterra)

Como 80/90 < 140/120, la relación entre los precios del vino y del paño es menor en Portugal que en Inglaterra y por lo tanto Portugal tiene una ventaja comparativa en la producción del vino. Como la relación inversa precio paño/precio vino es mayor en Portugal, este país tiene una desventaja en la producción de paño (Inglaterra tendrá ventaja).

Para terminar con la teoría de la ventaja comparativa debemos comentar que los supuestos que incorpora son muy restrictivos y poco realistas. Esta teoría presenta serios fallos en su forma más simple:

– El precio de las mercancías no viene dado solo por el coste del trabajo, sino también por otros factores.

– Habría que ver si las curvas de transformación o de posibilidades de producción son rectilíneas (costes constantes) o cóncavas (costes crecientes). En el segundo caso no existiría una relación constante entre los precios de los bienes.

– Los intercambios internacionales también dependen de la demanda y no solo de la oferta.

– Solo en caso de que el coste relativo en los dos países coincidiera, el mecanismo de la ventaja comparativa no sería capaz de indicarnos si es conveniente el comercio ni en qué sentido debería orientarse. Además, olvidándose por completo de la demanda.

1.4. La Teoría de la Demanda Recíproca (John Stuart Mill)

Como acabamos de decir, el análisis de Ricardo, aunque mucho más evolucionado que el de Adam Smith es incompleto, ya que todas las razones que determinan el comercio internacional proceden del lado de la oferta, sin que la demanda parezca influir en ningún momento. La solución correcta fue aportada por dos autores, Pennington y J.S. Mill, siendo este último quien realizó la aportación más brillante: la teoría de la demanda recíproca.

Esta teoría tiene en cuenta la presión de la demanda en cada país sobre los precios relativos de los bienes. El punto de partida es la relación de intercambio en cada uno de los países. Es decir, siguiendo con el ejemplo del vino y el paño, el número de unidades de vino que está dispuesto a ofrecer Portugal a cambio de paño y el número de unidades de paño que está dispuesto a ofrecer Inglaterra a cambio de vino. Estas expresiones se denominan curvas de oferta de Marshall.

En el análisis de Ricardo estas cantidades permanecían constantes, de ahí que ambos países estuviesen de acuerdo en intercambiar cualquier cantidad de joyas y ordenadores en función de su ventaja relativa. Sin embargo, Mill introduce el papel que tiene la demanda en cada país y su efecto sobre la escasez y el precio de los productos.

Mill argumenta que al principio Portugal intercambiará vino por paño con Inglaterra, pero que a medida que esto ocurre Inglaterra tiene más vino y menos paño, lo que hará que exija a Portugal una cantidad mayor de vino por cada pieza de paño. Recíproca e inversamente sucederá en Portugal, que cada vez exigirá más paño a Inglaterra a cambio de su vino. De esta forma, los precios relativos en cada país no son constantes y el equilibrio solo se produce cuando se van suavizando las escaseces relativas, y con ello los precios relativos de los bienes se igualan en ambos países.

Una vez que ambos países empiezan a comerciar las relaciones se modifican debido al cambio en los precios relativos de ambos bienes como consecuencia de la escasez relativa de los bienes. El punto de equilibrio se alcanzará donde los precios relativos de ambos países se igualen.

En el equilibrio, las relaciones de intercambio se cortan. Este punto, definido como los términos del intercambio en equilibrio, se expresa habitualmente con lo que conocemos como la relación real de intercambio (RRI). Es un indicador que compara los precios de las exportaciones y las importaciones, expresados ambos, en la misma unidad de cuenta:

$$RRI = PX/PQ \cdot tc$$

donde:

PX= es el precio de las exportaciones en moneda nacional.

PQ= es el precio de las importaciones en moneda extranjera.

tc = es el tipo de cambio nominal.

1.5. El Modelo Heckscher-Ohlin

Una de las matizaciones formuladas a las anteriores teorías nos llega a través del modelo de Heckscher-Öhlin. En esta teoría se postula que el comercio internacional se puede explicar por la distinta dotación de factores entre países. Aquellos que estén bien dotados en factor capital exportarán los bienes obtenidos en procesos de producción intensivos en capital, mientras que los países ricos en capital humano exportarán bienes intensivos en factor trabajo.

Veamos esta teoría:

Si el trabajo fuese el único factor de producción, como suponía el modelo ricardiano, la ventaja comparativa podría surgir únicamente de las diferencias internacionales en la productividad del trabajo.

El modelo Heckscher-Öhlin como arriba indicábamos predice que si un país tiene una abundancia relativa de un factor de producción (trabajo o capital, por ejemplo), tendrá una ventaja comparativa y competitiva en aquellos bienes que requieran una mayor cantidad de ese factor, o sea que los países tienden a exportar los bienes que son intensivos en los factores con que están abundantemente dotados. A este modelo también se le conoce como la teoría de las proporciones factoriales.

La teoría Heckscher-Öhlin se basa en los siguientes supuestos:

1. Existen dos naciones, dos mercancías (una intensiva en trabajo y la otra intensiva en capital en ambas naciones) y dos factores de producción (trabajo y capital). Las dos naciones se sirven de la misma tecnología en la producción.

2. Ambas mercancías se producen con rendimientos constantes a escala en ambas naciones.

3. Hay especialización incompleta de la producción en ambas naciones.

4. Los gustos son iguales en ambas naciones.

5. Existe competencia perfecta en los mercados de mercancías y de factores en las dos naciones.

6. Existe movilidad perfecta de factores dentro de cada nación, pero no hay movilidad internacional de factores.

7. No hay costes de transporte, aranceles ni otras obstrucciones al libre flujo del comercio internacional.

8. Todos los recursos se emplean por completo en ambas naciones.

9. El comercio internacional entre las dos naciones está equilibrado.

La teoría Heckscher-Öhlin (H-O) usualmente se presenta en forma de dos teoremas:

- El teorema H-O (que trata y predice el patrón de comercio).

- El teorema de igualación en los precios de los factores que aborda el efecto del comercio internacional sobre los precios de los factores.

El teorema Heckscher-Öhlin (H-O) ya lo hemos enunciado anteriormente y nos dice que una nación exportará la mercancía cuya producción requiera el uso intensivo del factor relativamente abundante y barato, e importará la mercancía cuya producción requiera de uso intensivo del factor relativamente escaso y caro.

A esta teoría también se le conoce como teoría de las proporciones factoriales, ya que destaca la interacción entre las proporciones en las que los diferentes factores están disponibles en diferentes países, y la proporción en que son utilizados para producir diferentes bienes.

Al teorema de igualación de los precios de los factores se le conoce también como teorema Heckscher-Öhlin-Samuelson (H-O-S), debido a que el premio Nobel de Economía de 1976, Paul Samuelson, fue quién comprobó rigurosamente este teorema de igualación de los precios de los factores.

El teorema de igualación de los precios de los factores señala que el comercio internacional dará lugar a la igualación en las renumeraciones relativas y absolutas a los factores homogéneos a través de las naciones. La igualación absoluta de los precios de los factores significa que el libre comercio internacional también iguala los salarios reales para el mismo tipo de trabajo en las dos naciones, así como la tasa real de interés para el mismo tipo de capital en ambas naciones. En la realidad, la igualación de los precios de los factores no se observa a causa de enormes diferencias de recursos, barreras comerciales y diferencias internacionales en tecnología.

2. La protección arancelaria

En esta pregunta vamos a estudiar en primer lugar los instrumentos de protección más importantes con que cuentan las autoridades de los países para limitar o protegerse del comercio internacional, para terminar estudiando los argumentos a favor y en contra del libre comercio y el proteccionismo.

2.1. Restricciones al comercio internacional

Si enumeramos los instrumentos de protección más importantes podemos elaborar la siguiente lista:

a) Aranceles.

b) Cuotas y contingentes.

c) Control de cambios.

d) Subsidios a la producción.

e) Impuestos al consumo.

f) Neoproteccionismo (proteccionismo administrativo):

   – Controles de calidad.

   – Controles sanitarios.

El arancel es el instrumento de protección más importante de los enumerados. Lo estudiaremos de forma individual para ver de forma conjunta la protección no arancelaria.

2.1.1. La protección arancelaria: el arancel

Es el instrumento más comúnmente manejado por el Estado. Lo podríamos definir como el impuesto o exacción que grava las mercancías objeto del comercio internacional a su paso por la frontera aduanera de un país.

2.1.1.1. Clases de aranceles

Hay tres clases de aranceles:

a) Aranceles a la importación: se grava la entrada de la mercancía en territorio aduanero nacional.

b) Aranceles a la exportación: se grava la salida de una mercancía de territorio aduanero nacional. Son poco frecuentes.

c) Aranceles de tránsito: gravan los productos que entran en un país con destino a otro país.

Como ya hemos dicho, los más importantes y frecuentes son los primeros, tanto que a menudo se omite la expresión "a la importación" y se habla sencillamente de "aranceles". Con mucha facilidad, los gobiernos se sienten fuertemente inclinados a establecer aranceles a la importación ya que, por un lado, son una fuente de ingresos para las arcas del Estado y, por otro, satisfacen a grupos de interés cuya producción compite con las importaciones.

También podemos clasificar los aranceles en función de la forma de determinar el gravamen arancelario:

- *Ad valorem*: se determina en base al valor de la mercancía.

- Específicos: se determina en función de los caracteres específicos de la mercancía, como peso, volumen, dimensiones, etc.

- Mixtos: el gravamen se calcula como una combinación del valor y caracteres específicos de la mercancía.

Por último podríamos mencionar el "arancel prohibitivo", que es aquel arancel tan alto que reduce o anula la importación de la mercancía. Se le da el calificativo de prohibitivo porque en la práctica su establecimiento equivale a la prohibición de importar dicha mercancía.

2.1.1.2. Finalidad del establecimiento de un arancel

En cuanto a las finalidades que se persiguen con el establecimiento de los aranceles tenemos:

a) Proteccionista: favorecer y proteger la industria nacional.

b) Favorecer el empleo nacional.

c) Influir sobre la Balanza de pagos para corregir desequilibrios.

d) Recaudatoria: es casi la única finalidad en los países subdesarrollados.

2.1.1.3. Efectos de la introducción de un arancel

Por lo que respecta a los efectos de la introducción o establecimiento de un arancel a la importación tenemos:

1. Aumento de los ingresos para las arcas del Estado del país que establece el arancel.

2. Disminución del volumen de las importaciones de la mercancía afectada por el arancel.

3. Disminución del consumo de la mercancía gravada por el arancel en el país importador.

4. Aumento del precio de dichos artículos.

5. Aumento de la producción nacional del artículo gravado por el arancel en el país que establece el arancel.

6. Contracción de la oferta del producto gravado con el arancel en el país exportador.

7. Contracción de la demanda de importación en el país exportador.

2.1.1.4. Funcionamiento de los aranceles

Para ver cómo actúan los aranceles, volvamos al ejemplo de Portugal e Inglaterra que comerciaban con vino y paño. Como vimos según la ley de la ventaja comparativa de David Ricardo, Portugal exportaba vino e Inglaterra paño.

Supongamos que en Inglaterra la función de oferta agregada de vino es igual a Sv = - 100 + 5Pv y la función de demanda agregada es igual a Dv = 200 – 5Pv. Si Inglaterra no estuviera abierta al comercio internacional el precio y la cantidad de equilibrios en el mercado del vino interno serían:

Igualando oferta a demanda:

$$-100 + 5Pv = 200 - 5Pv$$

Resulta que el precio de equilibrio sería

Pv = 30 u.m.

Y las cantidades demandadas y ofrecidas de vino

Sv = -100 + 5 · 30 = 50 unidades de vino

Dv = 200 – 5 · 30 = 50 unidades de vino

Supongamos ahora que Inglaterra empieza a comerciar con Portugal e importa vino a un precio de 25 u.m.

Con este precio, la cantidad ofrecida por los productores ingleses será:

$$Sv = -100 + 5 · 25 = 25 \text{ unidades de vino.}$$

Mientras que la cantidad demandada por los consumidores ingleses será:

$$Dv = 200 - 5 · 25 = 75 \text{ unidades de vino}$$

La diferencia entre la oferta y la demanda será cubierta con importaciones de vino a Portugal por 50 unidades de vino.

Para ver cómo influye el establecimiento de un arancel a la importación por Inglaterra, supongamos que las autoridades de dicho país gravan con un arancel ad valorem del 10% el vino portugués.

El precio de una unidad de vino portugués incrementado por el arancel será:

$$25 · 1,10 = 27,5$$

Con este precio, la oferta de vino de los productores ingleses será:

$$Sv = -100 + 5 · 27,5 = 37,5 \text{ unidades de vino.}$$

Y la cantidad demandada por los consumidores ingleses:

$$Dv = 200 - 5 · 27,5 = 62,5 \text{ unidades de vino}$$

Podemos comprobar que al incrementarse el precio del vino portugués como consecuencia de la introducción de un arancel, las importaciones disminuyen hasta 25 unidades.

El importe de lo recaudado por el Estado en concepto de aranceles será el producto de las unidades importadas por el arancel:

$$25 · (27,5 – 25) = 62,5 \text{ u.m.}$$

Por tanto, los efectos que tiene la introducción de un arancel al vino importado en Inglaterra son: una reducción de las importaciones, un aumento en la producción nacional, un descenso en la cantidad consumida, un incremento en el precio y un aumento en la recaudación del Estado.

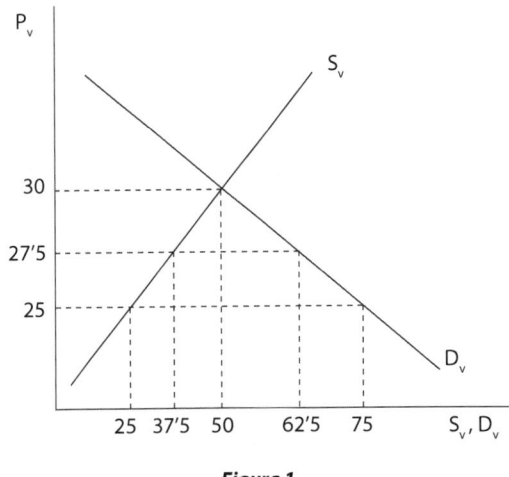

Figura 1

2.1.1.5. Casos especiales de protección arancelaria

Para finalizar, existen dos casos especiales de protección arancelaria, el dumping y los derechos compensatorios.

El dumping es la venta de un bien en un mercado externo a un precio menor que el del mercado interno, o a un precio más bajo que el de su coste de producción. De acuerdo con la regulación actual del GATT (Acuerdo General sobre Aranceles y Comercio) el dumping es ilegal y se pueden imponer derechos antidumping a los productores extranjeros si los productores del país importador pueden demostrar que les han perjudicado.

Los derechos compensatorios son aranceles que se imponen para permitir a los productores nacionales competir con los productores extranjeros subsidiados porque no es extraño que algunos gobiernos extranjeros subsidien algunas de sus industrias.

2.1.2. La protección no arancelaria

Las barreras no arancelarias también restringen el comercio internacional. Destacamos:

1. Cuotas y contingentes: son el principal instrumento de protección no arancelaria. Consisten en limitar el volumen de unidades que se pueden importar de determinado bien durante un período determinado. Son un cupo, un límite cuantitativo. El contingente es más arbitrario y distorsiona en mayor medida las pautas de consumo. Se suelen utilizar por los siguientes motivos:

   a) Cuando el arancel no produce efectos protectores debido a la baja elasticidad de la oferta de importaciones.

   b) Mayor certidumbre en sus efectos.

   c) Mayor flexibilidad administrativa.

2. Control de cambios: si un gobierno restringe o raciona las divisas disponibles, o bien fija un tipo de cambio distinto para cada mercancía que se quiera importar o exportar, está dificultando el comercio internacional.

3. Cambios múltiples: instrumento prohibido por el FMI.

4. Subsidios a la producción: esta medida no afecta al consumo de los bienes importados. Consiste en subvencionar una producción, con lo que, al bajar los costes de producción el precio de salida es más competitivo de cara al exterior.

5. Impuestos al consumo de bienes importados: su efecto es disminuir el consumo de bienes de importación sin afectar a la producción. Su efecto es idéntico al del arancel.

6. Protección administrativa (Neoproteccionismo): son normas administrativas que obstaculizan la entrada de productos extranjeros. En apariencia tratan de proteger al consumidor. Algunas de estas normas establecen barreras burocráticas, técnicas o de calidad, disposiciones sanitarias y veterinarias, reglas sobre marcas y patentes, etc.

3. La balanza de pagos: concepto y estructura

3.1. Concepto

El Fondo Monetario Internacional (FMI) define la Balanza de Pagos como el documento contable que registra sistemáticamente el importe, en euros, de todas las transacciones económicas que tienen lugar durante un cierto periodo de tiempo entre los residentes de un país y los del resto del mundo. Por lo tanto, la balanza de pagos es el instrumento contable que se utiliza para aportar información de las operaciones comerciales y financieras exteriores de un país.

Las anotaciones en la balanza de pagos las realiza la autoridad monetaria de cada país, es decir, el Banco Central, el Banco de España en nuestro país.

3.2. Estructura de la balanza de pagos según el Sexto Manual del FMI de 2009

El FMI ha desarrollado, para facilitar las comparaciones internacionales en las cifras de Balanza de Pagos, una metodología y un sistema de presentación de las cuentas, que se ha ido plasmando en los sucesivos Manuales de Balanza de Pagos. Este cambio de metodología obligó a realizar una serie de modificaciones en los criterios de anotación, y las directrices del FMI fueron adoptadas por todos los países.

A partir de la publicación el 15 de octubre de 2014 del Sexto Manual del FMI, han tenido lugar dos cambios importantes en la elaboración de la Balanza de Pagos (BP) y la Posición de Inversión Internacional (PII) y otras estadísticas relacionadas: la implantación de los nuevos manuales metodológicos y la de nuevas fuentes de información. El FMI publicó en 2009 la sexta edición de su manual de BP y PII (MBP6). El año 2014 fue la fecha acordada en el marco de la Unión Europea para su implementación, con el objetivo de disponer de tiempo suficiente para adaptar los sistemas de información en vigor y para garantizar la coherencia metodológica de las estadísticas elaboradas en los países de la Unión Europea. Así, siguiendo decisiones acordadas en los comités europeos encargados de estas estadísticas, los países de la UE implantaron el nuevo manual a lo largo de

2014 de forma coordinada con los cambios para adaptar las Cuentas nacionales al nuevo Sistema Europeo de Cuentas (SEC) 2010, que también se implantó durante 2014.

El MBP6 no supone cambios estructurales frente al anterior. Se trata más bien de una adaptación que, en primer lugar, tiene en cuenta los avances que se han producido en el mundo en cuanto al desarrollo tecnológico y la globalización, con sus efectos sobre las relaciones económicas exteriores; en segundo lugar, busca unificar aún más la terminología y la clasificación de partidas, instrumentos financieros y sectores con otras estadísticas macroeconómicas muy relacionadas, especialmente con las Cuentas nacionales y, finalmente, en la dimensión financiera, da más importancia a los datos de balance de la economía, a la PII (Banco de España, Los cambios en la Balanza de Pagos y en la Posición de Inversión Internacional en 2014).

La sexta edición del Manual de la Balanza de Pagos mantiene la rígida estructura que ya contemplaba en su quinta edición. De esta manera, la balanza de pagos sigue una estructura compuesta por tres cuentas: Cuenta corriente (engloba la cuenta de bienes y servicios, la cuenta de rentas primarias y la cuenta de rentas secundarias entre residentes y no residentes), la cuenta de capital y la cuenta financiera. Se distinguen según la naturaleza de los recursos económicos suministrados y recibidos.

1. Balanza por Cuenta Corriente

La Balanza por Cuenta Corriente recoge todas las transacciones que generan renta en el país o en el exterior durante el período considerado (generalmente un año). La novedad introducida por el Sexto Manual es que las anteriores Balanza de Bienes y Balanza de Servicios se han refundido en una sola Cuenta (Balanza) de Bienes y Servicios, que la anteriormente denominada Balanza de Rentas ha pasado a denominarse (Balanza) Cuenta de Rentas Primarias, y que la Balanza de Transferencias pasa a denominarse Cuenta (Balanza) de Rentas Secundarias.

a) Cuenta de Bienes y Servicios

En cuanto a los **bienes**, registra el valor de las compras y ventas de bienes entre residentes y no residentes. Se incluyen tanto las mercancías que cruzan las fronteras como aquellas cuyo comercio se realiza sin traspaso físico a través de ellas. También se incluyen los suministros de mercancías a medios de transporte. Los ingresos de esta balanza son las exportaciones; los gastos son las importaciones. Igualmente se incluyen estimaciones de actividades ilegales.

Los servicios incluyen las operaciones internacionales que reportan ingresos por los servicios prestados por los residentes del país al resto del mundo y las que implican pagos por los servicios recibidos. En ella se registra:

1. El transporte (fletes, pasajes y servicios auxiliares: carga y descarga en aeropuertos, almacenamiento).

2. El turismo y los viajes.

3. Comunicaciones: servicios postales y de correos, los relacionados con transmisión del sonido y la imagen, televisión, correo electrónico, telefax, etc.

4. Seguros: comerciales ligados a las importaciones o exportaciones de mercancías, vida, fondos de pensiones, accidentes, incendios, reaseguros, etc. Se excluyen las prestaciones y cotizaciones de la Seguridad Social porque se recogen en la balanza de transferencias.

5. Servicios de construcción.

6. Servicios prestados a las empresas: servicios comerciales, leasing operativo y otros servicios.

7. Servicios informáticos, financieros y de información.

8. Servicios personales, culturales, recreativos.

9. Servicios gubernamentales: cobros y pagos ligados a gastos de embajadas, consulados y gastos del Estado prestados a no residentes en servicios de salud, educación, administración, oficinas de turismo, etc.

b) Cuenta de Rentas Primarias

Esta nomenclatura, que ya se venía utilizando en el Sistema de Cuentas Nacionales (SCN), se introduce para la Balanza de Pagos en el MBP6 con el objetivo de garantizar la coherencia entre ambas estadísticas. Así, lo que en el MBP5 eran Rentas y Transferencias corrientes se divide ahora entre Renta Primaria y Renta Secundaria. Respecto a las partidas que incluye la Cuenta de Rentas Primarias, son:

1. Rentas de inversión: recogen los ingresos o pagos correspondientes al valor de los beneficios, intereses o dividendos por inversiones, en activos reales o financieros, realizadas fuera del país de residencia.

2. Royalties y rentas de la propiedad inmaterial: son los ingresos o pagos generados por los derechos de autor o por la explotación internacional de patentes o marcas.

3. Rentas vinculadas al proceso de producción: son los ingresos o pagos por la remuneración de los trabajadores fronterizos, estacionales y temporeros.

Anteriormente se definía la **Balanza por Cuenta de Renta** como:

Balanza por cuenta de renta = B. Comercial + B. Servicios + B. Rentas

Si ahora tuviéramos que definirla siguiendo el Sexto Manual, sería así:

Balanza por Cuenta de Renta = Cuenta de Bienes y Servicios + Cuenta de Rentas Primarias

c) Cuenta de Renta Secundaria

Recoge las transacciones (tanto ingresos como pagos) privadas o públicas con el exterior que no implican contrapartida material. Son las transferencias corrientes, ya que afectan a la renta disponible y por tanto financian gastos corrientes.

Entre los ingresos podemos destacar: las remesas de emigrantes, los fondos de la UE para ayuda al empleo y la formación (Fondo Social Europeo), la compensación de precios agrícolas (FEOGA-Garantía) o las subvenciones a la exportación.

Entre los pagos encontramos los llamados "Recurso del IVA", "Recurso del PNB" y los "Recursos propios tradicionales".

2. Balanza de capital

Integrada por las trasferencias de capital y la adquisición de activos inmateriales no producidos.

a) Transferencias de capital:

En este punto se recogen los fondos que se generan por la liquidación del patrimonio de los inmigrantes y los ingresos por transferencias de capital de la Administración con la Unión Europea.

Estos últimos constituyen la parte cuantitativamente más importante de esta cuenta. Lugar señalado ocupan los Fondos para el Desarrollo Regional (FEDER), los fondos de cohesión y el FEOGA-Orientación.

b) Adquisición de activos inmateriales no producidos:

En esta rúbrica figuran las transacciones relacionadas con activos tangibles que son necesarios para la producción de determinados bienes y servicios, pero que en sí mismos no han sido producidos. Como ejemplo tenemos las patentes, derechos de autor, marcas registradas, etc.

3. Balanza financiera

Registra la variación de los activos y pasivos financieros. Es decir, contabiliza los flujos financieros entre los residentes de un país y el resto del mundo.

La balanza o cuenta financiera está subdividida en cuatro sub-balanzas, diferenciadas según el tipo de activos y pasivos financieros en los que se materializan las operaciones: inversiones directas, inversiones en cartera, otra inversión y variaciones de reservas.

a) Inversiones directas:

Son las hechas para obtener una rentabilidad permanente. Entre ellas se incluyen las participaciones en empresas que permitan una influencia significativa en los órganos de dirección de la empresa invertida (siendo el porcentaje necesario superior o igual al 10% del capital total), otras formas de participación como la dotación a sucursales, la financiación entre empresas relacionadas y la inversión en inmuebles.

1. Acciones: aquí se incluyen las suscripciones y la compraventa de acciones cuando el importe sea igual o superior al 10% del capital social de la empresa emisora.

2. Otras formas de participación: contabiliza cualquier intervención en empresas que no se materialice en acciones como las dotaciones a sucursales o establecimientos.

3. Financiación entre empresas relacionadas: registra las operaciones de préstamos entre las matrices y sus filiales o sociedades participadas siempre que no se trate de entidades de crédito. De esta forma las financiaciones de todo tipo que la matriz residente conceda a sus filiales no residentes se incluirán como un aumento de la inversión española en el exterior. Mientras que si son las filiales quienes financian a su matriz residente se recogerá como una disminución de la inversión española en el exterior. Del mismo modo si la matriz fuese no residente y las filiales tuvieran la residencia en el país, los flujos de la matriz a las sucursales no residentes significarían un aumento de la inversión extranjera en España.

    Lógicamente un flujo en sentido contrario implicaría una menor inversión extranjera en España.

4. Inversiones en inmuebles: en este apartado se recoge la compraventa de bienes inmuebles, incluida la multipropiedad a tiempo parcial y la adquisición de inmuebles mediante leasing financiero.

b) Inversiones en cartera:

Contabiliza las operaciones con valores negociables, excluidas las acciones recogidas como inversión directa. La componen cuatro rúbricas: acciones, bonos y obligaciones, instrumentos del mercado monetario y derivados.

En la práctica la diferencia entre los instrumentos del mercado monetario y los bonos y obligaciones es que los primeros tienen un plazo originario igual o inferior a un año, mientras que en los segundos ese plazo es siempre superior a un año. No obstante, está diferenciación no sirve para dividir las inversiones en cartera en operaciones a largo y corto plazo, que el Quinto Manual del FMI considera irrelevante. Así la Balanza Básica que se recogía en el Cuarto Manual de 1977 desaparece.

1. Acciones y fondos de inversión: recoge la compraventa y suscripción y compraventa de acciones y derechos de suscripción que no supongan inversión directa, así como la compraventa de participaciones en fondos de inversión.

2. Bonos y obligaciones: registra transacciones con valores emitidos con vencimiento superior a un año, independientemente de que se trate de emisiones denominadas en euros o en moneda extranjera.

3. Instrumentos del mercado monetario: se trata de títulos emitidos con un vencimiento inicial de un año o menos.

4. Instrumentos financieros derivados: contabiliza las opciones emitidas a la medida o en mercados organizados, los futuros financieros emitidos en mercados organizados y los warrants, ya sean sobre acciones o sobre valores representativos de empréstitos.

c) Otra inversión:

Contabiliza las operaciones de préstamo (comerciales y financieros) y de depósito entre particulares o entidades de crédito. En este último caso se incluyen los créditos y préstamos entre entidades de crédito aunque se traten de matrices y filiales.

d) Reservas:

Registra la variación de los activos financieros libremente disponibles por el Banco Central (oro, derechos especiales de giro, posición de reserva en el FMI y activos en moneda extranjera) para financiar los desequilibrios de la balanza de pagos o para regular indirectamente su magnitud a través de intervenciones en los mercados de cambios.

3.3. Funcionamiento de la balanza de pagos. Superávit y déficit

Las operaciones de la cuenta corriente y de la cuenta de capital se contabilizan como ingresos y pagos. En la cuenta financiera los flujos se contabilizan como variación de activos o variación de pasivos.

La balanza de pagos está siempre en equilibrio contable. El mecanismo de doble anotación hace que la suma de la columna de ingresos coincida con la suma de la columna de pagos.

El saldo de la balanza por cuenta corriente (SdCC) más el saldo de la balanza de capital (SdK) siempre va a ser igual y de signo contrario al saldo de la balanza financiera (SdF):

$$SdCC + SdK = - SdF$$

Sin embargo, en la práctica, existen errores cometidos en la estimación de las diferentes partidas que forman la Balanza de Pagos en las que su valoración es muy difícil. Para solucionar este problema se ajusta la Balanza con una partida llamada "Errores y Omisiones". De esta manera, la expresión anterior quedaría:

$$SdCC + SdK = - (SdF + \text{Errores y omisiones})$$

Pero esto no indica nada sobre el equilibrio o desequilibrio de las relaciones económicas que el país mantiene con el exterior. En el contexto de la balanza de pagos, las nociones de equilibrio o desequilibrio se refieren siempre a una cierta selección de transacciones. Por eso es importante comprender la interpretación de las distintas sub-balanzas que forman la balanza de pagos.

Los saldos de las distintas sub-balanzas de la balanza de pagos aportan información acerca de la situación de un país con respecto al exterior.

Analizando el saldo de la balanza comercial, se puede comprender que si un país importa más de lo que exporta (compra más de lo que vende), tendrá que financiar la diferencia acudiendo al extranjero para solicitar préstamos. Al contrario, si el país exporta más que lo que importa (si vende más de lo que compra), se le generará un excedente y podrá conceder financiación al exterior, podrá conceder préstamos.

Con el resto de las balanzas que componen la balanza por cuenta corriente sucederá lo mismo. Y también con la balanza de capital. Así, si se produce un déficit en la balanza por cuenta corriente y en la de capital, necesariamente tendremos un superávit en la balanza financiera.

De forma resumida podemos concluir:

– Existe superávit cuando los ingresos son mayores que los pagos. En este caso el país financia al resto del mundo mediante:

* Exportaciones de capital.

* Acumulación de reservas.

– Existe déficit cuando los pagos son mayores que los ingresos. De esta manera, el país es financiado por el resto del mundo mediante:

* Importaciones de capital.

* Reducción de las reservas.

4. El tipo de cambio

Para llegar a una definición de lo que es el tipo de cambio, primero debemos definir lo que es el mercado de cambios o mercado de divisas. El mercado de divisas es el mercado donde se van a intercambiar, es decir, se van a comprar (demandar) y vender (ofrecer) unas divisas por otras, definiéndose para cada una de ellas su cotización o precio, es decir, el tipo de cambio de esa divisa. No es un lugar físico, sino el conjunto de transacciones que se realizan en torno a las divisas. El tipo de cambio se determinará en función de la oferta y demanda existentes sobre una moneda. En primer lugar vamos a definir el tipo de cambio **nominal**. El tipo de cambio nominal representa el precio de una unidad de moneda extranjera expresado en términos de moneda nacional. Podríamos pues definir el tipo de cambio como *el número de unidades de la moneda doméstica o nacional que hay que entregar para obtener una unidad de la moneda extranjera*. Por ejemplo, si suponemos que la moneda nacional es el euro: 0,6896 € = 1 $.

La definición que acabamos de ofrecer es la del tipo de cambio si utilizamos la llamada cotización directa. Si utilizamos la cotización indirecta (o inversa) (que es la establecida en la Unión Monetaria Europea), definiríamos el tipo de cambio como *el número de unidades de la moneda extranjera que hay que entregar para obtener una unidad de la moneda doméstica o nacional.* Siguiendo el ejemplo anterior, el mismo tipo de cambio lo expresaríamos así: 1,45 \$ = 1 €.

Avancemos y definamos el tipo de cambio **real**. El tipo de cambio **real** es el precio de los **bienes** del país extranjero expresado en términos de bienes locales. Ambos llevados a una misma moneda mediante el tipo de cambio de las divisas.

La fórmula de cálculo del tipo de cambio real es:

Tipo de cambio real = E.P*/P

Siendo E, el tipo de cambio nominal; P*, el precio de un determinado bien en el país extranjero; y P, el precio de ese determinado bien en la nación.

El tipo de cambio real puede variar porque varíen algunos de sus componentes, esto es, porque existan:

– Variaciones en el tipo de cambio nominal.

– Variaciones en los precios de los bienes extranjeros. - Variaciones en los precios de los bienes nacionales.

Relacionado con el tipo de cambio real tenemos los conceptos **apreciación y depreciación real**.

Apreciación real: esto sucede cuando los bienes nacionales se hacen relativamente más caros. Es decir: cae el precio de los bienes extranjeros expresado en bienes nacionales. El tipo de cambio real disminuye. En el corto plazo, si no cambian las condiciones (ceteris paribus) pueden aumentar las importaciones, porque los bienes extranjeros se han hecho relativamente más baratos, y disminuir las exportaciones, porque los bienes nacionales se han hecho relativamente más caros para las empresas y familias extranjeras.

Depreciación real: esto sucede cuando los bienes nacionales se hacen relativamente más baratos, es decir, sube el precio de los bienes extranjeros expresado en bienes nacionales. El tipo de cambio real aumenta. En el corto plazo, si no cambian las condiciones, pueden disminuir las importaciones, porque los bienes extranjeros se han hecho relativamente más caros, y aumentar las exportaciones, porque los bienes nacionales se han hecho relativamente más baratos para las familias y empresas extranjeras.

Nos hemos referido un poco más arriba a la oferta y demanda de divisas. La oferta y la demanda de divisas va a depender íntimamente de los movimientos de mercancías, personas y capitales entre los distintos países. Por esta razón, la oferta y demanda de divisas serán función de los siguientes elementos:

Oferta de divisas:

Exportaciones de bienes y servicios.

Rentas y transferencias recibidas.

Importaciones de capital.

Demanda de divisas:

Importaciones de bienes y servicios.

Rentas y transferencias pagadas.

Exportaciones de capital.

En consecuencia, un incremento de las exportaciones de bienes o servicios, un ingreso en la balanza de rentas o una entrada de capital implicarán un aumento de la oferta de divisas. Por otro lado, mayores importaciones de bienes o servicios extranjeros, un pago en la balanza de rentas o una salida de capitales supondrán un incremento en la demanda de divisas.

A veces, los mercados de divisas sufren fuertes fluctuaciones porque están sometidos a intensos movimientos especulativos. Por ello se dan fuertes movimientos de capitales a corto plazo motivados por la creencia en una posible ganancia que vendrá motivada por un cambio futuro en el tipo de cambio. A corto plazo estos movimientos pueden provocar incrementos o disminuciones importantes del tipo de cambio, sobre todo cuando todos los especuladores suponen que va a ocurrir un determinado acontecimiento con influencia sobre la cotización de una moneda. Sin embargo, a largo plazo su influencia es escasa.

4.1. Regímenes de tipo de cambio

La autoridad monetaria tiene varias formas posibles de regular el mercado de divisas entre las que cabe destacar: el tipo de cambio fijo, el sistema de bandas de fluctuación y el tipo de cambio flexible.

4.1.1. Tipo de cambio fijo

El tipo de cambio fijo o administrado es aquel cuyo valor se mantiene constante en una determinada cantidad. La paridad de la moneda queda fijada por la autoridad monetaria a un valor de una determinada moneda o patrón, que también puede ser el oro.

En el mercado de divisas se formará un tipo de mercado de equilibrio al igualarse la oferta y la demanda de divisas. Si la autoridad monetaria establece un determinado tipo de cambio fijo, superior o inferior al de equilibrio del mercado, para mantener dicho tipo de cambio fijo, tendrá que comprar o vender divisas para cubrir la diferencia entre la oferta y la demanda de divisas del mercado:

- Si el tipo de cambio fijo es menor que el de equilibrio, el banco central tendrá que vender (ofrecer) divisas (o lo que es lo mismo, comprar moneda nacional). Esto va a afectar a:

  - La oferta monetaria, a través de la base monetaria, por sufrir variaciones la partida de oro y divisas del activo financiero del banco central.

  - La cuenta de reservas de la balanza de pagos.

- Si el tipo de cambio es mayor que el de equilibrio, el banco central actuará comprando (demandando) divisas (o lo que es lo mismo, vendiendo moneda nacional).

Como ya apuntábamos al principio de este apartado, el patrón al que queda fijada la paridad de la moneda también puede ser el oro. De hecho, uno de los sistemas más importantes de tipo de cambio fijos ha sido el patrón-oro. Bajo el patrón-oro, cada país fijaba el precio de su moneda en términos de oro, estando preparado para intercambiar oro por su moneda interna, siempre que fuera necesario defender la cotización oficial.

Antes de ver las ventajas e inconvenientes de este sistema de tipo de cambio, definiremos devaluación y revaluación de la moneda. En el sistema de tipo de cambio fijo, devaluación es un aumento del tipo de cambio. Por el contrario, revaluación es una bajada del tipo de cambio. Es la autoridad monetaria quien decide devaluar o revaluar su moneda. La primera decisión supone una pérdida de valor de la moneda y la segunda un aumento.

Ventajas e inconvenientes

La principal ventaja que los gobiernos señalan a la hora de adoptar sistemas de tipos de cambio fijos y ajustables radica en que con este régimen de tipo de cambio se proporciona estabilidad a los mercados de divisas. Con la intervención se trata de evitar las oscilaciones de los tipos de cambio provocadas por los movimientos especulativos que se producen en los mercados libres.

Evidentemente, también existen inconvenientes al sistema. El más importante es el efecto no deseado sobre la oferta monetaria (a través de la base monetaria), consecuencia de la intervención de los bancos centrales en los mercados de divisas. Si el banco central interviene en el mercado vendiendo divisas para evitar la depreciación de su moneda, estaría drenando liquidez al sistema. Drenar liquidez al sistema significa que se reduce la base monetaria y, por lo tanto, a través del multiplicador monetario, también se reduce la oferta monetaria. Por el contrario, si la autoridad monetaria interviene comprando divisas, esta actuación provoca un efecto expansivo sobre la oferta monetaria.

Para evitar estos efectos los bancos centrales se ven obligados a poner en práctica medidas monetarias de sentido contrario, utilizando los instrumentos bajo su control (operaciones de mercado abierto, facilidades permanentes, coeficiente legal de caja). Estas medidas, consistentes en compensar los efectos monetarios no deseados de las variaciones de las reservas de divisas, se conocen como operaciones de esterilización.

Por lo tanto, podemos definir las operaciones de esterilización como aquellas medidas que toma la autoridad monetaria consistentes en utilizar alguno de los instrumentos de que dispone para contrarrestar los efectos monetarios no deseados que provoca la intervención para estabilizar los tipos de cambio.

4.1.2. Sistema de bandas de fluctuación

En la práctica es un sistema de tipo de cambio fijo pero con una flexibilidad limitada. En este caso, la autoridad monetaria del país se compromete a mantener el tipo de cambio dentro de unas determinadas bandas (bandas de fluctuación). Así, dentro de la banda, el tipo de cambio fluctúa libremente (sube o baja; la moneda nacional se deprecia o se aprecia, respectivamente). No obstante, si el tipo de equilibrio que se forma en el mercado de divisas resulta ser superior o inferior a las bandas previamente establecidas, el banco central intervendrá comprando o vendiendo divisas como hacía en el régimen de tipo de cambio fijo.

4.1.3. Tipo de cambio flexible

También llamados "libremente fluctuantes". En este sistema es el mercado el que establece el tipo de cambio, siendo inexistente la intervención del banco central. Es decir, el tipo de cambio de equilibrio resulta del libre juego de la oferta y la demanda de divisas. En este sistema no hay paridad oficial de las diferentes monedas respecto a otras. Las cotizaciones de las monedas fluctúan y los desajustes producidos por desequilibrios externos se corrigen con variaciones en los tipos de cambio.

Si antes nos referíamos en los tipos de cambios fijos a devaluaciones y revaluaciones, en este sistema de tipos de cambios flexibles debemos referirnos a depreciaciones y apreciaciones de la moneda. En este caso, un incremento del tipo de cambio es una depreciación y un descenso una apreciación. La primera implica una pérdida de valor de la moneda y la segunda un aumento del mismo.

Como hemos esbozado un poco más arriba, el tipo de cambio flexible se caracteriza porque produce constantemente situaciones de equilibrio en la balanza de pagos, lo que supone que no se dan ni aumentos ni disminuciones de reservas de divisas, ya que al tipo de cambio de equilibrio son iguales las cantidades de divisas ofrecidas como las demandadas.

La ventaja del sistema de libre fluctuación es que refleja a largo plazo la confianza real del mercado en el valor de la moneda. Con ello, a largo plazo, se consigue un equilibrio entre la oferta y la demanda de la moneda.

Si en un sistema de tipo de cambio flexible intervienen los bancos centrales para alterar o influir en el tipo de cambio de mercado estamos ante un sistema flexible con "fluctuación o flotación sucia". Por contra, si se mantienen totalmente al margen estamos ante una "fluctuación limpia".

4.2. Actuación del Banco Central en cada régimen de tipo de cambio

4.2.1. Tipo de cambio fijo

En este régimen de tipo de cambio, el banco central interviene en los mercados de divisas comprando o vendiendo divisas para mantener el tipo de cambio fijo establecido. En la figura 2 se representa la intervención del banco central ante un incremento de la demanda de divisas.

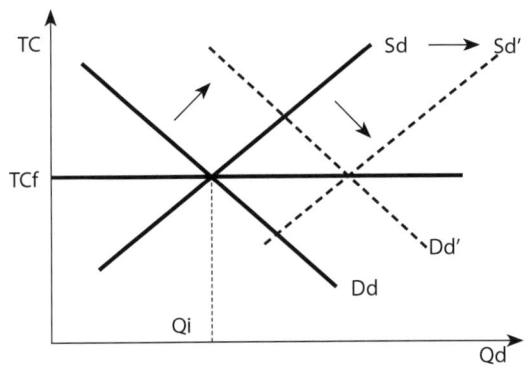

Figura 2

Al aumentar la demanda de divisas, por alguna de las causas que anteriormente señalamos (la curva de demanda de divisas se desplaza de Dd a Dd´), el tipo de cambio de mercado será mayor que el fijado por la autoridad (TCf) con lo que existe una tendencia a la depreciación de la moneda nacional (euro), es decir, sube el tipo de cambio. Para mantener el tipo de cambio donde desea (en TCf) la autoridad monetaria (Banco Central Europeo si nos encontramos en el ámbito de la Unión Europea) venderá divisas para satisfacer ese aumento de la demanda. De esta manera, la curva de oferta de divisas se desplazará de Sd a Sd´, con lo que el tipo de cambio volverá al nivel establecido TCf.

4.2.2. Tipo de cambio flexible

En un régimen de tipo de cambio flexible, el banco central permite que el precio de la moneda respecto a otras oscile según dicte el mercado. En la figura 3 se representa la consecuencia que tiene un aumento de la demanda de divisas (dólares) en este régimen de tipo de cambio.

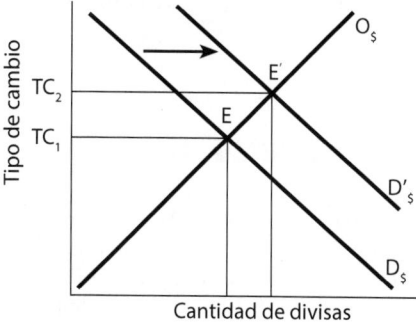

Figura 3

Ante el aumento de la demanda de divisas, de D$ a D$´, el tipo de cambio se incrementa de TC1 a TC2 (por tanto el euro se deprecia frente al dólar). En esta situación, el banco central no interviene comprando o vendiendo divisas y es el mercado de divisas el que llega al equilibrio de forma automática mediante la alteración del tipo de cambio.

4.2.3. Sistema de bandas de fluctuación

En un sistema de bandas de fluctuación el banco central permite que el tipo de cambio oscile dentro de unas bandas más o menos amplias. En la figura 4 se representa el efecto que tiene un incremento de la demanda de divisas en un sistema de bandas de fluctuación.

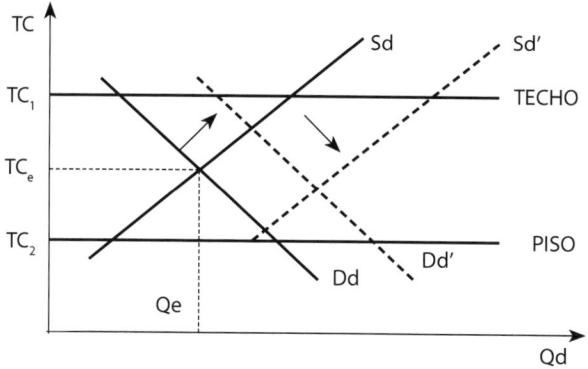

Figura 4

El tipo de cambio puede fluctuar libremente entre la banda superior, techo (TC1) y la banda inferior, piso (TC2). Si el tipo de cambio que resulta de la oferta y demanda de divisas en el mercado no se sale de las bandas de fluctuación, la moneda se apreciará o se depreciará, fluctuando libremente, por lo que sería de aplicación lo comentado para el sistema de cambio flexible. Por contra, si el tipo de cambio de mercado se sale de la banda de fluctuación (por arriba o por abajo), el banco central intervendrá vendiendo o comprando divisas (respectivamente). En el caso de subida del tipo de cambio por encima del techo, sería aplicable lo expuesto en la figura 2 con tipo de cambio fijo.

5. El equilibrio de la balanza de pagos

El equilibrio en la balanza de pagos de un país depende del régimen de tipo de cambio que tenga. Este equilibrio en la balanza de pagos se produce cuando los ingresos y los pagos son idénticos. Al ser estos pagos en divisas, el equilibrio en la balanza de pagos coincide con el equilibrio en el mercado de divisas. Por ello, también cualquier desequilibrio se reflejará igualmente en ese mercado. Las distintas situaciones que pueden darse son:

Balanza de pagos en equilibrio:

En este caso los ingresos y los pagos en la balanza de pagos son iguales (I = P), y en el mercado de divisas la demanda de divisas (Dd) es igual a la oferta de divisas (Sd), Dd = Sd.

Déficit en la Balanza de Pagos:

En esta situación los ingresos son menores que los pagos (I < P) y en el mercado de divisas la demanda de divisas es mayor que la oferta de divisas (Dd > Sd).

Si nos encontramos en un régimen de tipo de cambios fijo, el banco central intervendrá en el mercado de divisas para mantener el tipo de cambio, vendiendo (ofreciendo) divisas.

Si el régimen del tipo de cambio es flexible, la moneda nacional se habrá depreciado (el tipo de cambio habrá subido).

Superávit en la Balanza de Pagos:

En esta situación los ingresos son mayores que los pagos (I > P) y en el mercado de divisas la demanda de divisas es menor que la oferta de divisas (Dd < Sd).

Si nos encontramos en un régimen de tipo de cambios fijo, el banco central intervendrá en el mercado de divisas para mantener el tipo de cambio, comprando (demandando) divisas.

Si el régimen del tipo de cambio es flexible, la moneda nacional se habrá apreciado (el tipo de cambio habrá bajado).

Analizadas estas situaciones, debemos advertir que no se debe confundir el equilibrio contable de la balanza de pagos con el económico. Contablemente la balanza de pagos siempre estará en equilibrio. Sin embargo económicamente únicamente estará en equilibrio si la demanda es igual a la oferta de divisas.

Insistiendo en lo visto un poco más arriba:

¿Cómo se equilibra la Balanza de Pagos en un régimen de tipos flexibles?

En este caso el equilibrio se alcanza mediante la variación del tipo de cambio sin que tenga que intervenir el banco central. Si existe un déficit en la Balanza de Pagos, la moneda se deprecia, lo que permite al país ganar en competitividad. Ello supondrá un aumento de las exportaciones netas (XN = X - M) que equilibrará automáticamente la balanza de pagos. Si, por contra, existe un superávit en la balanza de pagos, la moneda se apreciará y se reducirán las exportaciones netas llegando de nuevo al equilibrio. Por tanto, en un sistema de tipos de cambio flexibles la balanza de pagos se equilibra sin intervención del banco central.

¿Cómo se equilibra la Balanza de Pagos en un régimen de tipos fijos?

En este caso, los desequilibrios de la balanza de pagos no pueden resolverse apreciándose o depreciándose la moneda al ser fijo el tipo de cambio. Por esta razón, el banco central tendrá que intervenir en los mercados de divisas. Si existe un déficit, como hemos visto, la demanda de divisas es superior a la oferta (Dd > Sd), con lo que el banco deberá vender divisas (o lo que es lo mismo, comprar moneda nacional) para alcanzar el equilibrio en la balanza de pagos. Esta venta de divisas se refleja en la cuenta de reservas de la balanza de pagos. Al contrario, si existe un superávit, Dd < Sd, el banco comprará divisas y aumentará las reservas de divisas. Por lo tanto, en un sistema de tipos de cambio fijo la balanza de pagos se equilibra con la intervención del banco central mediante la compra o venta de divisas. No obstante, esta situación no puede mantenerse indefinidamente. Si el déficit en la Balanza de Pagos es permanente, el banco central no permitirá que se agoten sus reservas de divisas, motivo por el que el banco central puede llegar a devaluar su moneda. Esta devaluación puede ser una solución cuando existe déficit continuado en la balanza de pagos, ya que hará que los productos del país que devalúa su moneda se vendan más baratos en el exterior y a la vez, los productos extranjeros resultarán más caros en el interior, lo que favorecerá las exportaciones y reducirá las importaciones.

Una devaluación tiene efectos negativos: va a producir un aumento de los precios de los bienes importados. Y este aumento puede trasladarse a los bienes nacionales (pensemos en el caso en que los bienes importados son materias primas que se utilizan en la producción de los bienes nacionales). Así, esta inflación que se produce en el país que ha devaluado hace que la ganancia de competitividad nominal, provocada por el abaratamiento de su moneda, desaparezca a lo largo del tiempo.

Para terminar el tema vamos a ver de forma muy breve la relación que existe entre el tipo de interés nacional (el que existe en el país que elabora la Balanza de Pagos) y el tipo de cambio.

Disminución del tipo de interés:

Una disminución del tipo de interés nacional (i) provoca una disminución de las inversiones de capital extranjeras en el país y un aumento de las inversiones en el exterior de los residentes del país que elabora la balanza de pagos. Ello supone que las exportaciones de capital (Xk) aumentan y que las importaciones de capital (Mk) disminuyen. Este hecho implica un aumento de la demanda de divisas (Dd) y una reducción de la oferta de divisas (Sd), produciéndose un exceso de demanda que tiende a depreciar la moneda en el mercado. Y como ya sabemos, una depreciación de la moneda implica una subida del tipo de cambio del mercado (tcm).

$$\nabla i \rightarrow \nabla Mk, \Delta Xk \rightarrow \nabla Sd, \Delta Dd \rightarrow \Uparrow tcm$$

Aumento del tipo de interés:

Un aumento del tipo de interés nacional provoca un aumento de las inversiones de capital extranjeras en el país y una disminución de las inversiones en el exterior de los residentes del país que elabora la balanza de pagos. Ello supone que las exportaciones de capital disminuyen y que las importaciones de capital aumentan. Este hecho implica una disminución de la demanda de divisas y un aumento de la oferta de divisas, produciéndose un exceso de oferta que tiende a apreciar la moneda en el mercado. Y como ya sabemos, una apreciación de la moneda implica una disminución del tipo de cambio.

$$\Delta i \rightarrow \nabla Xk, \Delta Mk \rightarrow \Delta Sd, \nabla Dd \rightarrow \Downarrow tcm$$

TEMA 24

Teoría de la demanda. Concepto de utilidad. Curvas de indiferencia. El equilibrio del consumidor. Curvas de demanda

Tus capacidades y motivación aumentan cuando respetas los **descansos**, te alimentas de forma equilibrada y realizas ejercicio físico. Te explicamos más en tu Curso MAD360.

1. Teoría de la demanda. Concepto de utilidad

Para estudiar la teoría de la demanda del consumidor existen dos enfoques, el cardinal (basado en la utilidad marginal) y el ordinal (basado en las curvas de indiferencia).

Entendemos por *utilidad* la capacidad de un bien para satisfacer una necesidad humana. La utilidad es, entonces, la cualidad que poseen los bienes para satisfacer los deseos o apetitos humanos.

Analíticamente podríamos expresar la función de utilidad total (U_T) de dos bienes X e Y, así:

$U_T = f(X,Y)$

En la figura 1 se ofrece la representación gráfica de la utilidad total que proporciona el consumo del bien X.

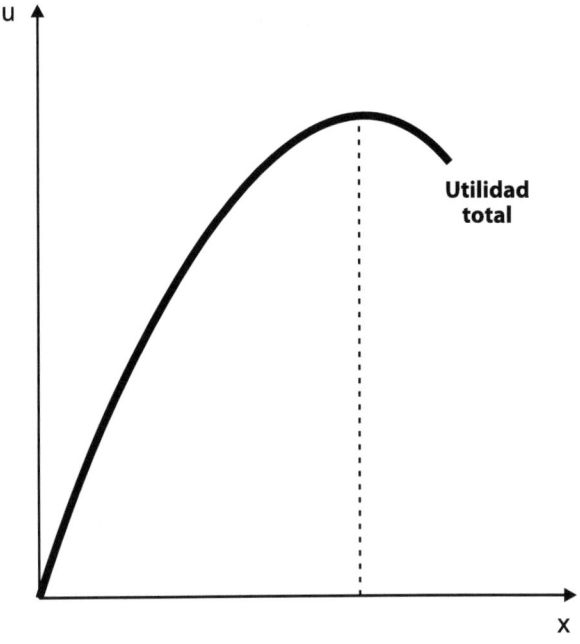

Figura 1

Las propiedades de la función de utilidad total son:

a) Es creciente hasta un punto máximo, a partir del cual, disminuye.

b) Es positiva: solo expresa utilidades y no penalidades.

c) Parte del origen de coordenadas. Esto es así porque cuando no se tiene ninguna cantidad del bien, la utilidad es nula.

Definida la utilidad total, definamos la *utilidad marginal*. La utilidad marginal es la variación de la utilidad total al variar en una unidad el consumo del bien de que se trate, por unidad de tiempo. Esta definición nos vale para cantidades discretas del bien X. Si en vez de cantidades discretas usamos variables continuas, la utilidad marginal será la derivada de la función de utilidad.

Veamos esto con un ejemplo. Pensemos en una función de utilidad total de los bienes X e Y con la siguiente expresión:

$$U_T = X^2Y$$

La utilidad marginal del bien X (UMgX) la obtenemos calculando la derivada parcial de la U_T respecto a X:

$$UMgX = \delta U_T/\delta X = 2XY$$

La expresión $\delta U_T/\delta X$ se lee "derivada de la Utilidad Total respecto de X"

La utilidad marginal del bien Y (UMgY) la obtenemos calculando la derivada parcial de la U_T respecto a Y:

$$UMgY = \delta U_T/\delta Y = X^2$$

En la figura 2 representamos las funciones de utilidad total y utilidad marginal del bien X. En la gráfica podemos apreciar como cuando la utilidad total es máxima (punto de saturación), la utilidad marginal es cero. También se aprecia que la función de utilidad marginal es decreciente.

Utilidad total y marginal

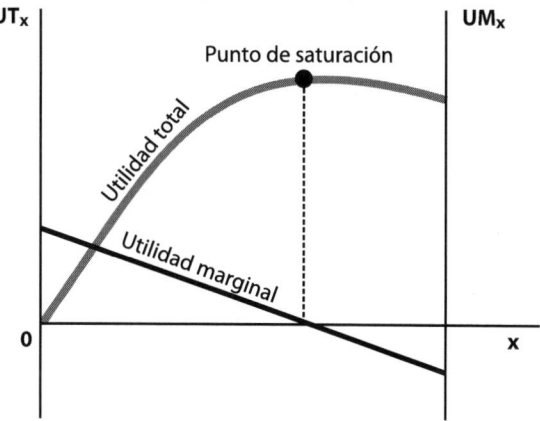

Figura 2

Las propiedades de la función de utilidad marginal son:

a) Es positiva hasta el punto de saturación. A partir del punto de saturación es negativa.

b) Es decreciente, ya que la utilidad total cada vez va creciendo menos conforme aumenta el consumo del bien X.

c) Se anula para el punto de saturación (donde la utilidad total es máxima).

2. Curvas de indiferencia. El equilibrio del consumidor

2.1. Curvas de indiferencia

Empezamos el tema comentando que había dos enfoques a la hora de estudiar la teoría de la demanda, el cardinal y el ordinal. En el enfoque cardinal, la utilidad que le reporta a un consumidor el consumo de un bien es medible, mensurable. Así, si volvemos a la función de utilidad total que, a modo de ejemplo, ofrecimos más arriba, $U_T = X^2Y$, y suponemos que una persona está consumiendo 2 unidades del bien X (X=2) y 3 unidades del bien Y (Y=3), podemos concluir que la utilidad total que está obteniendo el consumidor es:

$$U_{T(0)} = X^2Y = 2^2*3 = 12$$

Si ese mismo consumidor elige en un momento posterior otra combinación de bienes, por ejemplo, X=3 e Y=2, la utilidad total que obtiene es:

$$U_{T(1)} = X^2Y = 3^2*2 = 18$$

Y podemos concluir que la segunda combinación proporciona mayor utilidad que la primera:

$$U_{T(1)} > U_{T(0)}$$

En el otro enfoque, el enfoque ordinal, la utilidad no es medible en sentido cardinal. En el enfoque ordinal lo único que se puede decir es que una combinación de bienes proporciona la misma o menor utilidad que otra. Es decir, lo que se establecen son órdenes de preferencia solamente.

En el enfoque ordinal, las preferencias del consumidor vienen representadas por las curvas de indiferencia.

Definimos las curvas de indiferencia como el lugar común de aquellas combinaciones de bienes que proporcionan el mismo nivel de satisfacción. O lo que es lo mismo, una curva de indiferencia representa un conjunto de cestas de bienes y servicios en las que la satisfacción del consumidor es idéntica.

En la teoría de la demanda basada en las curvas de indiferencia, el nivel absoluto de utilidad no tiene importancia. Esta teoría solo requiere que la utilidad sea medible en sentido ordinal.

En la figura 3 se representan las curvas de indiferencia de los bienes X e Y:

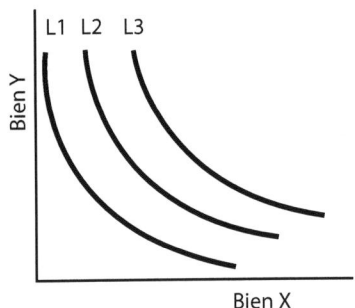

Figura 3

Definidas las curvas de indiferencia y vista su representación gráfica, ofrecemos sus principales **características**:

a) Su pendiente desciende hacia la derecha, es decir, son decrecientes.

b) Son convexas hacia el origen.

c) No se cortan entre sí.

d) Por cada punto del espacio de coordenadas pasa una única curva de indiferencia. Es decir, cada combinación de bienes puede producir un único nivel de utilidad.

e) Cuanto más alejadas estén del origen de coordenadas, mayor utilidad obtiene el consumidor.

2.2. La relación marginal de sustitución

La Relación Marginal de Sustitución (RMS) es el número de unidades de Y a las que estoy dispuesto a renunciar a cambio de una unidad adicional de X, manteniendo constante mi nivel de utilidad. Por lo tanto, la RMS mide la relación de intercambio entre dos bienes que mantiene constante la utilidad del consumidor. Es decir, es la valoración subjetiva que realiza el consumidor del bien X en términos del bien Y.

La RMS en un punto de una curva de indiferencia la calculamos dividiendo la disminución de la cantidad del bien Y ($\Delta Y<0$) entre el aumento de la cantidad del bien X ($\Delta X>0$) necesario para que el individuo se mantenga en la misma curva de indiferencia:

$$RMS = -\Delta Y/\Delta X$$

La RMS tiene signo negativo debido a que la curva de indiferencia es decreciente, es decir, tiene pendiente negativa, ya que para incrementar el consumo de un bien y permanecer en la misma curva de indiferencia es necesario renunciar a unas determinadas unidades del otro bien. Por esta razón, el incremento en Y es negativo, mientras que el de X es positivo, lo que implica que el cociente es negativo. Por ello, al tener las curvas de indiferencia pendiente negativa, la RMS presenta un signo "menos". No obstante, en muchas ocasiones es frecuente expresar la RMS en valor absoluto.

Gráficamente, la RMS se representa en la figura 4 en el que se muestra la pendiente de la curva de indiferencia en un punto cualquiera (a):

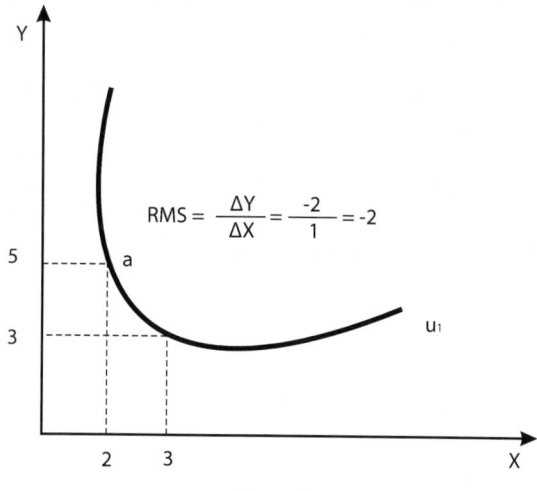

Figura 4

La RMS es igual a -2, tal como se calcula en la figura 4 lo que implica que el consumidor debe renunciar a dos unidades del bien Y para incrementar su consumo del bien X en una unidad y permanecer en la misma curva de indiferencia, es decir, conservando la misma utilidad.

Como se distingue en la gráfica, la RMS es decreciente, lo que significa que a medida que el consumidor tiene más unidades de un bien lo valora menos en relación con el otro. De la misma forma, cuanto mayor es el valor absoluto de la RMS mayor es el valor que el consumidor otorga al bien X. Así, la RMS sería igual a menos infinito si el bien Y es neutral para el consumidor. Y por contra, la RMS sería igual a cero si es el bien X el que es neutral (no le reporta utilidad).

Hasta ahora, el estudio de la RMS lo hemos realizado con variaciones discretas. Si consideramos variaciones muy pequeñas (continuas) de las cantidades de X e Y podemos aplicar el cálculo diferencial y definir la RMS como:

$$U_T = f(X,Y)$$

Calculando la derivada del producto de dos variables (X e Y) e igualando a cero:

$$\delta U_T = (\delta U_T/\delta X)\delta X + (\delta U_T/\delta Y)\delta Y = 0$$

$$\delta Y/\delta X = (\delta U_T/\delta X)/(\delta U_T/\delta Y) = \textbf{RMS}$$

Como ya vimos antes, $\delta U_T/\delta X$ es la utilidad marginal del bien X (UMgX) y consecuentemente, $\delta U_T/\delta Y$ es la utilidad marginal del bien Y (UMgY).

Por lo tanto, podemos decir también que la RMS es el cociente entre las utilidades marginales del bien X e Y (con signo negativo por lo ya explicado anteriormente):

$$\textbf{RMS} = \textbf{-(UMgX/UMgY)}$$

Para terminar, recordemos que la utilidad total suele ser positiva y creciente, mientras que la utilidad marginal es decreciente: unidades adicionales de un bien generalmente aportan cada vez menor utilidad (satisfacción) al consumidor, ya que este prefiere consumir de los dos bienes más que dedicarse al consumo de uno solo.

2.3. La restricción presupuestaria: la línea de restricción de presupuesto o recta de balance

El mapa de curvas de indiferencia representa los gustos del consumidor, sus preferencias respecto del consumo de los bienes X e Y. Sin embargo, hay que tener en cuenta que el consumidor está sujeto a restricciones en cuanto al presupuesto que tiene para gastar en esos bienes. En el estudio de la teoría de la demanda que nos va a llevar hasta el equilibrio del consumidor vamos a suponer que los precios de los bienes X (Px) e Y (Py) y la renta (R) vienen dados.

En la figura 5 se representa **la recta de restricción de presupuesto o recta de balance**.

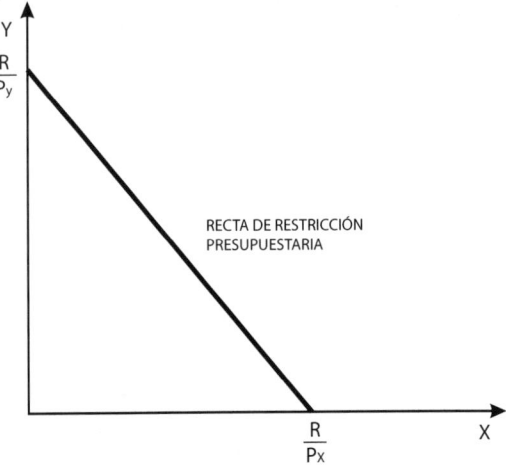

Figura 5

La expresión analítica de la recta de restricción presupuestaria es la siguiente:

$$R = X \cdot Px + Y \cdot Py$$

Es decir, el consumidor gasta su renta dada (R) en el consumo de determinadas unidades del bien X a un precio Px y en el consumo de determinadas unidades del bien Y a un precio Py.

Los puntos de corte con el eje de las Y (ordenadas), R/Py, y el eje de las X (abscisas), R/Px, los obtenemos suponiendo, en el primer caso, R/Py, que el consumidor utiliza toda su renta para consumir solo unidades del bien Y; el punto de corte con el eje de abscisas de la recta de balance, R/Px, lo obtenemos suponiendo que el consumidor destina toda su renta en la compra del bien X (dados los precios Px y Py).

Basándonos en lo expuesto en el párrafo anterior, obtenemos la **pendiente de la recta de balance**:

$$\text{Pendiente de R} = -(R/Py)/(R/Px) = -Px/Py$$

El signo menos, evidentemente, se debe a que la recta de balance tiene pendiente negativa.

Analíticamente, también podemos obtener la pendiente de la recta de balance de la siguiente manera:

Partimos de:

$$R = X \cdot Px + Y \cdot Py$$

y vamos a intentar llegar a una expresión similar a la expresión general de una recta con pendiente negativa (Y = a - bX, siendo "a" el término independiente y "b" la pendiente de la recta).

Así, despejando Y:

$$Y = M/Px - (Px/Py)X$$

2.4. El equilibrio del consumidor

Quedémonos en primer lugar con la conclusión a la que vamos a llegar: *El consumidor alcanza el equilibrio cuando la pendiente de la curva de indiferencia en la que se encuentra situado es igual a la pendiente de la recta de balance.*

Es importante que recordemos que el mapa de las curvas de indiferencia del consumidor representa sus gustos, lo que quiere hacer, mientras que, al contrario, la recta de balance representa lo que puede hacer (dados los precios). Para llegar al equilibrio del consumidor debemos combinar lo que quiere consumir con lo que puede consumir nuestro individuo.

Por lo tanto, si combinamos lo que quiere consumir (curvas de indiferencia) con lo que puede consumir (recta de balance), en el punto en que deseos y posibilidades se encuentren, el consumidor habrá alcanzado el equilibrio.

Ese punto de encuentro son la pendiente de la curva de indiferencia (es decir, la RMS) y la pendiente de la recta de balance (- Px/Py).

Existirá, en el mapa de curvas de indiferencia una curva que sea alcanzable por el consumidor dado su presupuesto. Donde esa curva de indiferencia determinada sea tangente a la línea de restricción presupuestaria habrá alcanzado el consumidor el equilibrio. Veámoslo gráficamente mediante la representación de la figura 6:

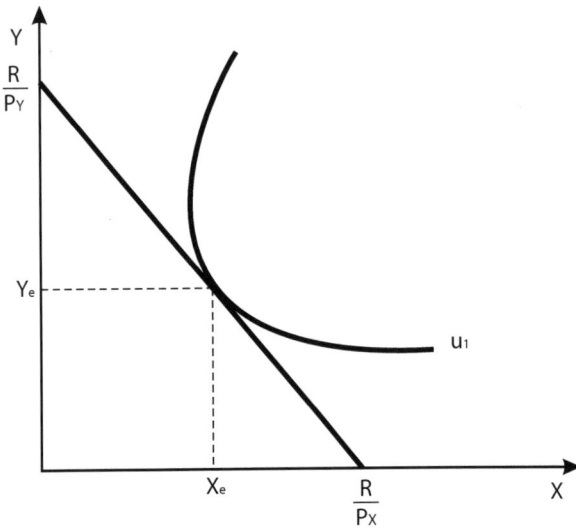

Figura 6

La curva de indiferencia U_1 es tangente a la recta de balance en el punto (X_e, Y_e). En ese punto el consumidor alcanza el equilibrio.

Como ya hemos repetido, el equilibrio se alcanza cuando las pendientes de la curva de indiferencia y de la recta de balance se igualan.

Analíticamente lo expresamos así:

Pendiente de la curva de indiferencia = RMS = - (UMgX/UmgY)

Pendiente de la recta de balance = - (Px/Py)

Por lo tanto:

$$- (UMgX/UmgY) = - (Px/Py)$$

Al haber signo menos a ambos lados de la igualdad, lo eliminamos, quedando:

$$(UMgX/UmgY) = (Px/Py)$$

Esta expresión podemos reescribirla así:

$$UmgX/Px = UMgY/Py$$

Lo que se conoce como **ley de las utilidades marginales ponderadas por sus precios**.

Para terminar, antes de poner un ejemplo práctico, señalaremos que el punto de tangencia de la curva de indiferencia y la recta de balance indica el nivel de satisfacción o utilidad más alto que el consumidor puede alcanzar dados su renta, gustos y precios. Por ello podemos decir que es un punto en el que maximiza su utilidad, su satisfacción.

Veamos el **ejemplo** prometido:

Supongamos que un consumidor tiene la siguiente función de utilidad total:

$U_T = X^2Y$

Y está sometido a la siguiente restricción presupuestaria:

R = 120 unidades monetarias (u.m.)

Y dados los precios de los bienes X e Y:

Px = 2 u.m.

Py = 1 u.m.

¿Cuántas unidades de los bienes X e Y consume cuando maximiza su satisfacción?

El enunciado lo que nos pide es que calculemos el equilibrio del consumidor. Para ello igualaremos la pendiente de la curva de indiferencia con la de la recta de restricción presupuestaria:

La pendiente de la curva de indiferencia es la RMS, y esta se expresa analíticamente así:

RMS = - (UMgX/UmgY)

Calculamos por tanto UMgX, que recordemos es la derivada parcial respecto a X de la función de utilidad total:

UMgX = 2XY

Calculamos también la UMgY:

$UMgY = X^2$

Por lo tanto RMS = - $(2XY/X^2)$ = - (2Y/X)

La pendiente de la recta de balance es: - (Px/Py) = - (2/1) = - 2

Igualamos ambas pendientes:

- 2Y/X = - 2

Eliminando los signos menos:

2Y/X = 2

De donde

2Y = 2X

Y entonces

Y = X

Por otro lado, la recta de balance la expresamos así:

R = X*Px + Y*Py

Sustituyendo:

120 = 2X + Y

De esta manera tenemos un sistema de dos ecuaciones con dos incógnitas:

Y = X

120 = 2X + Y

Como Y = X:

120 = 2X + X; 120 = 3X; **X = 40 unidades**

Y por lo tanto, si X = Y; **Y = 40 unidades**

Es decir, en el equilibrio, el consumidor maximiza su utilidad cuando consume 40 unidades de X y 40 unidades de Y.

3. Curvas de demanda

Decimos curvas de demanda, en plural, porque, partiendo del punto en que el consumidor está en equilibrio, este punto podrá variar cuando se modifiquen los gustos, la renta o los precios relativos de los bienes. De esta manera obtendremos diferentes tipos de curvas de demanda.

Vamos a realizar lo que se llama una estática comparativa viendo, en primer lugar, qué ocurre cuando varía el precio de uno de los bienes consumidos; en segundo lugar veremos qué sucede cuando varía la renta del consumidor.

3.1. Modificaciones en el equilibrio del consumidor cuando varía el precio de uno de los bienes consumidos: la curva precio-consumo y la curva de demanda

Partiendo del equilibrio, un mapa de curvas de indiferencia, los precios de los bienes X e Y y la renta del consumidor, podemos obtener, primero la curva precio-consumo y después la curva de demanda de, por ejemplo, el bien X, manteniendo simplemente constante todo lo demás, excepto el precio del bien X (es decir, del bien cuya curva de demanda queremos obtener). La figura 7 nos va a ayudar con la explicación.

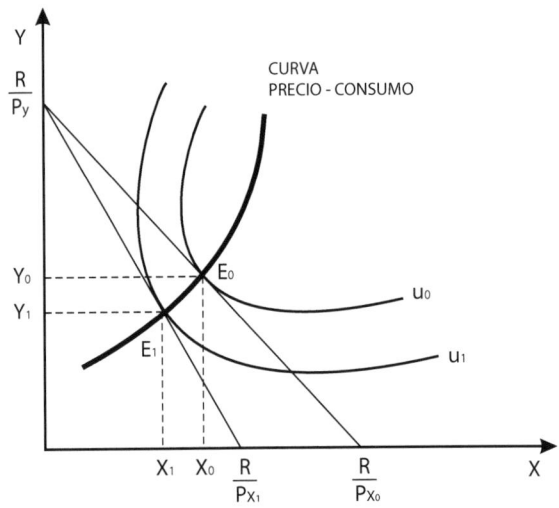

Figura 7

El punto de partida es el punto de equilibrio E_0. En este punto se muestra el punto de tangencia entre una curva de indiferencia (U_0) y la recta de balance (R/Px_0/RPy). El precio del bien X es Px_0. El consumidor alcanza el equilibrio y consume X_0, Y_0.

Si ahora aumentamos el precio del bien X hasta Px_1, la recta de balance pivota sobre el punto R/Py y se desplaza hacia la izquierda, hasta el punto de corte con el eje de abscisas, R/Px_1.

En esa nueva posición de la recta de balance habrá una curva de indiferencia (U_1) que sea tangente a la recta de balance, produciéndose un nuevo equilibrio en E_1. El consumidor estará en equilibrio, es decir, maximizará su utilidad, consumiendo en este caso, X_1 y Y_1 unidades de los bienes X e Y. Podemos observar que ha disminuido el consumo tanto del bien X como del bien Y.

Si unimos los puntos E_1 y E_0, obtendremos **la curva precio-consumo.**

Podemos definir la curva precio-consumo como aquella curva que representa las combinaciones de los bienes X e Y maximizadoras de la utilidad correspondientes a todos y cada uno de los precios del bien X.

La curva precio-consumo tendrá pendiente positiva, como en la figura 7, si el aumento del precio del bien X provoca una disminución en el consumo de X y de Y. Así, ante una variación del precio de un bien podemos analizar cómo se modifica la demanda de dicho bien, en este caso el X, o la de los otros bienes, el Y, en nuestro ejemplo. Como se ve en la figura 7, un incremento en el precio de X disminuye también la cantidad consumida de Y. Por ello podemos concluir que X e Y son bienes complementarios, es decir, se consumen conjuntamente.

No obstante, existen otras opciones: si un aumento del precio de X provoca una disminución del consumo de X y un incremento del consumo de Y, la curva precio-consumo tendrá pendiente negativa y los bienes X e Y podemos decir que son bienes sustitutivos entre sí.

¿Cómo obtenemos la **curva precio-demanda** (o curva de demanda, a secas) del bien X? Simplemente relacionando la cantidad demandada del bien X en cada una de las situaciones de equilibrio con su precio correspondiente. La representamos en la figura 8.

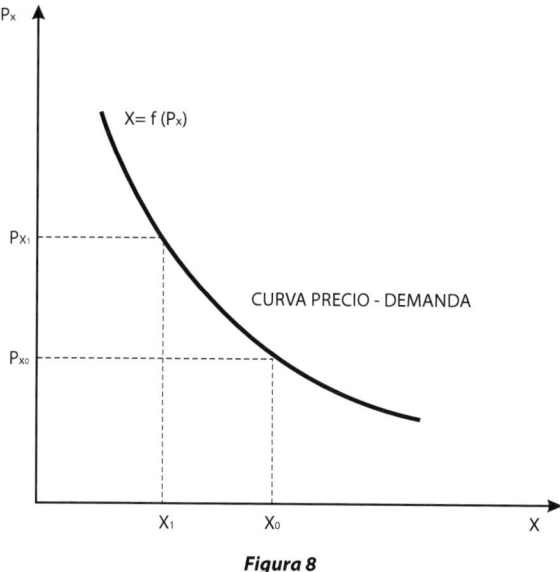

Figura 8

La cantidad demandada del bien X, es función de su precio: **X = f(Px)**. Es decir, la curva precio-demanda relaciona las variaciones que experimenta la cantidad demandada de un bien cuando varía su precio.

Como norma general, la curva de demanda tiene pendiente negativa para todos los bienes, a excepción de los bienes *giffen* que tienen una curva de demanda con pendiente positiva, tal como veremos más adelante. Estos bienes *giffen* son una clase especial de bienes inferiores (que también estudiaremos más adelante).

Podemos entonces definir la curva de demanda como el lugar geométrico de los puntos que representa el máximo ritmo de compra a un determinado precio, *ceteris paribus*.

La curva de demanda es una línea fronteriza. Todo lo que está por debajo de ella es posible. Todo lo que está por encima de ella es imposible, dadas las condiciones de la demanda.

Cuando hemos definido la curva de demanda hemos incluido la expresión *ceteris paribus*. ¿Qué significa esta expresión? *Ceteris paribus* quiere decir "a igualdad de las demás circunstancias", o lo que es lo mismo: "permaneciendo el resto de variables constantes".

¿Qué otras variables o condiciones deben permanecer constantes?

En primer lugar, la renta (R), riqueza o ingresos del consumidor. El hecho de que aumente la renta del consumidor, si se trata de un bien "normal", hará que la curva de demanda se desplace hacia la derecha; si disminuye la renta, la curva de demanda se desplazará hacia la izquierda.

Si se trata de bienes "inferiores", un aumento de la renta ocasionará un desplazamiento de la demanda hacia la izquierda, mientras que una reducción de la renta llevará a un desplazamiento de la curva de demanda hacia la derecha.

Existen otras condiciones *ceteris paribus* como los gustos o modas de los consumidores o los precios de los demás bienes (Py, Pz, ...) que van a implicar desplazamientos en la curva de demanda (desplazamientos de la demanda).

Teniendo en cuenta todo esto, la función de demanda que un poco más arriba escribíamos así:

$$X = f(Px)$$

Podemos, teniendo en cuenta las condiciones *ceteris paribus* descritas, establecerla de esta forma:

X = f(Px, R, Py, Pz, Gustos)

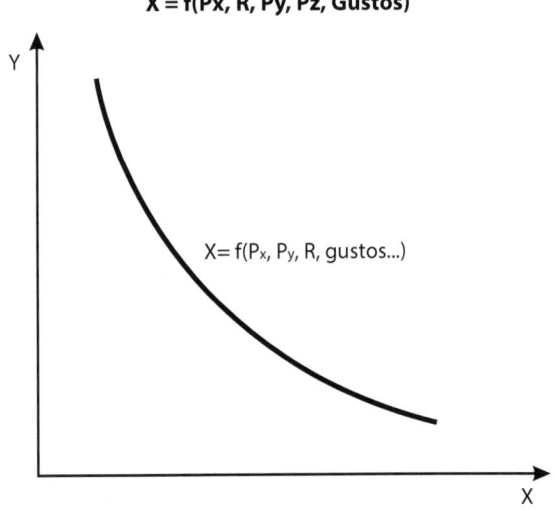

Figura 9

En conclusión, cuando cambian las condiciones *ceteris paribus* la curva de demanda se desplaza hacia la derecha o hacia la izquierda. Es lo que llamamos un **desplazamiento de la demanda.** Ello no debemos confundirlo con un **cambio en la cantidad demandada**, que se refiere simplemente a un movimiento *a lo largo* de la curva de demanda, es decir, a un movimiento que no lleva consigo cambios en las condiciones *ceteris paribus*. Este último movimiento (a lo largo de la curva de la demanda) se debe solo y exclusivamente a la variación del precio del bien cuya demanda se estudia (en nuestro ejemplo, el bien X).

Hemos visto hasta ahora la curva precio-consumo y la curva precio-demanda. Podemos definir otra curva de demanda, que vamos a denominar la **curva precio-demanda cruzada** que recoge la alteración en la cantidad demandada de un bien cuando se modifica el precio de otro bien. Es decir, recogería cómo varía la demanda del bien X cuando varía el precio del bien Y (Py).

3.2. Modificaciones en el equilibrio del consumidor cuando varía la renta: la curva renta-consumo y la curva demanda-renta

Cuando aumenta la renta del consumidor, se produce un desplazamiento paralelo de la recta de balance hacia la derecha (desde $R_0/P_y, R_0/P_x$ hasta $R_1/P_y, R_1/P_x$), llegando a un nuevo punto de equilibrio (E_1), en el que las cantidades consumidas de los bienes X e Y aumentan de X_0 a X_1 y de Y_0 a Y_1. El nuevo punto de equilibrio se encuentra en una curva de indiferencia más alejada del origen (U_1). La nueva renta, por lo tanto, nos permite acceder a superiores niveles de satisfacción (utilidad).

Si unimos los diferentes puntos de equilibrio (E_0, E_1, etc.) que resultan de variaciones en la renta, la curva que obtenemos se denomina **curva renta-consumo**.

Lo dicho hasta ahora lo representamos en la figura 10.

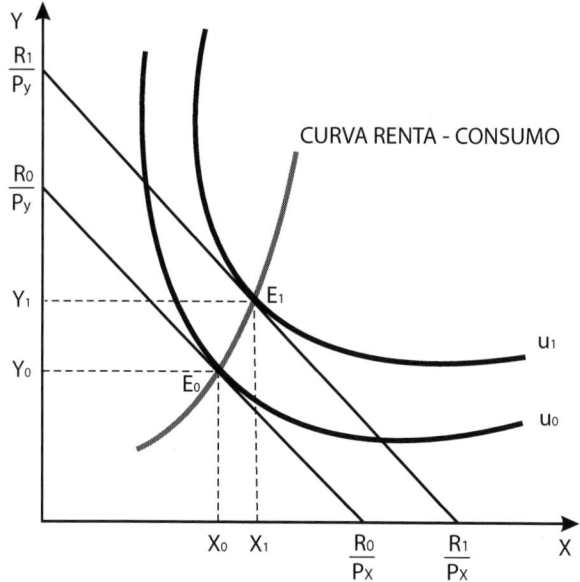

Figura 10

Cuando un aumento de la renta produce un incremento en el consumo de un bien este se denomina normal, mientras que si su consumo se reduce se tratará de un bien inferior. En el caso de que los dos bienes sean normales, la curva renta-consumo tendrá pendiente positiva, tal como se muestra en la figura 10.

Si relacionamos las cantidades de equilibrio del bien X que corresponden a cada nivel de renta, obtenemos una nueva curva, la **curva demanda-renta**, también conocida como **curva de Engel.** Su representación gráfica la mostramos en la figura 11.

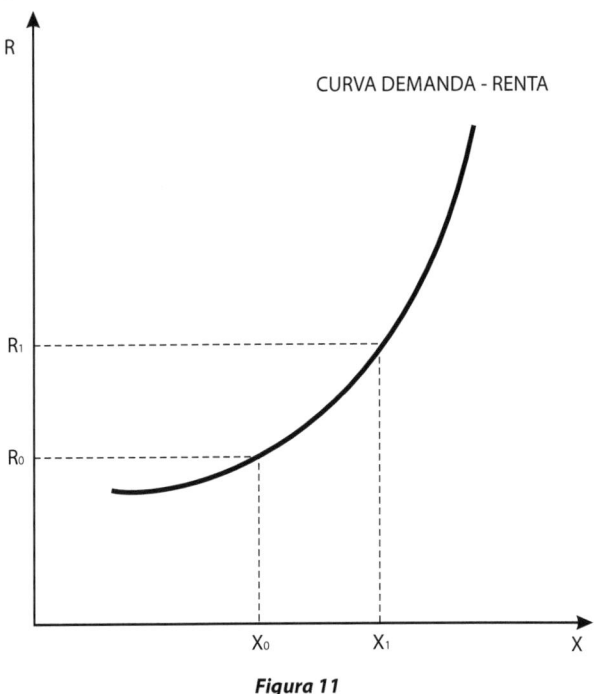

Figura 11

Hemos visto qué forma tienen la curva renta-consumo y la curva demanda-renta si el bien X es normal (pendiente positiva). Al contrario, si el bien X es inferior un aumento de la renta del consumidor implica una disminución en la cantidad demanda del bien y la curva demanda renta tendrá pendiente negativa.

3.3. Efecto renta y efecto sustitución

En el epígrafe anterior hemos visto cómo afecta una variación en el precio de un bien a la cantidad que el consumidor desea demandar de dicho bien. También hemos comentado que los bienes normales y los bienes inferiores no *giffen* presentan una curva de demanda-precio con pendiente negativa, es decir, que aumentos en el precio del bien suponen una disminución de su cantidad demandada. Al contrario, en los bienes *giffen* la curva de demanda tiene pendiente positiva por lo que aumentos en el precio del bien suponen que se incremente la cantidad demandada.

En este epígrafe, nuestro objetivo es analizar las causas que llevan a los consumidores a variar su demanda cuando se modifica el precio del bien. Ya hemos visto que si, por ejemplo, se incrementa el precio del bien X, la consecuencia es que el consumidor demande (consuma) menor cantidad de ese bien. A esa consecuencia, a ese efecto, lo vamos a denominar **"efecto total" (ET)**. Y ese efecto total vamos a ver que se produce por dos razones:

a) Porque se incrementa el atractivo de los sustitutivos cercanos del bien.

b) Porque se reduce el poder adquisitivo (la renta real) del consumidor.

Por lo tanto, una variación del precio del bien produce dos efectos distintos en los que se descompone el efecto total:

a) **Efecto sustitución (ES):** registra la variación en la cantidad demandada ante un cambio en los precios relativos de los bienes. Es decir, es la parte del efecto total resultante de la modificación producida en el atractivo relativo de los sustitutivos cercanos del bien. El efecto sustitución siempre es independiente de la naturaleza del bien, ya que siempre intercambiamos el bien más caro por el barato. Por tanto, el efecto sustitución es siempre contrario a la variación del precio para todos los bienes (normales, inferiores e inferiores *giffen*).

b) **Efecto renta (ER):** recoge la variación en la cantidad demandada ante una modificación en la renta real como consecuencia de una variación de los precios. Es decir, es la parte del efecto total asociada a la variación del poder adquisitivo.

Por lo tanto, podemos escribir que:

$$ET = ES + ER$$

Es decir, el efecto total es la suma del efecto sustitución más el efecto renta.

Dos autores son a los que generalmente se acude para referirse al estudio del efecto sustitución y el efecto renta: Hicks y Slutsky.

Hicks: postula que el consumidor mejora si puede aumentar su nivel de utilidad (satisfacción). Un incremento de los precios hace empeorar al consumidor al disminuir su triángulo presupuestario y hacer que se desplace a una curva de indiferencia más cercana al origen.

Según Hicks, para estudiar el efecto sustitución el consumidor debe permanecer igual que antes del aumento de los precios. Estar igual significa conseguir el mismo nivel de satisfacción (utilidad). Por ello, el consumidor debe permanecer en la misma curva de indiferencia en la que estaba antes de la modificación del precio.

Slutsky: señala que el consumidor mejora si se incrementa su capacidad adquisitiva. Un incremento de los precios perjudica al consumidor porque su renta real se reduce.

Slutsky, para estudiar los efectos sustitución y renta también parte de la premisa de que el consumidor debe permanecer igual que antes del aumento de precios. Pero, para este autor, estar igual es tener la misma capacidad adquisitiva. Es decir, el consumidor tiene que ser capaz de adquirir la cesta inicial de bienes con los nuevos precios aumentados. Para conseguirlo, Slutsky proporciona ficticiamente al consumidor una renta monetaria suficiente para comprar la cesta inicial de bienes con los nuevos precios aumentados.

Cuantitativamente, el efecto total va a ser el mismo, se apliquen los postulados de Hicks o de Slutsky. Sin embargo, la descomposición del efecto total en efecto renta y efecto sustitución, según Hicks y Slutsky, no es la misma.

El efecto sustitución es mayor en Slutsky, en valores absolutos. Evidentemente, el efecto renta calculado según Hicks será mayor. Por otro lado, como ya hemos dicho cuando definíamos el efecto sustitución, este es igual en cualquier bien porque siempre se cambia el bien con mayor precio relativo por el bien con menor precio relativo. Por consiguiente, existe una relación inversa entre el precio y la cantidad demandada de un bien teniendo en cuenta únicamente el efecto sustitución. A esta relación inversa la definimos como **curva de demanda-compensada.** La curva de demanda-compensada nos señala qué cantidad demandaría un consumidor para cada uno de los precios si se le compensara totalmente el efecto renta.

Como tenemos dos teorías sobre el efecto sustitución, tenemos dos curvas de demanda-compensada, una definida por la teoría de Hicks y otra por la de Slutsky. Además, al tener el efecto sustitución el mismo sentido para cualquiera que sea el tipo de bien, la curva de demanda-compensada tiene pendiente negativa ya sean los bienes normales, inferiores o inferiores-*giffen*).

Para terminar, resumamos cómo actúan el efecto sustitución, el efecto renta y el efecto total cuando, por ejemplo, se produce un aumento en el precio, según se trate de bienes normales, inferiores o inferiores-*giffen*:

SUPONGAMOS QUE AUMENTA EL PRECIO DEL BIEN X ($\uparrow$Px)

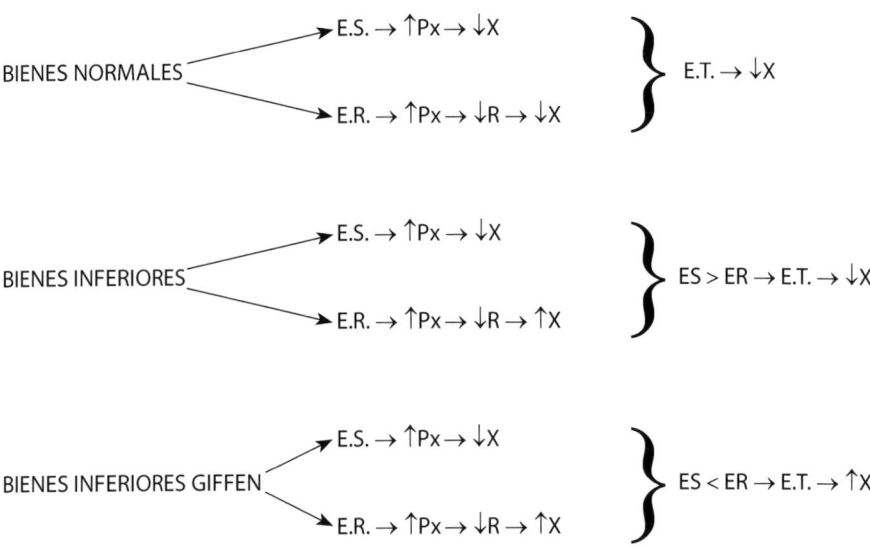

El esquema de arriba lo explicamos así:

* En los **bienes normales**, ante una subida del precio del bien X, el ES hace que se demande menor cantidad de X.

En cuanto al ER, una subida del precio del bien X, disminuye la renta real del consumidor y eso hace que se demande también menor cantidad de X.

El ET es que se demande menos de X.

La curva de demanda tendrá pendiente negativa.

* En los **bienes inferiores**, ante una subida del precio del bien X, el ES también actúa haciendo que el consumidor demande menor cantidad de X.

En cuanto al ER, una subida del precio del bien X, disminuye la renta real del consumidor, pero, sin embargo, eso hace que se demande mayor cantidad de X.

En este tipo de bienes el ES es mayor que el ER (ES > ER), por lo que el ET es que se demande menor cantidad de X ante una subida de su precio.

La curva de demanda tendrá pendiente negativa.

* En los **bienes inferiores-*giffen***, ante una subida del precio del bien X, el ES también actúa haciendo que el consumidor demande menor cantidad de X.

En cuanto al ER, una subida del precio del bien X, disminuye la renta real del consumidor, pero, sin embargo, eso también hace que se demande mayor cantidad de X.

En este tipo de bienes el ES es menor que el ER (ES < ER), por lo que el ET es que se demande mayor cantidad de X ante una subida de su precio.

La curva de demanda tendrá pendiente positiva.

Evidentemente, ante una bajada de precio, las conclusiones a las que hemos llegado serán contrarias a las expuestas.

El ejemplo clásico de un bien *giffen* es el de una persona con un muy bajo nivel de renta que solo destina esta al consumo de dos bienes, uno básico, las patatas y otro de mayor categoría (más caro), la carne. Esta persona se gasta toda su renta en estos dos productos. En este caso, ante una subida del precio de las patatas, esta persona incrementará el consumo de patatas (manteniéndose constante su nivel de renta y el precio de la carne). Las patatas serán un bien *giffen*.

3.4. Elasticidades

Ya hemos visto en epígrafes anteriores que la cantidad demandada del bien X varía si cambia su precio, la renta del consumidor o el precio de los otros bienes relacionados. La sensibilidad ("respuesta" o "reacción") de la cantidad demandada de un bien ante variaciones de su precio, de la renta o del precio de los otros bienes se conoce como elasticidad. Vamos a estudiar la elasticidad demanda-precio, la elasticidad demanda-renta y la elasticidad cruzada de la demanda.

3.4.1. Elasticidad demanda-precio

La elasticidad demanda-precio es la variación porcentual que experimenta la demanda de un bien cuando su precio varía en un 1%.

Analíticamente:

$$E_{X-P_x} = (\Delta X/\Delta P_x)(P_x/X) \text{ (si utilizamos «incrementos»)}$$

$$E_{X-P_x} = (\delta X/\delta P_x)(P_x/X) \text{ (si utilizamos derivadas)}$$

Esta expresión se lee así: "La elasticidad de la demanda respecto al precio es igual a la derivada de X respecto del precio de X multiplicada por el resultado de dividir el precio de X entre X".

La elasticidad demanda-precio en los bienes normales e inferiores-no *giffen* siempre va a tener signo negativo, puesto que ante una subida del precio, por ejemplo, la cantidad demandada es menor. Es muy común expresar la elasticidad en valores absolutos, es decir, sin signo menos ($|\mathbf{E}_{x\text{-}Px}|$). Así:

- Si $|E_{x\text{-}Px}| > 1$, la demanda es elástica: ante, por ejemplo, una subida del precio del bien X, la demanda de X responde disminuyendo en mayor proporción que esa subida del precio.

- Si $|E_{x\text{-}Px}| < 1$, la demanda es inelástica: ante, por ejemplo, una subida del precio del bien X, la demanda de X responde disminuyendo en menor proporción que esa subida del precio.

- Si $|E_{x\text{-}Px}| = 1$, la elasticidad es unitaria: ante, por ejemplo, una subida del precio del bien X, la demanda de X responde disminuyendo en igual proporción que esa subida del precio.

Gráficamente, cuanto mayor sea la pendiente de una curva, más inelástica será, y viceversa. Lo representamos en la figura 12.

Existen dos casos extremos:

Si $|E_{x\text{-}Px}| = 0$, ante una variación de los precios, la cantidad demandada no varía. La función de demanda es vertical. La demanda es perfecta o totalmente inelástica.

Si $|E_{x\text{-}Px}| = \infty$, es horizontal. Implica que existe un precio dado al que el demandante puede adquirir todas las unidades que desee, no existiendo demanda para otros precios. La demanda es total o perfectamente elástica.

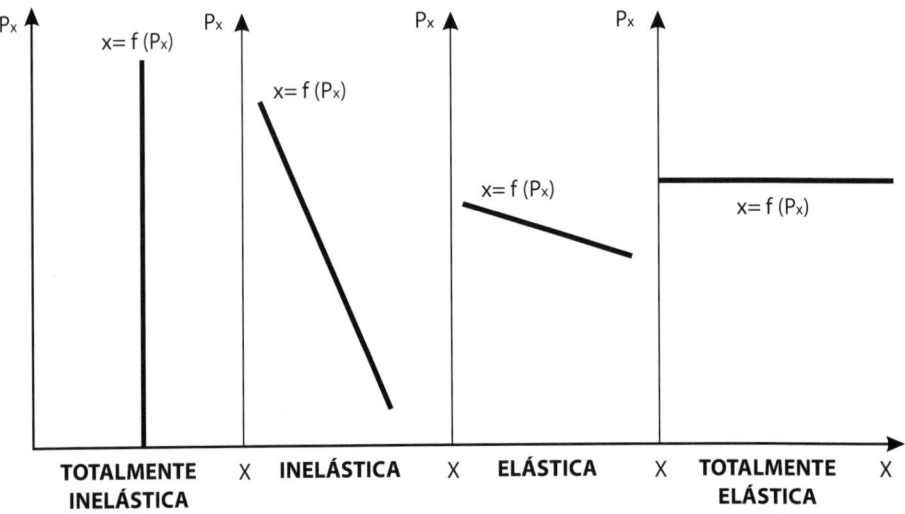

Figura 12

3.4.2. Elasticidad demanda-renta

La elasticidad demanda-renta (E_{X-R}) cuantifica la sensibilidad de la cantidad demandada al variar la renta. Es la variación porcentual que experimenta la demanda de un bien cuando la renta del consumidor varía en un 1%:

$$E_{X-R} = (\Delta X/\Delta R)(R/X) \text{ (si utilizamos «incrementos»)}$$

$$E_{X-R} = (\delta X/\delta R)(R/X) \text{ (si utilizamos derivadas)}$$

Veamos los valores que puede tomar:

– Si $0 < E_{X-R} < 1$: se trata de un bien normal necesario. Cuando aumenta la renta, aumenta la cantidad demandada de un bien, pero en menor proporción de lo que ha variado la renta.

– Si $E_{X-R} > 1$: se trata de un bien superior. Los bienes superiores experimentan un aumento en la cantidad demandada mayor, proporcionalmente, al incremento registrado de la renta.

– Si $E_{X-R} < 0$: se trata de un bien inferior. Dentro de esta categoría se encuentran los bienes *giffen*. Cuando aumenta la renta, disminuye la demanda del bien.

3.4.3. Elasticidad cruzada de la demanda

Mide la reacción que experimenta la cantidad demandada de un bien ante la variación del precio de otro (cómo varía la demanda del bien X ante una variación en el precio del bien Y, Py). Es, por tanto, la variación porcentual que experimenta la demanda de un bien cuando el precio de otro bien varía en un 1%.

$$E_{X-Py} = (\Delta X/\Delta Py)(Py/X) \text{ (si utilizamos «incrementos»)}$$

$$E_{X-Py} = (\delta X/\delta Py)(Py/X) \text{ (si utilizamos derivadas)}$$

– Si $E_{X-Py} > 0$, la cantidad demandada del bien X aumenta cuando aumenta el precio del bien Y, por lo que X e Y son bienes sustitutivos.

– Si $E_{X-Py} < 0$, la cantidad demandada del bien X disminuye ante un aumento del precio del bien Y. Los bienes X e Y son complementarios.

– Si $E_{X-Py} = 0$, la cantidad demandada del bien X no varía ante variaciones del precio del bien Y. Por lo tanto, X e Y son bienes independientes.

3.4.4. La elasticidad-precio y el ingreso (gasto) total

El ingreso total (IT) de un productor es la cantidad de dinero que recibe por la venta del bien que fabrica. El ingreso total del productor será igual al gasto total (GT) del consumidor (IT = GT).

$$IT = X \cdot Px$$

Vamos a estudiar cómo varía el ingreso total (o el gasto total) cuando varía el precio, y la curva de demanda tiene pendiente negativa (bien normal o inferior no *giffen*). Si el precio sube la cantidad demandada disminuye, quedando el efecto neto indeterminado. No obstante, si introducimos el concepto de elasticidad precio-demanda podemos averiguar sin lugar a dudas el sentido en el que variarán los ingresos totales.

Gráficamente lo representamos en la figura 13.

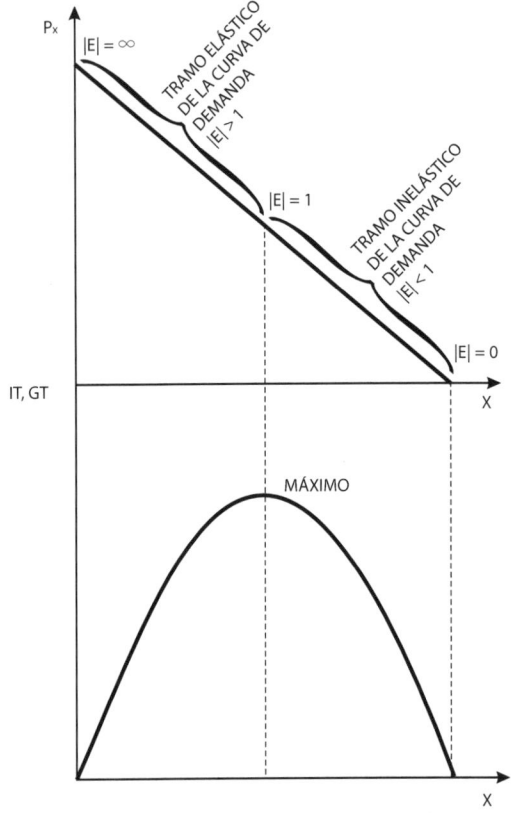

Figura 13

En cualquier curva de demanda que sea una línea recta y que tenga pendiente negativa, la elasticidad varía a lo largo de la curva tomando todos sus posibles valores desde cero a infinito. En el tramo elástico ($|E_{x/Px}| > 1$), una variación de un 1% en el precio del bien X supone un aumento en la cantidad demandada superior al 1%. Por esta razón, una disminución del precio del bien X incrementa el ingreso total (o el gasto total). Por contra, si nos situamos en el tramo inelástico de la curva de demanda ($|E_{x/Px}| < 1$), un cambio en el 1% en el precio del bien X hace que varíe en menos de un 1% la cantidad demandada, lo que implica que una reducción del precio del bien X supone también un decremento del ingreso total (o del gasto total).

TEMA 25

Teoría de la producción. Funciones de producción. Productividad. Equilibrio de la producción. Los costes de producción. Concepto y clases. Funciones de costes. La curva de la oferta. El equilibrio de la empresa

Dormir, comer y hacer **deporte** de forma regular son actividades necesarias para rendir en el estudio. Conoce más de la vida activa en tu Curso MAD360.

Índice

1. Teoría de la Producción

Los economistas entienden por producción cualquier proceso que transforme un bien o bienes en otros diferentes.

También podríamos decir que producir consiste en combinar factores de producción (*inputs*, insumos o entradas) para obtener bienes o servicios (*outputs* o salidas). Estos *outputs*, a su vez, pueden estar destinados al consumo final o servir de *inputs* en otro proceso productivo.

Para producir no solo se necesitan materias primas, sino que también es necesario el factor humano, el factor trabajo, de manera que a esas materias primas se les dé cierta organización. También es necesario en el proceso productivo algún tipo de equipo, maquinaria, instalaciones, etc. Es lo que llamamos el factor capital.

Además, para producir se necesita saber cómo fabricar el producto, es decir, se necesita la tecnología. Y esta tecnología, en el estudio que vamos a realizar sobre la producción siempre va a ser la más eficiente desde el punto de vista técnico.

2. Funciones de producción. Productividad

2.1. Funciones de producción

Una función de producción es una relación entre las cantidades físicas de recursos empleadas por una empresa y la cantidad física de bienes y servicios que esta produce por unidad de tiempo.

Una función de producción expresa matemáticamente la relación entre la cantidad de *inputs* empleados (recursos) y la de *outputs* producidos.

$A = f (a, b, c, d, ...)$.

Donde A es el producto y a, b, c, d, los factores productivos.

A la hora de estudiar las funciones de producción distinguiremos entre el corto plazo (algunas cantidades de los factores empleados pueden cambiarse, son los factores variables; pero existe al menos un factor que no puede alterarse, factor fijo) y el largo plazo (todos los factores de producción pueden alterarse).

Finalmente, como ya señalamos anteriormente, vamos a suponer que, dado el gasto de la empresa en producción, se utilizará la técnica más eficaz disponible.

2.2. Curvas isocuantas

Las curvas isocuantas o curvas isoproducto muestran diferentes combinaciones de dos factores productivos con los cuales una empresa puede producir la misma cantidad de producto.

También podemos decir que las curvas isocuantas son la representación en el plano de las distintas combinaciones técnicamente eficientes de factores productivos con las que obtenemos la misma cantidad máxima de producto.

Las curvas isocuantas tienen básicamente las mismas **propiedades** que las curvas de indiferencia que vimos en el tema 24:

1. Representan un mismo nivel de producción a lo largo de toda la curva.

2. No se cortan entre sí.

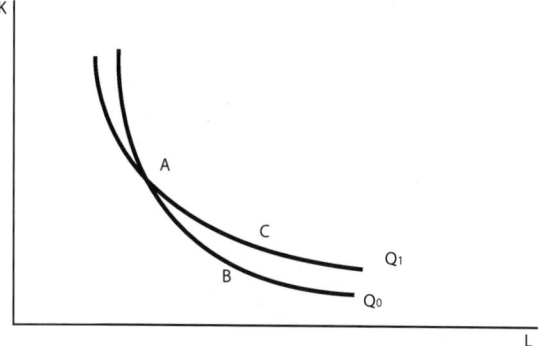

Demostrémoslo apoyándonos en la gráfica de arriba: como están en la misma isocuanta (Q_1), la combinación de factores representada mediante los puntos A y C da lugar a la misma cantidad de producto (Q_1). Lo mismo sucede con las combinaciones representadas en los puntos A y B. El producto obtenido en este caso es la isocuanta Qo. Por lo tanto, ello indica que las combinaciones B y C producen la misma cantidad máxima de *output* (producto). Evidentemente esto es falso, ya que con la combinación B obtenemos un *output* Q_0 menor al que podemos llegar en C, Q_1.

3. Cuanto más alejada del origen esté la isocuanta, mayor nivel de producción representa.

4. Por cada punto del espacio pasa una única isocuanta. Cada combinación de factores productivos puede originar una única cantidad máxima de producto.

5. Son decrecientes. Una disminución en la cantidad empleada de uno de los factores es preciso compensarla con un incremento en el empleo del otro factor productivo.

6. Son convexas hacia el origen.

En la figura 1 representamos un mapa de curvas isocuantas.

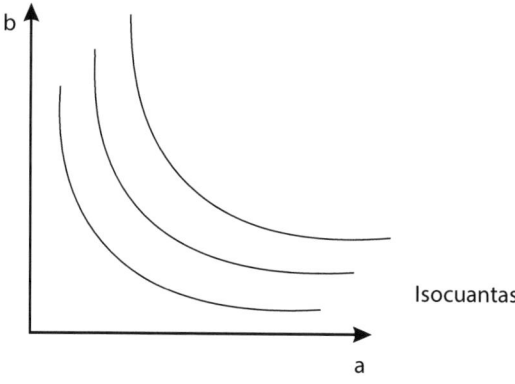

Isocuantas

Figura 1

El que las curvas isocuantas sean decrecientes, como ya hemos dicho, significa que si disminuye la cantidad de un factor empleado, será necesario incrementar la cantidad de otro factor productivo.

Para estudiar la producción (Q) supondremos que solo tenemos dos factores productivos, trabajo (L) y capital (K) y que la vamos a expresar así:

$$Q = f (L,K)$$

Definiremos la Relación Marginal de Sustitución Técnica (RMST) del factor capital por el factor trabajo como el número de unidades de capital a las que puedo renunciar si aumento en una unidad el factor trabajo manteniendo el mismo nivel de producción. Es decir, es la relación de intercambio de un factor por otro sin alterar el nivel total de producción.

La RMST es la pendiente de la curva isocuanta en un determinado punto.

En la figura 2 se representa la RMST.

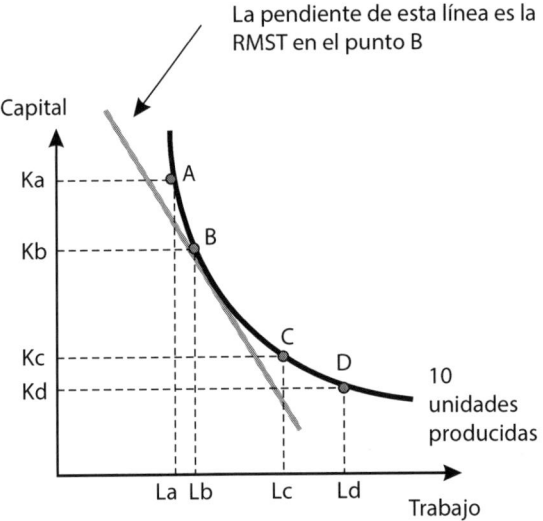

Figura 2

La RMST en un punto de una isocuanta es el cociente entre la disminución de la cantidad de capital ($\Delta K<0$) y el aumento de la cantidad de trabajo ($\Delta L>0$) necesario para obtener el mismo nivel de producción:

$$RMST = - \Delta K/\Delta L$$

La RMST también la podemos expresar así:

$$RMST = - PMgL/PMgK,$$

donde PMgL es el producto marginal del factor trabajo y PMgK es el producto marginal del factor capital.

La productividad marginal es un concepto similar a la utilidad marginal que vimos en el tema anterior. Así la productividad marginal del factor trabajo es el cambio en la cantidad producida Q provocado por la variación de una unidad del factor L.

Relacionado con la productividad marginal tenemos lo que se denomina "campo de producción significativo" que es el área en la cual los productos marginales de los factores productivos son positivos. La empresa siempre deseará producir allí donde sean positivos los productos marginales de todos los factores productivos.

2.3. Las funciones de producción homogéneas

Una función de producción homogénea puede expresarse del siguiente modo:

$Q = f (a, b)$

La función es homogénea de grado "n" si $Q = X^n f (a, b)$, donde "n" es una constante y X es un número real positivo.

Si n = 1, la función es homogénea de primer grado y se dice que es homogénea y lineal. Los rendimientos que proporciona esta función son a escala constante.

Si n > 1, tendremos rendimientos crecientes a escala.

Si = < n < 1, tendremos rendimientos a escala decreciente.

2.4. La funcion de producción a corto plazo. El producto medio y el producto marginal

En el corto plazo el factor capital va a ser un factor fijo y el factor trabajo va a ser variable.

Vamos a definir producto total, producto medio y producto marginal.

El **producto total** es la relación entre el producto máximo obtenido, Q, y las cantidades empleadas de un factor o insumo variable (factor trabajo), suponiendo que el otro factor permanece constante (factor capital).

Lo expresamos así:

$$PT = Q = f(L, K = K_0)$$

Partiendo del producto total obtenemos el producto medio y el marginal.

El **producto medio** del factor variable trabajo (L), o productividad media, es la cantidad de producto total que se obtiene por unidad de factor variable. Lo calculamos dividiendo el producto total entre el número de unidades del factor variable empleado:

$$PMeL = Q/L$$

Definimos el **producto marginal** del factor variable L (productividad marginal) como la forma en que varía el producto total cuando aumenta o disminuye en una cantidad muy pequeña (infinitesimal) la cantidad del factor variable. Lo obtenemos calculando la primera derivada de la función de producto total:

$$PT' = PMgL = dQ/dL$$

Cuando usemos cantidades discretas (no infinitesimales), podemos definir la productividad marginal como la forma en que varía (aumenta o disminuye) el producto total cuando la cantidad de factor variable aumenta (o disminuye) en una unidad. Veamos esto último resolviendo el apartado a) de la pregunta 13 propuesta en la Convocatoria de 2017, Turno Libre:

Un fabricante que posee una planta fija y que produce un bien que sólo requiere un insumo variable, obtiene las siguientes cantidades de producto total:

Unidades Insumo Variable	Producto Total	Producto Medio	Producto Marginal
1	10		
2	24		
3	39		
4	52		
5	60		
6	63		
7	63		
8	56		

SE PIDE:

a) Calcule el producto medio y el producto marginal para cada uno de los insumos.

b) Responda y explique las siguientes cuestiones:

    b1) Sitúe las distintas fases de producción.

    b2) Nivel de empleo de insumo variable a partir del cual el producto total aumenta a una tasa decreciente.

    b3. Nivel de producción en su óptimo técnico.

Solución apartado a):

Producto Medio	Producto Marginal
10/1 = **10**	-
24/2 = **12**	(24-10) = **14**
39/3 = **13**	(39 -24) = **15**
52/4 = **13**	(52 – 39) = **13**
60/5 = **12**	(60 – 52) = **8**
63/6 = **10,5**	(63 – 60) = **3**
63/7 = **9**	(63 -63) = **0**
56/8 = **7**	(56 – 63) = **-7**

Relacionadas con el concepto de producto marginal tenemos dos leyes, la ley de los rendimientos decrecientes y la ley de las proporciones variables.

La **ley de los rendimientos decrecientes** establece que cuando permanecen todos los factores fijos menos uno y se van incorporando unidades sucesivas de factor variable inevitablemente se alcanza un punto a partir del cual la producción total aumenta a una tasa decreciente con cada unidad adicional de factor variable e incluso, puede llegar a decrecer el producto total.

La **ley de las proporciones variables** postula que si se mantienen constantes uno o más factores fijos, sucesivos aumentos proporcionales del resto de factores (los variables) conseguirán un aumento de la producción cada vez menor.

En la ley de los rendimientos decrecientes permanecen fijos todos los factores menos uno (es decir, solo hay un factor variable), mientras que en la ley de las proporciones variables consideramos varios factores variables (y varios fijos).

Veamos de forma gráfica lo explicado hasta ahora.

En la figura 3 se representa la función de producto total. En la gráfica se aprecia cómo la producción empieza a crecer rápidamente con las primeras unidades empleadas de factor (insumo) variable (punto A). Traspasado ese punto, la producción continúa aumentando, pero a un ritmo más lento. El producto total alcanza su máximo en el punto C. A partir de ese punto, aunque la cantidad de factor variable empleado aumenta, el producto total disminuye.

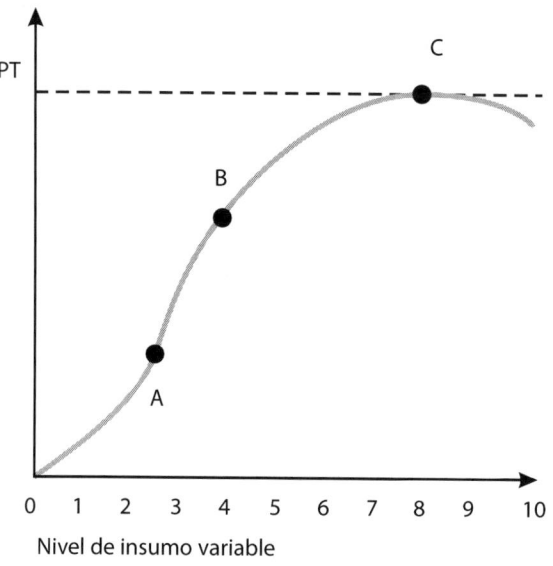

Figura 3

En la figura 4 profundizamos en lo dicho hasta ahora y ofrecemos la representación gráfica del producto medio y del producto marginal. También explicamos las tres etapas de la producción que acabamos de ver (delimitadas por los puntos A, B y C) en relación al producto medio y producto marginal.

La etapa I se caracteriza porque el producto medio del factor trabajo (PMeL) va creciendo hasta alcanzar su máximo, mientras el producto marginal del factor trabajo (PMgL) ha ido creciendo, ha alcanzado su máximo y ha empezado a decrecer, por lo tanto, el producto total va creciendo.

En la etapa II el producto medio y el producto marginal son decrecientes, mientras que el producto total continúa creciendo hasta alcanzar su máximo. En esta etapa o fase es donde la empresa debe producir, teniendo presente que deben seguirse empleando unidades de factor variable hasta el límite en el cual el valor del producto generado por la última unidad de insumo variable resulte igual al coste de emplear esa última unidad.

En la etapa III el producto marginal de L es negativo. Las unidades adicionales de factor variable que se utilicen dan como resultado una reducción de la producción (la curva de producto total es decreciente).

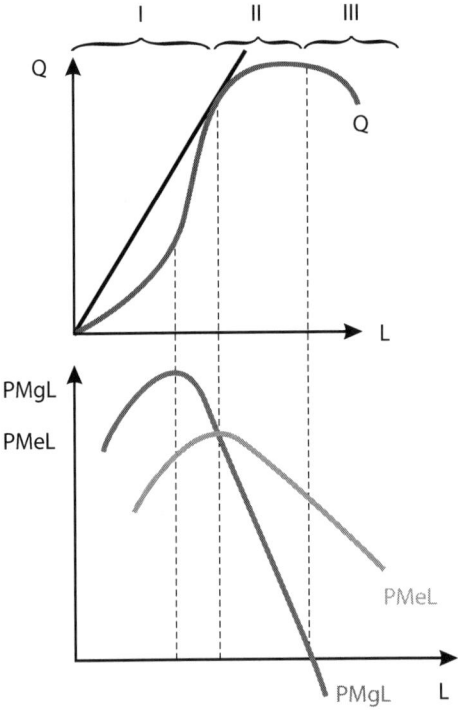

Figura 4

La productividad media del factor trabajo gráficamente se obtiene calculando la pendiente del radio-vector que va desde el origen de coordenadas hasta cada punto de la curva de producto total.

La productividad marginal del trabajo en un punto viene dada por la pendiente de la tangente del producto total en ese punto.

Como ya hemos visto gráficamente, la productividad media y la productividad marginal del factor trabajo se igualan en el punto en el que la productividad media es máxima. A ese punto se le denomina **Óptimo Técnico**. Es decir, el óptimo técnico es aquel punto en el que la cantidad de factor trabajo empleado consigue maximizar la productividad media.

Analíticamente calculamos el óptimo técnico igualando el producto medio y el producto marginal:

Óptimo técnico: **PMeL = PMgL**

Aunque también debe cumplirse la condición de que el PMe esté en su punto máximo, es decir, tenemos que calcular el máximo de la función de PMeL. ¿Cómo? Calculando su primera derivada, igualándola a cero y comprobando que su segunda derivada es menor que cero.

- dPMeL/dL = 0 (que se lee "primera derivada del producto medio respecto a L")

- d²PMeL/dL < 0 (que se lee "segunda derivada del producto medio respecto a L")

3. Equilibrio de la producción

Como hemos señalado anteriormente, en el corto plazo únicamente es variable la cantidad de factor trabajo. En el largo plazo ambos factores, trabajo (L) y capital (W) son variables, por lo que no existirán costes fijos. A largo plazo todos los factores son variables porque la empresa puede variar las cantidades de factor trabajo y factor capital empleadas.

Si denominamos "r" al precio o coste de una unidad de factor capital, es decir, el interés, y "w" al precio de una unidad de factor trabajo, es decir, el salario, podemos expresar la función de costes totales (CT) de la siguiente manera:

$$CT = rK + wL$$

En el largo plazo es posible combinar distintas cantidades de los factores incurriendo en el mismo coste total. La **recta, línea o curva isocoste** está formada por todas las combinaciones de factores que pueden adquirirse a un mismo coste total. Su representación viene recogida en el gráfico 5.

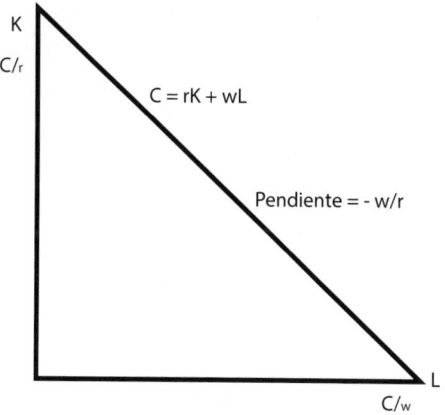

Figura 5

Cuanto más nos alejemos del origen mayor será el coste total.

La pendiente de la recta isocoste viene definida por la expresión:

$$Pendiente = - w/r$$

es decir, el cociente entre el salario y el tipo de interés.

Esta expresión de la pendiente la hemos obtenido analíticamente así:

CT = rK + wL

CT – wL = rK

K = CT/r – (w/r)L

Esta es la expresión de una recta en la que su pendiente es: – (w/r)

121

La pendiente de la recta isocoste nos indica también el precio relativo del factor trabajo en términos del factor capital (a semejanza de lo que indicaba la restricción presupuestaria en el tema anterior):

Pendiente = dK/dL

El punto de corte de la restricción presupuestaria con el eje de abscisas será el resultado de dividir el coste total entre el precio del factor trabajo: CT/w. Este punto indica la máxima cantidad de trabajo a la que podemos acceder con un determinado coste total y los precios actuales si no utilizamos nada de capital.

A su vez, el punto de corte con el eje de ordenadas es el resultado de dividir el coste total entre el precio del capital: CT/r. Este punto indica la máxima cantidad de capital que podemos emplear dado el coste total y los precios actuales si no empleamos nada de trabajo.

Definida la recta isocoste vamos a llegar al equilibrio en la producción. Lo explicaremos teniendo en cuenta la figura 6.

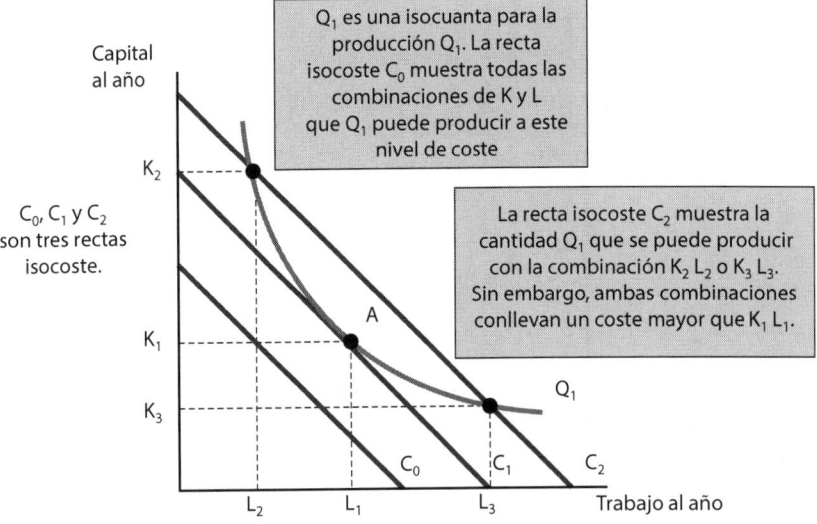

Figura 6

Suponemos que la empresa quiere incurrir en el menor coste posible para obtener una cantidad de producto Q_1. ¿Con qué combinaciones de factores obtenemos Q_1? No podemos producir la cantidad Q_1 con una combinación de factores que nos cueste C_0. Sí podemos obtener Q_1 con una combinación de factores como (L_2, K_2), que suponen para el empresario un coste C_2. Incurre la empresa en el mismo coste, C_2, con una combinación de factores (L_3, K_3). Sin embargo, es posible alcanzar también la producción Q_1 utilizando la combinación de factores productivos (L_1, K_1). El coste en que incurre la empresa empresario con esta alternativa es C_1, permitiéndole producir Q_1 al menor coste posible.

Por lo tanto, el punto en el que la curva isocuanta y la recta isocoste sean tangentes indicará la combinación de factores que minimiza costes para un volumen de producción determinado. En ese punto se alcanzará el equilibrio para ese nivel de producción.

Expresándolo de otra forma, podemos decir que el equilibrio se alcanza cuando la pendiente de la curva isocuanta es igual a la pendiente de la recta isocoste.

Analíticamente:

$$RMST = - PMgL/PMgK = -w/r$$

Al tener signo negativo a ambos lados de la igualdad, los eliminamos:

$$PMgL/PMgK = w/r$$

También podemos escribir la anterior igualdad así:

PMgL/w = PMgK/r

Establecidas las condiciones de equilibrio en la producción, vamos a estudiar cómo varía la situación de equilibrio cuando varía la producción:

* Minimización de costes cuando varía la cantidad producida (Q). La senda de expansión.

Vamos a ver ahora qué ocurre si se incrementa el nivel de producción minimizando costes y permaneciendo constantes los precios de los factores de producción. Gráficamente lo representamos en la figura 7.

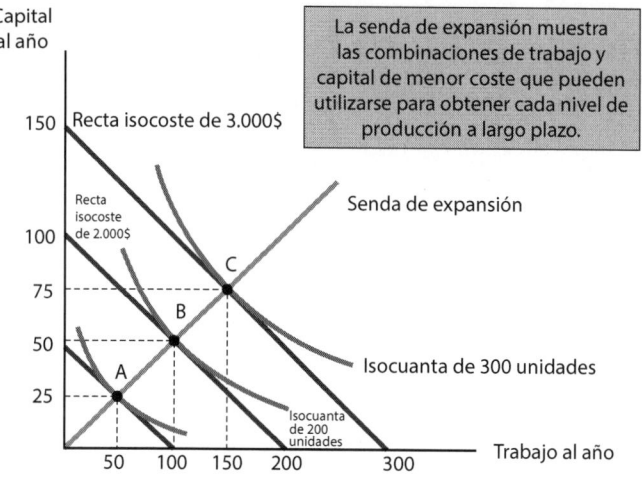

Figura 7

Como el precio de los factores no varía, las rectas isocoste van a ser paralelas, indicando cada una de ellas distintos niveles de coste total: 1.000, 2000 y 3000 $/año. A medida que nos alejamos del origen el coste total será cada vez mayor. De la misma manera, las isocuantas indicarán mayor volumen de producción a medida que nos vayamos alejando del origen: 100, 200 y 300 unidades. Así la combinación de factores que minimiza costes para cada volumen de producción vendrá dada por los sucesivos puntos de tangencia, A, B y C.

Uniendo con una línea esos puntos de equilibrio, lo que obtenemos es la senda o vía de expansión de la empresa. Por lo tanto, definimos la vía de expansión como aquellas combinaciones de trabajo y capital (en general, de factores) de menor coste que pueden utilizarse para obtener cada nivel de producción a largo plazo.

Relacionado con estos conceptos, definimos el **campo de producción significativo.** Las curvas isocuantas definen un campo de producción significativo cuando las productividades marginales de todos los factores de producción son positivas. Cuando el empresario se sitúa en esta área, produce de forma eficiente, si no, no lo es, ya que la productividad marginal de algún factor es negativa.

4. Los costes de producción

4.1. Los costes de producción a corto plazo

En la pregunta anterior hemos estudiado cómo alcanza la empresa el equilibrio en la producción minimizando los costes de los factores empleados en la obtención de una determinada cantidad de producto. Y nos hemos adelantado en parte al contenido de la pregunta que ahora nos ocupa definiendo una función de costes de la siguiente forma:

$$CT = rK + wL$$

Donde denominábamos "r" al precio o coste de una unidad de factor capital, es decir, el interés, y "w" al precio de una unidad de factor trabajo, es decir, el salario.

Como todos sabemos, el objetivo del empresario es alcanzar el máximo beneficio, motivo por el que tiene en cuenta los ingresos (donde intervendrán el volumen de producción y el precio de venta) y los gastos.

Por ello, como señalábamos más arriba, nos vamos a centrar en los costes de producción. Hay distintos tipos de costes en el corto plazo. Unos varían con el volumen de producción (costes variables) mientras que otros los soporta la empresa independientemente de la cantidad producida, incluso aunque la empresa no produzca nada (costes fijos). La suma de ambos serán los costes totales de la empresa.

$$CT = CF + CV$$

Como ya dijimos, los factores productivos, capital y trabajo, tienen un precio. El precio del capital es el tipo de interés (r) y el precio del factor trabajo es el salario (w). Así, el coste total de nuestros factores lo escribimos con la ya conocida expresión $CT = rK + wL$.

El coste fijo, entonces, será: $CF = rK_0$, al ser el importe del factor capital un dato inalterable en el corto plazo.

Y el coste variable: $CV = wL$

En la figura 8 representamos las funciones de coste total (CT), coste variable total (CVT) y coste fijo total (CFT).

Cuando la cantidad producida se acerca a la capacidad máxima de producción (máximo técnico) los costes variables crecen más que proporcionalmente con la producción.

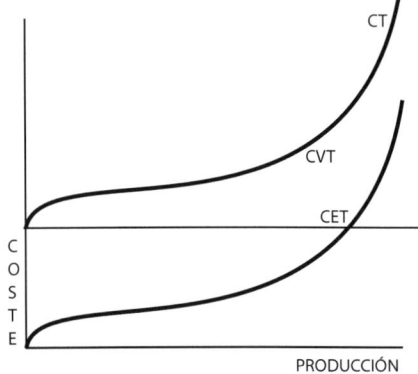

Figura 8

4.2. El coste total medio, el coste medio variable, el coste fijo medio y el coste marginal

El **coste total medio** o coste unitario o coste medio (CMe) lo obtenemos al dividir el coste total de la empresa entre el volumen de producción.

$$CMe = CT/Q$$

El **coste medio variable** (CMeV) es el resultado de dividir el coste variable de la empresa entre el volumen de producción.

$$CMeV = CV/Q$$

El **coste fijo medio** (CMeF) lo obtenemos al dividir el coste fijo entre el nivel de producción.

$$CMeF = CF/Q$$

El coste fijo medio disminuirá a medida que aumenta la producción hasta alcanzar una asíntota horizontal.

Si sumamos coste medio variable y coste fijo medio obtenemos el coste medio total:

$$CMe = CMeV + CMeF$$

Por último, el **coste marginal** indica el aumento que experimenta el coste total cuando se produce una unidad adicional de producto. Como el coste fijo no varía cuando aumenta la producción, también podemos definir el coste marginal como el incremento del coste variable cuando aumenta en una unidad la producción.

Si consideramos variaciones infinitesimales (muy, muy pequeñas) de la producción, en lugar de incrementos, utilizaremos derivadas, quedando la expresión de los costes marginales como sigue:

$$CMg = dCT/dQ = dCV/dQ$$

La expresión de arriba la leemos así: el coste marginal es la derivada del coste total (CT) respecto de la cantidad (Q) y también es igual a la derivada del coste variable (CV) respecto a Q.

A continuación, en la figura 9 se representan de forma conjunta los costes variables, fijos y totales junto con los costes medios (totales, variables y fijos) y marginales. Es muy importante destacar que siempre la curva de coste marginal va a cortar a las curvas de coste medio variable y coste medio total en el punto en que estas alcanzan su mínimo.

Figura 9

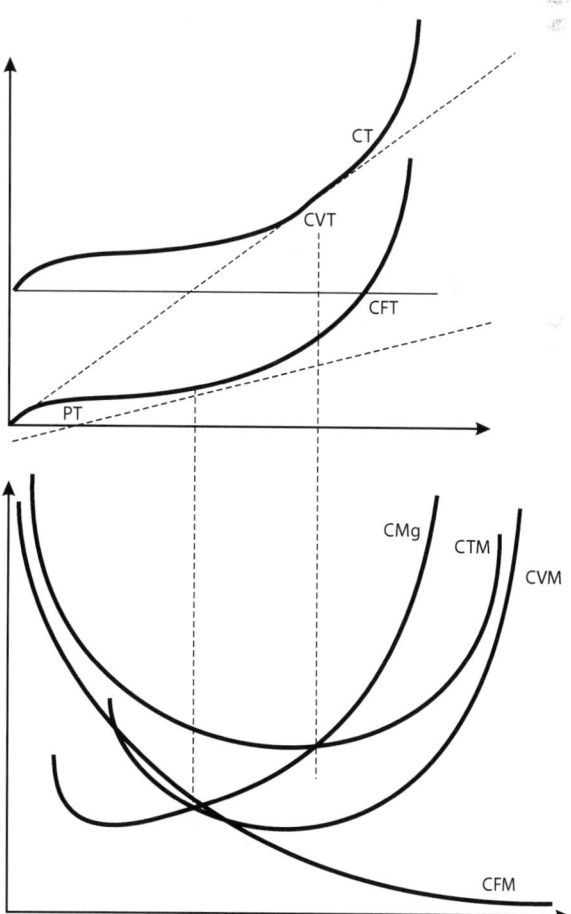

En la figura 10 reproducimos de nuevo las curvas de costes medios y marginales de forma sencilla y muy esquemática. Podemos observar que siempre que nos encontremos en un nivel de producción para el cual las curvas de coste medio y coste medio variable sean decrecientes, el coste marginal será menor que el coste medio o el coste medio variable; por contra, para niveles de producción para los que las curvas de coste medio y coste medio variable sean crecientes, el coste marginal será mayor que el coste medio y el coste medio variable. Además, volvemos a encontrarnos con el óptimo técnico. En este caso será aquel nivel de producción para el cual el coste medio variable sea mínimo.

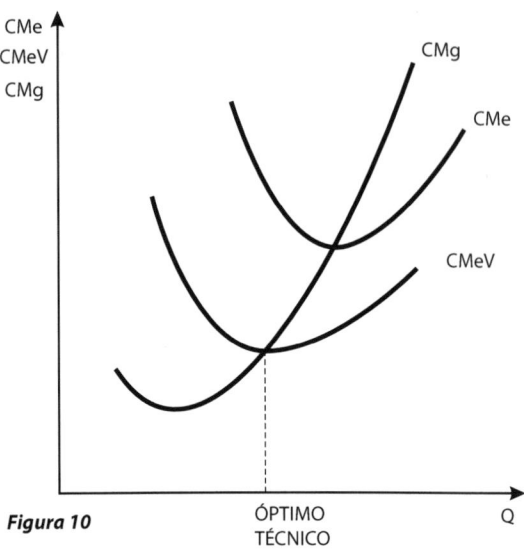

Figura 10

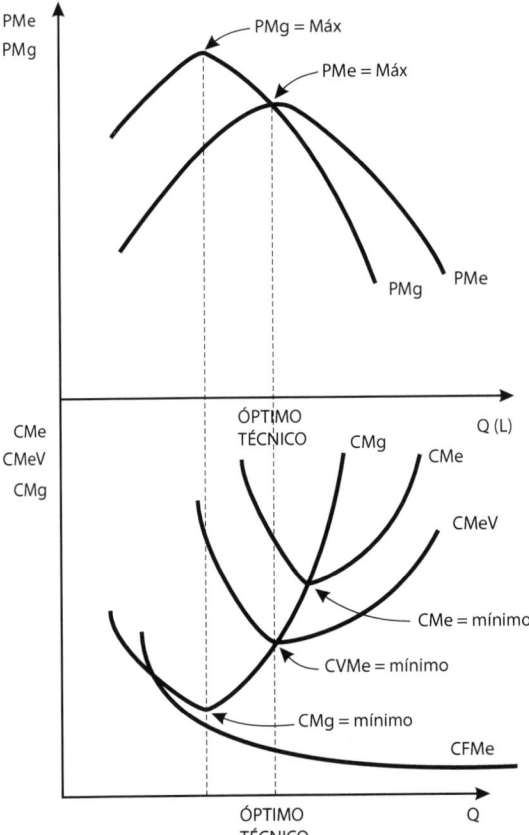

Para terminar este apartado veremos la relación que existe entre las funciones de productividad media y marginal y las curvas de costes unitarios (medios, medios variables y marginales). La gráfica de la figura 11 recoge dicha relación.

Figura 11

4.3. Los costes de producción a largo plazo

Como acabamos de ver, en el corto plazo únicamente es variable la cantidad de factor trabajo. En el largo plazo tanto el factor trabajo como el factor capital son variables, por lo que en la determinación de los costes a largo plazo no habrá un componente fijo. A largo plazo, todos los factores son variables, ya que la empresa puede, no solo variar la cantidad de trabajo contratada sino, además, alterar su estructura fija (maquinaria, instalaciones, etc.), es decir, su capital. Así, el coste total de los factores productivos será:

$$CT = rK + wL$$

4.4. La relación entre las curvas de coste a corto y a largo plazo

En el largo plazo también vamos a encontrar curvas de coste medio y marginal. También procede su estudio en el largo plazo.

A largo plazo, poder cambiar las cantidades no solo de factor trabajo sino también las de factor capital, facilita la reducción de costes. Cuando estudiamos los costes totales, medios y marginales a largo plazo estamos analizando cómo estos varían cuando la producción se va desplazando a lo largo de su vía de expansión.

En el largo plazo son los rendimientos a escala los que determinan la forma de las curvas de costes. Cuando en la producción existen rendimientos crecientes a escala, las curvas de costes medios y marginales a largo plazo tienen pendiente negativa, siendo mayor la pendiente de la curva de costes medios. Por contra, si la producción tiene rendimientos decrecientes a escala, las curvas de costes medios y marginales a largo plazo tienen pendiente positiva, siendo superior la pendiente de la curva de costes marginales. Por último, si la producción tiene rendimientos constantes a escala, las curvas de costes medios y marginales a largo plazo serán constantes e iguales.

Lo que sucede más a menudo es que los procesos productivos presenten durante una primera fase rendimientos crecientes a escala para pasar después a tener rendimientos decrecientes. Por esta razón estas curvas, generalmente, tienen forma de U.

En cuanto a la relación existente entre las curvas de costes medios y costes marginales a largo plazo podemos señalar: la curva de costes marginales a largo plazo se encuentra por debajo de la curva de coste medio a largo plazo cuando esta es decreciente y por encima cuando es creciente (podemos apreciarlo en la figura 12). Por esa razón si la empresa está produciendo un volumen de producción en que el CMeL está en su tramo decreciente, el CMgL es menor que el CMeL. Por el contrario, si CMeL está en su tramo creciente, el CMgL es superior al CMeL.

A continuación, representamos en la figura 12 la forma en que se relacionan las curvas de costes medios y marginales a corto y largo plazo.

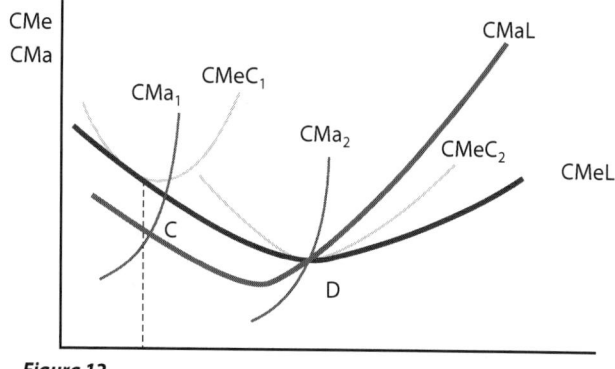

Figura 12

Generalmente, la dirección de la empresa, en principio, no tiene decidido cuál va a ser su tamaño (tamaño o escala de planta) en el futuro, porque no tiene información precisa sobre la demanda que va a tener su producto. Para cada tamaño de planta podemos calcular y representar el coste medio y marginal a corto plazo. Hemos considerado dos posibles tamaños de planta (1 y 2) y sus costes medios y marginales respectivos.

El punto de tangencia indica la producción óptima para ese tamaño de planta. Para el nivel de producción en que una curva de CMeC es tangente a la curva de CMeL se cumple que el coste marginal a largo plazo de producir ese volumen (CMgL) es igual que el coste marginal a corto plazo (CMgC).

La curva de CMeL o curva envolvente de los costes medios a corto plazo, nunca se encuentra por encima de ninguna de las curvas de CMeC. La representamos en la figura 13.

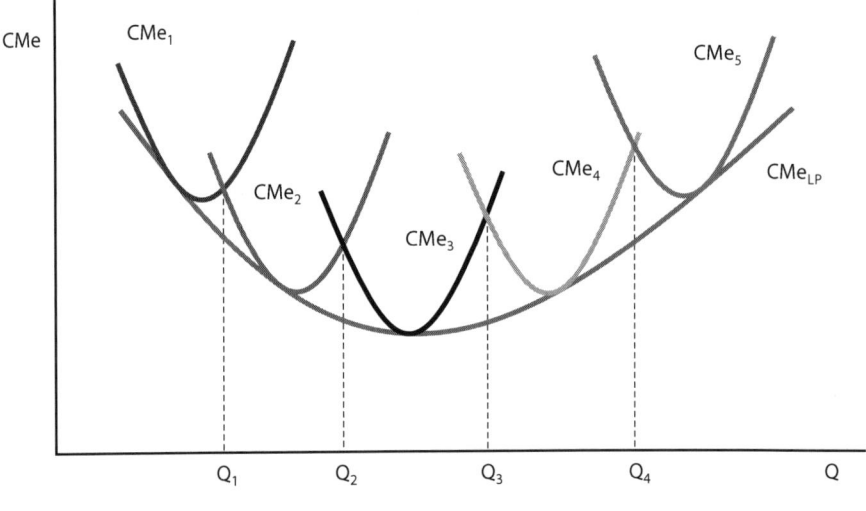

Figura 13

De la gráfica 13 podemos extraer una serie de conclusiones que permiten aclarar el significado del tamaño de planta óptimo:

a) Cualquier cantidad de factor fijo que se emplee minimizará los costes para un volumen de producción determinado.

b) En cada punto de la curva de costes medios a largo plazo existe una curva de costes medios a corto plazo que es tangente a la curva de CMeL. Es decir, la curva de CMeL se construye con los infinitos puntos de tangencia con curvas de costes medios a corto plazo.

c) Sin embargo, para la curva de costes marginales a largo plazo no se cumple lo anterior. La curva de CMgL no es envolvente de las curvas de costes marginales a corto plazo. La curva de CMgL intersecta con cada una de las curvas de costes marginales a corto plazo para aquel valor de Q para el que el coste medio a corto y largo plazo coinciden. La razón es que los costes marginales a corto plazo se refieren a un determinado tamaño de planta, mientras que los costes marginales a largo plazo se refieren a todos los posibles tamaños de planta. Cada punto de la curva de coste marginal a largo plazo es el coste marginal a corto plazo que corresponde al tamaño de planta más óptimo desde el punto de vista de los costes.

d) El mínimo de los CTMeL es el punto que determina la "dimensión de escala óptima". Con esta expresión estamos definiendo el tamaño de planta más eficiente que la empresa puede construir. En este punto existe una curva de costes medios a corto plazo que es tangente a la curva de CMeL en su mínimo. O por decirlo de otra manera, la curva de CMeL y la curva de CMeC son iguales en el mínimo de ambas. Por ello podemos escribir: CMeL = CMeC. Además, también en ese punto sucede que el CMgL es igual al CMgC y a su vez, coinciden con el coste medio a corto y a largo plazo. Es decir, en ese punto se produce que CMgL=CMgC=CMeL=CMeC. Por tanto, representa la forma más barata de producir y el precio mínimo al que se puede intercambiar el producto en el mercado tanto a corto como a largo plazo. De ahí que el tamaño de planta, además de ser óptimo, sea también eficiente. En la figura 12, este punto correspondería al tamaño de planta 2.

5. La curva de la oferta

5.1. Concepto

Entendemos por oferta de un bien la relación que muestra las cantidades de una mercancía que los productores pueden y estarían dispuestos a ofrecer para cada precio disponible durante un periodo de tiempo dado. La oferta, como la demanda, es una variable flujo.

La oferta de un bien es función del precio de ese bien, de los precios de los demás bienes, de los precios de los factores productivos, de la tecnología y de los gustos de los productores.

Analíticamente podríamos expresarlo,

$$S_Q = f(p_Q, p_A, p_B, p_C, \ldots, F_1, F_2, F_3, \ldots, G, T)$$

Donde S_Q es la oferta del bien Q; p_Q es el precio del bien Q, p_A, p_B, $p_C \ldots$ son los precios de los demás bienes; F_1, F_2, $F_3 \ldots$ son los precios de los factores productivos; G representa los gustos de los productores, y T el estado de la tecnología.

Sin embargo, para formular una teoría elemental de la oferta, solo necesitaremos saber cómo varía la oferta de un bien al cambiar únicamente su precio, permaneciendo constantes el resto de las variables de las que en principio hemos dicho que depende. Tan solo nos debe preocupar, por tanto, la relación *ceteris paribus* (a igualdad de las demás circunstancias), $S_Q = f(p_Q)$.

5.2. La demanda

La demanda del mercado refleja las preferencias del conjunto de individuos o unidades consumidoras respecto a un determinado bien o servicio. La demanda de mercado se obtiene al sumar para cada precio las cantidades que demandaría cada una de las unidades consumidoras. Por lo tanto, la ley de la demanda puede formularse en términos tan sencillos como los siguientes: la cantidad que se desea adquirir por unidad de tiempo de un bien será tanto mayor cuanto menor sea el precio de ese bien, *ceteris paribus* (a igualdad de las demás circunstancias).

Cuando hemos formulado la ley de la demanda, hemos incluido la frase *ceteris paribus*, que significa, como hemos adelantado, "a igualdad de las demás circunstancias". ¿Cuáles son esas otras circunstancias? En primer lugar el precio de los demás bienes, en segundo lugar de la renta, riqueza o nivel de ingresos del consumidor y en tercer lugar los gustos del consumidor.

Podemos, pues, expresar analíticamente la función de demanda así:

$$D_Q = f(p_Q, p_A, p_B, p_C, \ldots, R, G)$$

Donde D_Q es la demanda del bien Q; p_Q es el precio del bien Q, $p_A, p_B, p_C \ldots$ son los precios de los demás bienes, R, es la renta y G representa los gustos de los consumidores.

Aunque la ley de la demanda sugiere que las curvas de demanda tienen pendiente negativa (descendente hacia la derecha), existe una excepción. Esta excepción es el clásico caso de los denominados bienes *giffen*, para los cuales (el pan por ejemplo), una elevación del precio ocasiona una reducción tan importante de los recursos de una familia obrera pobre que esta se ve obligada a reducir su consumo de carne y otros alimentos caros, y como el pan sigue siendo el alimento menos caro, lo demandará en mayor cantidad para llenar las necesidades de alimento de la familia.

La demanda de mercado depende de las mismas variables que las demandas individuales, más una variable adicional: el tamaño y características de la población.

Factores determinantes de la demanda del mercado

Como ya hemos señalado, la demanda de mercado de un bien o servicio depende de diversos factores además de su precio. Los más importantes son:

- El precio de los otros bienes: la cantidad de un bien que los consumidores planean comprar depende también del precio de otros bienes. Su efecto varía en función de que estos sean sustitutivos (un bien se puede utilizar en lugar de otro) o complementarios (el bien se utiliza junto con otro) del bien original.

- Del nivel de renta o de ingresos: si el nivel de ingresos de las personas aumenta, estas normalmente demandarán más bienes. A los bienes cuya demanda crece al aumentar el nivel de ingresos se les conoce como bienes normales. En el caso de bienes normales, un aumento en el ingreso hace que la curva de demanda se desplace hacia a la derecha, pues para cada precio ahora se demanda mayor cantidad. En el caso de los bienes inferiores, su demanda disminuye al aumentar la renta. Un aumento en el ingreso hace que la curva de demanda se desplace hacia la izquierda pues para cada precio ahora se demanda menor cantidad.

- Gustos de los consumidores: la demanda depende fuertemente de los gustos, preferencias y actitudes de los consumidores. Si se producen cambios en los gustos, ello también afectará a la curva de demanda.

- Población: la demanda de mercado también depende del tamaño de la población y de sus características. Cuanto más numerosa sea la población, mayor cantidad de demanda y viceversa.

5.3. La curva de oferta

5.3.1. El equilibrio de la empresa a corto plazo. La curva de oferta de la empresa a corto plazo

La curva de oferta muestra la cantidad que los productores desean producir y ofrecer en venta a los distintos precios alternativos del producto. Cuando se habla de oferta nos referimos a la totalidad de la curva que indica lo que se ofrecerá por cada precio *(Figura 14)*.

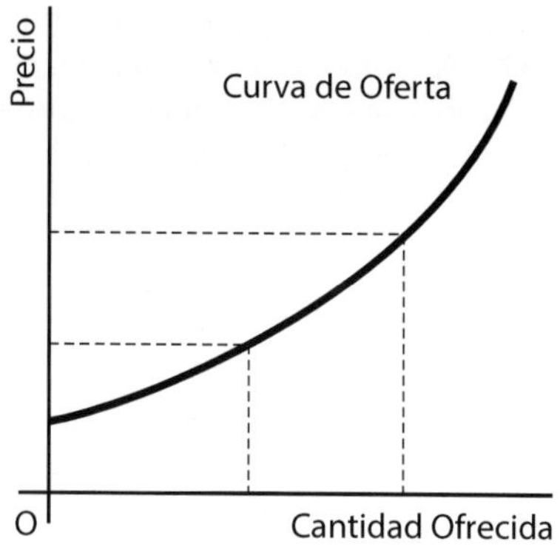

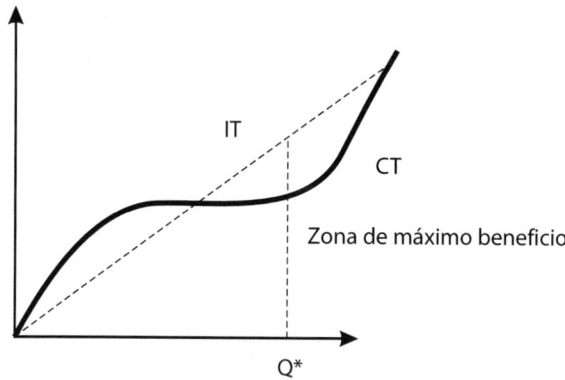

Figura 14

El corto plazo es aquel en el que existe un factor de producción fijo (generalmente el tamaño de la fábrica o planta). Por lo tanto, a corto plazo el número de empresas que forman la industria (el conjunto de productores oferentes) es fijo porque la introducción de una nueva empresa implicaría construir una nueva planta y el período de tiempo para hacerlo no es lo suficientemente largo.

Las empresas operan con el objetivo de maximizar los beneficios, es decir, hacer que la diferencia entre su ingreso total y su coste total sea máxima (suponiendo que el ingreso total sea mayor que el ingreso total). Cuando esto sucede decimos que la empresa está en equilibrio a corto plazo.

Figura 15

En la figura 15, en la zona de máximo beneficio (en Q*), la tangente de la curva de coste total (CT) es paralela a la curva de ingreso total (IT), por lo tanto, las pendientes de las curvas de IT y CT son iguales en ese punto. La pendiente de la curva de costes totales se denomina coste marginal (CMg). El ingreso marginal (IMg), que se define como la variación en el ingreso total cuando varía en una unidad la producción, es la pendiente de la curva de ingreso total. Por lo tanto, en Q*, IMg = CMg, y además se cumple que el CMg es ascendente. Esto se representa en la figura 16.

En esta figura se representa de manera esquemática cómo al igualarse en el mercado de competencia perfecta la oferta y la demanda (de mercado o de la industria) se alcanza un precio y una cantidad de equilibrio, Pe y Qe, respectivamente (gráfica de la izquierda) y cómo ante ese precio de equilibrio dado (la empresa es "precio-aceptante"), la empresa en competencia perfecta maximiza su beneficio, dada su estructura de costes a corto plazo (gráfica de la derecha), cuando CMg = IMg. Vemos además que en esta gráfica Pe = IMg = IMe (ingreso medio). Además, esta magnitud es también la curva de demanda (d) con la que se enfrenta la empresa, puesto que como ya hemos señalado, es "precio-aceptante", puesto que acepta el precio que se formó en el mercado, dado que no puede elevarlo por ser demasiado pequeña con relación a la dimensión del mercado. Si elevase el precio, sus clientes se irían a otro vendedor, puesto que podrían obtener un producto idéntico de cualquier otro de los competidores en la industria. Si la empresa bajase el precio, no le serviría de nada pues no vendería más que su producción, pero vería reducirse los beneficios que estuviese realizando.

En resumen, a corto plazo, la empresa igualará el CMg y el IMg, siempre que el coste marginal sea ascendente y se cubran los costes variables (CMeV). Además, podemos añadir que en competencia perfecta o competencia pura, Pe = IMa. Por ello, la fórmula puede escribirse CMa = Pe, pero esto solo será verdad en competencia perfecta.

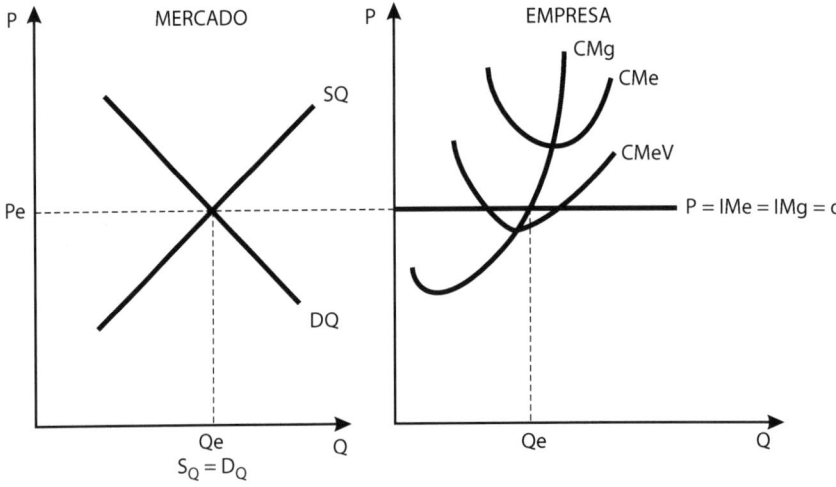

Figura 16. Equilibrio en el mercado – equilibrio en la empresa

Analíticamente también podemos obtener la curva de oferta:

Partimos de las siguientes condiciones: el objetivo de la empresa es la obtención del máximo beneficio y en el mercado los precios de los factores productivos y de los productos están dados. Por lo tanto, los ingresos y los costes de producción dependerán únicamente de la cantidad elaborada (Q).

Así tendremos:

$B(Q) = I(Q) - CT(Q)$,

Donde B son los beneficios, I los ingresos y CT los costes totales.

A la empresa le interesa maximizar los beneficios, para lo cual, la primera derivada debe ser cero:

$B'(Q) = I'(Q) - CT'(Q) = 0$, siendo B' la derivada de B, I' la de I y CT' la de CT.

Partiendo de la expresión anterior, podemos escribir: I´(Q) = C´(Q), es decir:

$$IMg = CMg$$

En la hipótesis que estamos estudiando, en la que el precio es independiente de la actuación de la empresa, sucede que podemos expresar el ingreso total de la siguiente manera:

$$I(Q) = PQ$$

Siendo P el precio del bien Q y Q la cantidad de producto.

El ingreso marginal será la primera derivada del ingreso total:

$$I´ = P$$

Y por lo tanto, la condición de primer orden para la maximización del beneficio será:

$$C´ = I´ = P$$

Es decir, la empresa maximizará los beneficios para aquel volumen de producción para el cual el coste marginal es igual al precio del producto.

No obstante, no nos basta con la primera condición enunciada (primera derivada igual a cero). Para que el beneficio se encuentre en un máximo, es necesario que la segunda derivada sea menor que cero, es decir:

$$B´´(Q) = I´´(Q) – CT´´(Q) < 0$$

Pero I´´(Q) = 0, ya que I´(Q) = P, y la derivada de una constante es cero.

Por consiguiente, la condición se cumplirá siempre que CT´´(Q) > 0, lo cual ocurrirá en la parte creciente de la curva de costes marginales.

Y esto último es muy importante, ya que por eso mismo, la curva de oferta a corto plazo de la empresa será precisamente la de costes marginales. Pero no toda la curva de costes marginales será curva de oferta. Antes del mínimo de la curva de costes medios variables (CMeV), la empresa no llega a cubrir estos, por lo que no le interesará producir por debajo de ese volumen.

En el punto que estamos describiendo, la empresa cubre exactamente los costes medios variables, aunque obtendrá una pérdida igual a los costes fijos. Sin embargo, esta pérdida también se daría aunque no produjese nada. Por ello, es a partir del mínimo de los costes medios variables donde empieza la curva de oferta de la empresa. A ese punto también se le conoce como **mínimo de explotación**.

5.3.2. La curva de oferta de la industria o mercado a corto plazo

En una industria o mercado, cada una de las empresas que la componen tendrá su curva de oferta individual a corto plazo, que como ya hemos señalado en el epígrafe anterior, es la curva de costes marginales a partir del mínimo de la curva de costes medios variables. La curva de oferta del mercado la obtendremos sumando horizontalmente las curvas de oferta individuales de cada una de las empresas que componen el mercado para un mismo precio. La curva de oferta del mercado se iniciará en el mínimo de explotación de la empresa que lo tenga más pequeño y tendrá forma discontinua si el número de empresas que componen el mercado es escaso. Lo normal es que el número de empresas sea bastante grande porque en competencia perfecta los oferentes son muy numerosos y por lo tanto podremos considerar que la curva de oferta de la industria tendrá forma continua.

La curva de oferta del mercado indica a corto plazo el volumen de producción que estará dispuesta la industria a lanzar al mercado para un determinado precio del producto.

5.4. La curva de demanda

Ante las variaciones en el precio de un bien podemos establecer dos funciones de demanda: la demanda-precio, que relaciona las variaciones que experimenta la cantidad demandada de un bien cuando varía su precio; y la demanda-precio cruzada, que recoge la alteración en la cantidad demandada de un bien cuando se modifica el precio de otro bien.

En este apartadovamos a ocuparnos de la demanda-precio, o simplemente demanda y describiremos la curva de demanda.

La curva demanda-precio relaciona la cantidad demandada de un bien en función de su precio. Es la curva de demanda más común, motivo por el que generalmente se suele conocer como curva de demanda. La representamos en la figura 17:

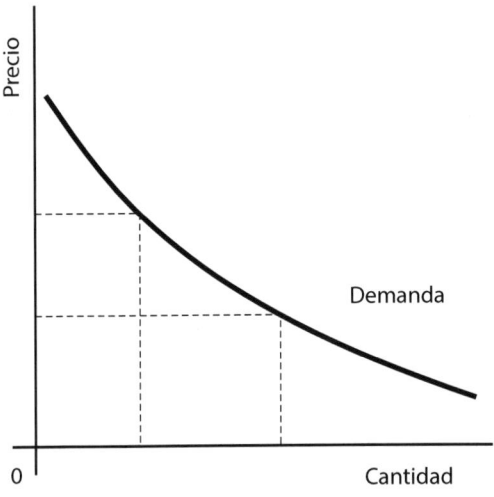

Figura 17

Podríamos definir la curva de demanda como el lugar geométrico de los puntos que representan el máximo ritmo de compra a un determinado precio, *ceteris paribus*. Por lo tanto, la curva de demanda no es más que una línea fronteriza: todo lo que esté por debajo de la curva será posible y nada de lo que esté por encima de la línea será posible. Así la curva de demanda es una frontera de condiciones. La curva de demanda muestra los precios máximos que serán pagados por cada una de las cantidades y por unidad de tiempo. Una persona no pagará más, pero puede ser inducido a pagar menos por cada una de las diversas cantidades. También, para simplificar, supondremos que la curva de demanda es continua.

En términos generales, la curva demanda-precio tiene pendiente negativa para todos los bienes, a excepción de los bienes *giffen* que tienen una curva de demanda-precio con pendiente positiva. Estos bienes *giffen* son una clase especial de bienes inferiores.

La curva de demanda tiene tres propiedades muy importantes: la primera es que el nivel de utilidad que puede alcanzar el consumidor varía a medida que nos desplazamos a lo largo de la curva. Cuanto más bajo es el precio del producto, más alto es el nivel de utilidad (ya que alcanzaremos una curva de indiferencia más alta). Esto se debe, evidentemente, a que cuando se incrementa el precio de un producto disminuye la capacidad adquisitiva del consumidor.

La segunda propiedad es que en todos los puntos de la curva de demanda el consumidor maximiza la utilidad, con lo que se va a satisfacer en todos los puntos la condición de equilibrio del consumidor: RMS=Px/Py, siendo RMS, relación marginal de sustitución, Px, precio del bien X y Py, precio del bien Y. El hecho de que varíe la relación marginal de sustitución a lo largo de la curva de demanda del individuo tiene un significado económico claro: el valor que concede al consumo del bien X cuando este es escaso es muy superior al que le otorga si dispone del bien X abundantemente.

Por último, la curva de demanda tendrá pendiente negativa para los bienes normales e inferiores (no giffen). Únicamente a los bienes giffen les corresponde una curva de demanda con pendiente positiva, ya que en estos es más fuerte el efecto renta que el efecto sustitución.

Sabemos que la cantidad demandada de X varía si cambia nuestra renta, el precio del propio bien o el precio de bienes relacionados. La sensibilidad de la cantidad demandada de un bien ante variaciones en alguno de los factores de los que depende se denomina elasticidad.

Nos vamos a detener en la elasticidad demanda-precio.

La elasticidad demanda-precio es la variación porcentual que experimenta la demanda de un bien cuando su precio varía en un 1%.

Analíticamente, la expresamos así:

$$E_{Q-P} = (\delta Q / \delta P)(P/Q)$$

Siendo $\delta Q / \delta P$, la derivada de la función de demanda respecto al precio; P, el precio y Q la cantidad demandada.

Esta fórmula es válida para funciones continuas y para variaciones pequeñas en el precio. Cuando la variación del precio es considerable, es más apropiada la elasticidad arco:

$$E_{Q-P} = [(Q_1-Q_0)/(Q_1+Q_0)] * [(P_1-P_0)/(P_1+P_0)].$$

También, si en vez de derivadas utilizamos incrementos (variaciones), expresamos la elasticidad así:

$$E_{Q-P} = \frac{\Delta Q \cdot P}{\Delta P \cdot Q}$$

La elasticidad precio-demanda para bienes normales e inferiores no giffen siempre es negativa (para los giffen será positiva), es decir, que, por ejemplo, al aumentar el precio en un uno por ciento, la demanda del bien Q, disminuirá en un determinado porcentaje. No obstante, existe la convención general de expresar la elasticidad en valores absolutos, sin el signo negativo (entre dos barras verticales, | |).

Salvo en tres casos concretos (cuando la curva de demanda es una recta vertical, cuando la curva de demanda es una recta horizontal y cuando la curva de demanda es una hipérbola equilátera), la elasticidad demanda-precio va variando en cada punto de la curva de demanda.

Se nos pueden presentar cinco casos en función de los valores que tome la elasticidad precio-demanda en valores absolutos:

– $|E_{Q-P}| > 1$ (elasticidad mayor que uno). Se dice que la curva de demanda es elástica. Ante un aumento del precio, la cantidad demandada disminuye más que proporcionalmente.

– $|E_{Q-P}| = 1$ (elasticidad igual a uno). Se dice que la curva de demanda tiene elasticidad unitaria. Ante una variación del precio, la cantidad demandada aumenta en la misma proporción. Como ya señalamos una curva de demanda con forma de hipérbola equilátera, tiene elasticidad unitaria en todos sus puntos.

- | E_{Q-P} | < 1 (elasticidad menor que uno). La curva de demanda es inelástica. Gráficamente, cuanto mayor sea la pendiente de una curva, más inelástica será, y viceversa. Ante un aumento del precio, la cantidad demandada disminuye menos que proporcionalmente.

- | E_{Q-P} | = 0 (elasticidad igual a cero). Ante una variación de los precios, la cantidad demandada no varía. La función de demanda es vertical.

- | E_{Q-P} | = ∞ (elasticidad igual a infinito). La curva de demanda es horizontal. Implica que existe un precio dado al que el demandante puede adquirir todas las unidades que desee, no existiendo demanda para otros precios.

5.5. Desplazamientos en las curvas de oferta y demanda

5.5.1. Desplazamientos de la curva de oferta

Recordemos que la oferta de un bien es función del precio de ese bien, de los precios de los demás bienes, de los precios de los factores productivos, de la tecnología y de los gustos de los productores y que de forma analítica expresábamos la función de oferta de esta manera:

$$S_Q = f\,(p_Q,\, p_A,\, p_B,\, p_C \ldots,\, F_1,\, F_2,\, F_3 \ldots,\, G,\, T)$$

donde S_Q era la oferta del bien Q; p_Q el precio del bien Q, p_A, p_B, $p_C \ldots$ los precios de los demás bienes; F_1, F_2, $F_3 \ldots$ los precios de los factores productivos; G, los gustos de los productores; y T el estado de la tecnología.

Además, para establecer una teoría sobre la oferta, solo estudiábamos cómo variaba la oferta de un bien al cambiar únicamente su precio, permaneciendo constantes el resto de las variables mencionadas. Esto lo expresábamos con las palabras *ceteris paribus* (a igualdad de las demás circunstancias).

Pues bien, ahora vamos a distinguir entre lo que son *cambios en la cantidad ofrecida*, que son los movimientos a lo largo de una curva de oferta dada, generados por la relación entre la cantidad ofrecida de un bien y su precio [($S_Q = f\,(p_Q)$] de lo que son los *desplazamientos de la curva de oferta*.

Un desplazamiento de toda la curva de oferta es el resultado del cambio de algún factor distinto del precio del bien y se le denomina cambio de la oferta. Es decir, cuando, permaneciendo el precio del bien constante, varían el precio de los demás bienes o los precios de los factores productivos o los gustos de los productores o el estado de la tecnología, la curva de oferta se desplazará hacia arriba o hacia abajo, en función del aumento o disminución de los factores comentados.

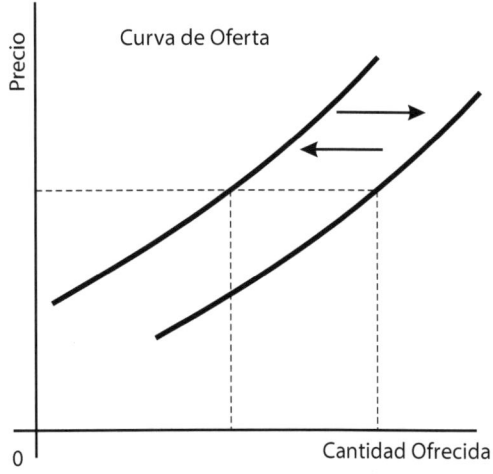

Figura 18

Así, por ejemplo, si aumenta el precio de los factores productivos, la curva de oferta se desplazará hacia arriba y a la izquierda, reduciéndose esta. Respecto de la tecnología, una mejora en la técnica de producción puede implicar una disminución en los costos lo cual incentivará la producción.

5.5.2. Desplazamientos de la curva de demanda

De forma similar a lo expuesto para la curva de oferta, recordemos que la ley de la demanda la formulábamos en estos términos: la cantidad que se desea adquirir por unidad de tiempo de un bien será tanto mayor cuanto menor sea el precio de ese bien, *ceteris paribus* (a igualdad de las demás circunstancias).

También aparece en este enunciado *ceteris paribus*, que significa, como ya vimos "a igualdad de las demás circunstancias". ¿Cuáles eran esas otras circunstancias en este caso? Recordemos: el precio de los demás bienes, la renta, riqueza o nivel de ingresos del consumidor y por último los gustos del consumidor.

De esta manera, expresábamos la función de demanda así:

$$D_Q = f (p_{Q'} \, p_{A'} \, p_{B'} \, p_C \ldots R, G)$$

Donde D_Q era la demanda del bien Q; $p_{Q'}$ el precio del bien Q, $p_{A'} \, p_{B'} \, p_C \ldots$ los precios de los demás bienes; R, la renta y G los gustos de los consumidores.

Pues bien, un cambio en esas condiciones *ceteris paribus* es el que hace que la curva de demanda se desplace hacia arriba y hacia la derecha (aumentando) o hacia abajo y la izquierda (disminuyendo). Por ejemplo, si crece la renta de los consumidores, la demanda estará aumentando, lo que provocará el desplazamiento hacia la derecha de la curva de demanda ya que a igual precio la cantidad demandada será mayor. Por el contrario, si la renta de los consumidores decrece, la demanda disminuirá y la curva de demanda se desplazará hacia la izquierda.

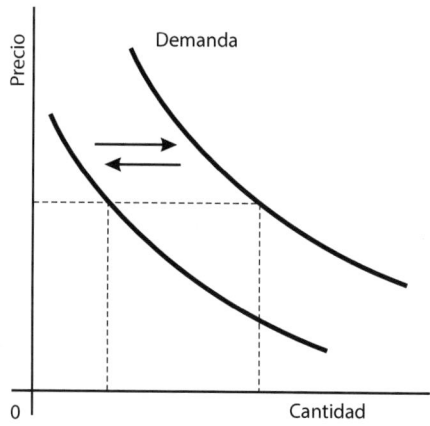

Figura 19

De igual forma la curva se desplazará hacia la derecha si la demanda aumenta por un cambio positivo en los gustos o la moda o por que aumenten los precios de los productos que lo pueden sustituir.

Por el contrario, el abaratamiento del precio del producto no produce desplazamiento de la curva ya que la curva está indicando precisamente las cantidades demandadas a cualquier precio. Si los factores citados son constantes, entonces la curva de demanda no se moverá y podremos medir exactamente el efecto de las variaciones en los precios sobre las cantidades demandadas, que se representarán mediante movimientos a lo largo de la curva.

6. Equilibrio y desequilibrio del mercado

Se dice que el mercado está en equilibrio cuando todo lo que se desea vender se vende y todo lo que se desea comprar se compra.

En otras palabras: el mercado está en equilibrio cuando la oferta y la demanda se igualan para un precio. A cualquier otro precio no existe esa igualdad entre la oferta y la demanda.

Gráficamente se expone en la figura 20:

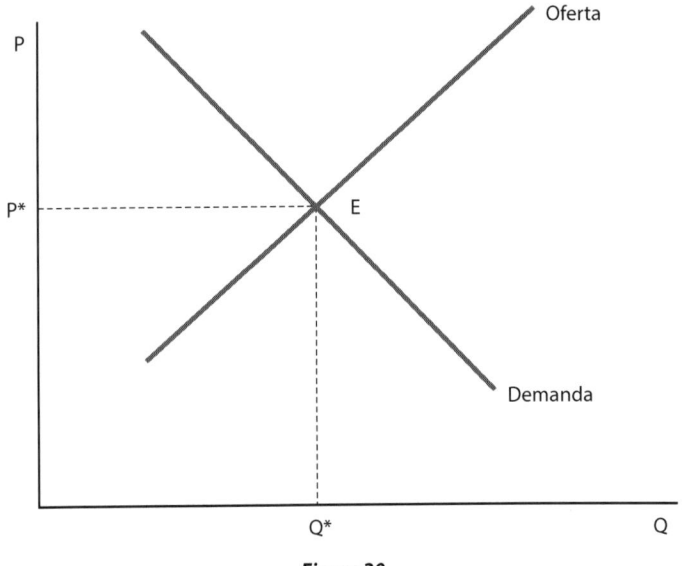

Figura 20

Como podemos apreciar en la figura 20, existe un precio P* al que los compradores desean comprar una cantidad Q* y los vendedores desean vender esa misma cantidad Q*. El punto (P*, Q*) viene determinado por la intersección de las curvas de demanda y de oferta.

Si quisiéramos calcular de manera analítica el equilibrio de un mercado deberíamos igualar las ecuaciones de las curvas de demanda y de oferta y despejar las variables precio y cantidad.

Rara vez un mercado se encuentra en equilibrio. En la realidad, los mercados no son perfectos ya que aparecen muchas distorsiones que hacen que los compradores y vendedores no posean la misma información (ni en tipo ni en calidad). También aparecen costes de transporte o traslado y otros tipos de imperfecciones que hacen que tanto demanda como oferta no sean completamente flexibles. En ocasiones, la oferta o la demanda puede tardar años en responder a un estímulo.

Algunos mercados se acercan al concepto de "mercado perfecto". Como ejemplo característico podríamos citar al mercado de valores (es posible la información en tiempo real, los participantes pueden tomar decisiones en segundos, es posible operar desde cualquier punto del planeta y la transparencia es una de sus máximas). Otros mercados son claramente imperfectos (como por ejemplo, el mercado de automóviles de segunda mano, donde la información que posee el vendedor es muy diferente de la del comprador).

En los mercados "casi perfectos" podríamos ver algo parecido a un equilibrio si fuésemos capaces de detener el tiempo. Es más, lo que en realidad observamos es una secuencia infinita de equilibrios.

Por contra, en los mercados imperfectos es muy habitual observar desequilibrios continuos que evolucionan hacia procesos de ajuste que vuelven a generar nuevos desequilibrios. Parece que estos mercados nunca conseguirán un equilibrio estable.

¿Qué tipo de desequilibrios podemos observar?

Estudiaremos dos tipos, exceso de demanda y exceso de oferta.

Exceso de demanda: se produce un exceso de demanda cuando, para un precio determinado "P_1", la cantidad demandada es mayor que la cantidad ofertada (Qd>Qo).

La causa la encontramos en que se establece un precio por debajo del precio de equilibrio.

En este caso los consumidores demandarán más productos que los ofrecidos por las empresas y se producirá una escasez de productos. Las empresas, al comprobar el exceso de demanda, subirán los precios, de tal manera que se irán ajustando las cantidades demandadas y las ofertadas hasta llegar nuevamente al equilibrio inicial.

Exceso de oferta: se produce un exceso de oferta cuando, para un precio determinado "P_1", la cantidad ofertada por las empresas supera a la cantidad demandada por los consumidores (Qo>Qd).

La causa radica en que se establece un precio por encima del precio de equilibrio. Entonces, las empresas no venden todos sus productos y por tanto se produce un excedente de productos. Las empresas, para dar salida a sus productos, bajarán los precios, comenzando así un proceso de ajuste de las cantidades ofertadas y demandadas hasta llegar al nivel de equilibrio.

En la figura 21, se muestra, a la izquierda un exceso de oferta y a la derecha, un exceso de demanda.

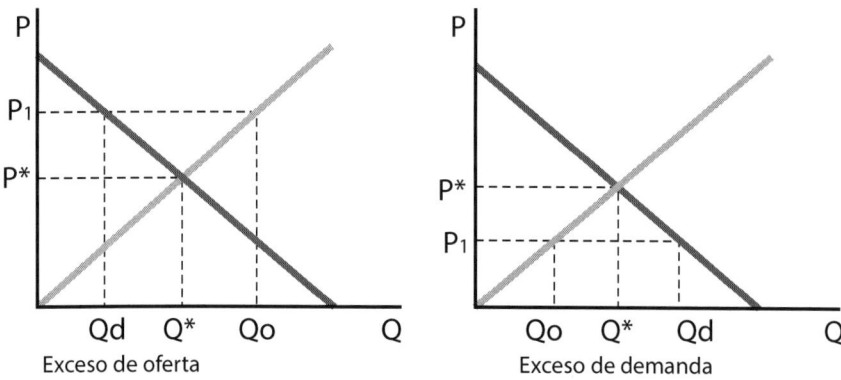

Figura 21

En el gráfico de la izquierda se produce un exceso de oferta para el precio "P_1" (se puede comprobar cómo a ese precio, la cantidad demandada es inferior a la cantidad ofertada). En el gráfico de la derecha, se produce un exceso de demanda para el precio "P_1" (se comprueba cómo para ese precio la cantidad demandada es superior a la ofertada).

¿Es posible recuperar el equilibrio a partir de un desequilibrio? ¿De qué forma?

Si el mercado presenta un exceso de oferta los vendedores se darán cuenta de que no pueden vender todo lo que desean a ese precio. Por tanto, bajarán el precio al cual están dispuestos a vender hasta que el exceso de oferta quede anulado.

Si el mercado presenta un exceso de demanda los vendedores se darán cuenta de que puede haber personas que estarían dispuestas a pagar más por sus artículos. Por tanto, elevarán sus precios de venta hasta que el exceso de demanda se haya anulado.

Hasta ahora no hemos tenido en cuenta el tiempo. Un caso especial es el mercado de bienes agrícolas. Para este tipo de bienes, el tiempo es importante, pues normalmente el agricultor ha de decidir qué cantidad sembrará (que recogerá una temporada más adelante) teniendo en cuenta los precios de la temporada que acaba de terminar.

En este caso, la oferta está desfasada un período mientras que no ocurre así para la demanda.

Una posible consecuencia de este comportamiento es que puede producirse un proceso de ajuste que nos lleve al equilibrio a lo largo del tiempo. Este proceso es conocido como **"teorema de la telaraña".** La gráfica de la figura 22 muestra todo el proceso:

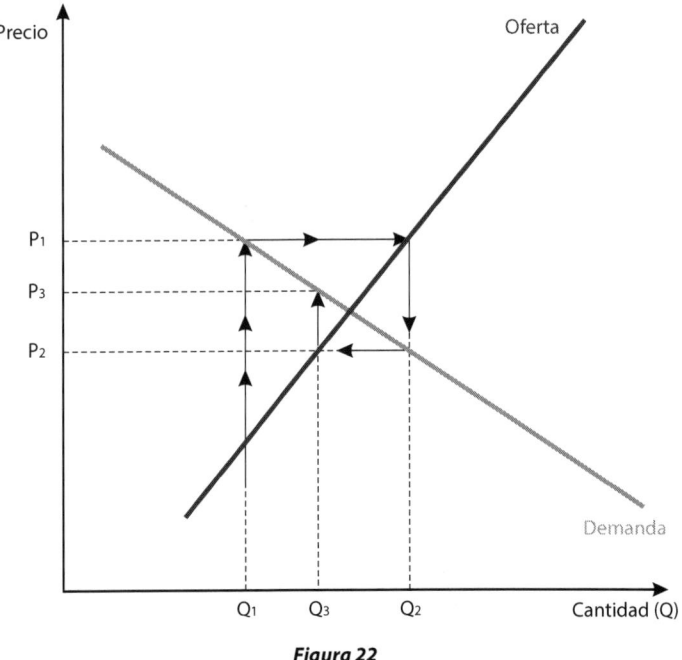

Figura 22

Supongamos que, inicialmente, existe una cantidad inicial dada en un mercado agrícola (Q_1). Ese año, debido a la escasez, el precio que satisfará la demanda será alto (P_1).

Como esta temporada el precio ha sido muy alto, el agricultor planificará una cosecha abundante (Q_2).

Llegado el tiempo de la cosecha, ahora habrá demasiada cantidad en el mercado y los precios caerán (P_2). La temporada termina con los precios muy bajos.

Debido a esos precios, el agricultor planifica ahora una producción menor (Q_3).

Llegado el tiempo de cosecha, existirá escasez en el mercado y los precios volverán a elevarse (P_3).

Hemos supuesto un proceso de ajuste convergente (terminará en equilibrio).

Si bien este esquema parece válido, en la realidad existen multitud de perturbaciones que hacen que el equilibrio esté continuamente desplazándose, haciendo que este proceso se prolongue indefinidamente.

TEMA 26

El mercado: Concepto y clases.
Mercados de libre concurrencia
y monopolísticos. Formación del
precio. Análisis de otros mercados:
La competencia monopolística y el
oligopolio

MAD360

Estudiar siempre en el mismo lugar y con el mismo horario potencia tu concentración, pero si necesitas un respiro de tu opozulo estaremos siempre contigo
en tu **móvil**.

Índice

1. El mercado: concepto y clases

1.1. Concepto

Por mercado, no entendemos un lugar determinado, sino que el concepto se utiliza para referirse a cualquier situación en la que se realicen intercambios. Es decir, en el mercado se encuentran los oferentes y demandantes de un mismo producto.

1.2. Clasificación

Podemos clasificar los mercados en función de:

a) El número de participantes

Esta es una circunstancia fundamental para establecer la influencia que tienen los agentes económicos sobre el precio y la cantidad intercambiada. En los mercados donde la participación es elevada existe mayor competencia y por tanto la posibilidad de que el precio o la cantidad demandada se vean alterados por la actuación de alguno o algunos intervinientes es reducida. Stackelberg hizo la siguiente clasificación:

Oferentes	Demandantes		
	MUCHOS	**POCOS**	**UNO**
MUCHOS	Concurrencia perfecta	Oligopolio de demanda (Oligopsonio)	Monopolio de demanda (monopsonio)
POCOS	Oligopolio de oferta	Oligopolio bilateral	Monopolio limitado de demanda
UNO	Monopolio	Monopolio limitado a la oferta	Monopolio bilateral

En otra versión de la clasificación establecida por Stackelberg, elabora el siguiente cuadro:

CARACTERÍSTICAS	COMPETENCIA PERFECTA	MONOPOLIO	COMPETENCIA MONOPÓLICA	OLIGOPOLIO
1. EN CUANTO AL NÚMERO DE EMPRESAS	Muy grande	Solo hay una empresa	Gran número de empresas	Pequeño número de empresas
2. EN CUANTO AL PRODUCTO	Homogéneo	No existen sustitutos cercanos	Diferenciado	Puede ser homogéneo o diferenciado
3. EN CUANTO A LAS CONDICIONES DE INGRESO A LA INDUSTRIA	No existen obstáculos	El ingreso es imposible. La oferta del monopolista es igual a la demanda del mercado.	La entrada a la industria es relativamente libre y fácil	Existen considerables obstáculos

4. EN CUANTO AL CONTROL DE LAS EMPRESAS SOBRE LOS PRECIOS	No hay posibilidad de manejo por parte de las empresas. Los precios se establecen por las fuerzas del mercado	Importante, sobre todo cuando no existen intervenciones restrictivas o leyes antimonopolios	Existen posibilidades, pero limitadas	Limitado por la interdependencia. Se amplía el grado control de precios mediante la colusión entre empresas.

b) Por las características del bien producido

En este caso se tiene en cuenta si el bien que se intercambia tiene las mismas características. Esto es, si es un producto estandarizado siendo imposible su diferenciación.

c) El precio de los bienes

En esta clasificación se atiende a si para un mismo bien existe un único precio o varios. Existen casos en los que los productores pueden vender el mismo producto con precios distintos a grupos de consumidores diferenciados, situación que se produce en los monopolios con la denominada "diferenciación de precios".

d) La capacidad de influencia sobre los precios

De esta manera los mercados se clasifican en función de la capacidad que poseen los agentes que intervienen en ellos para alterar o influir en el precio. Cuando los participantes consideran el precio independiente de su actuación, como un dato (el precio les viene dado), los mercados son de competencia perfecta y sus participantes son precio-aceptantes, mientras que, si estos pueden alterarlo el mercado se denomina competencia imperfecta.

e) La regulación del mercado

Si no existe intervención pública y los consumidores y oferentes pueden relacionarse sin que nadie lo impida, el mercado será libre. Por el contrario, si las autoridades públicas regulan la actividad fijando precios máximos o mínimos, determinando cupos o cuotas diremos que el mercado está regulado o intervenido.

2. Mercados de libre concurrencia y monopolísticos

2.1. Mercados de libre concurrencia (competencia perfecta)

En el primer apartado del tema ya vimos cómo los mercados pueden clasificarse en función de:

a) El número de participantes.

b) Por las características del bien producido.

c) El precio de los bienes.

d) La capacidad de influencia sobre los precios.

e) La regulación del mercado.

Respecto del punto a) ya ofrecimos el cuadro de Stackelberg y nos remitimos a él.

En cuanto a las **características de los bienes producidos**, letra b), este elemento nos lleva a considerar el caso en que las propiedades del producto se encuentran perfectamente definidas y caracterizadas, de modo que no se establezcan diferencias por grados o calidades. En este supuesto, el mercado posee la propiedad de la uniformidad, rige el principio de la indiferencia de la mercancía y se califica como perfecto frente a imperfecto.

Por lo que respecta al **precio de los bienes**, letra c), puede suceder que la estructura del mercado permita que todos los compradores y vendedores conozcan las propuestas respectivas de manera que cada grupo pueda elegir la más favorable. Se formará entonces un precio único para todas las transacciones del bien de que se trate. Se dice entonces que este mercado es transparente y en él rige el principio de unicidad de precio. En caso contrario se dice que el mercado tiene fricciones o rozamientos.

En cuanto a los **elementos personales**, letra d), puede ocurrir que cada sujeto considere el precio como independiente de su actuación, y formado por la actuación conjunta de todas las fuerzas que confluyan en el mercado. En este caso, el mercado tiene la propiedad de la independencia, rige el principio de la independencia del precio y el mercado se califica como normal. En caso contrario será forzado.

Finalmente, si atendemos a la **regulación del mercado**, letra e), puede ocurrir que exista libertad, de tal forma que el mercado sea autónomo y el precio se fije espontáneamente por el juego de la oferta y la demanda. En este caso el mercado tiene la propiedad de la autonomía, rige el principio de libertad de cambio y se califica como mercado libre. En caso contrario se habla de mercado regulado o intervenido.

De acuerdo con lo dicho hasta ahora, podemos señalar cuatro tipos de mercados:

- Competencia perfecta.
- Monopolio.
- Oligopolio.
- Competencia monopolística.

El mercado de competencia perfecta o de libre concurrencia es perfecto, transparente, normal y libre.

Existe un mercado de competencia perfecta cuando, tanto por parte de la oferta como de la demanda no se alteran las condiciones del mercado a través del comportamiento de uno de los compradores o vendedores. Se deben cumplir las siguientes condiciones por parte de la oferta:

- Elevado número de empresas vendedoras que ofrecen cada una un volumen de oferta reducido.
- Independencia del precio para la empresa aislada, que pueda vender toda la cantidad de que disponga al precio del mercado en cada momento y producto totalmente homogéneo.
- Acceso al mercado sin restricciones.

Lo dicho para la oferta se aplica también para la parte de la demanda.

En conclusión, para que exista un mercado de competencia perfecta, el precio no puede ser alterado ni por compradores ni por vendedores; deben aceptarlo como un dato.

El equilibrio en el mercado de competencia perfecta

El productor en competencia perfecta, aunque la curva de demanda del mercado tiene pendiente negativa, no se enfrenta a esta demanda. La curva de demanda a la que se enfrenta un productor en competencia perfecta es totalmente horizontal, es decir, es perfectamente elástica: ante una mínima variación en el precio respecto al de mercado la cantidad demandada por el consumidor se modificaría considerablemente.

Lo dicho se representa en la figura 1.

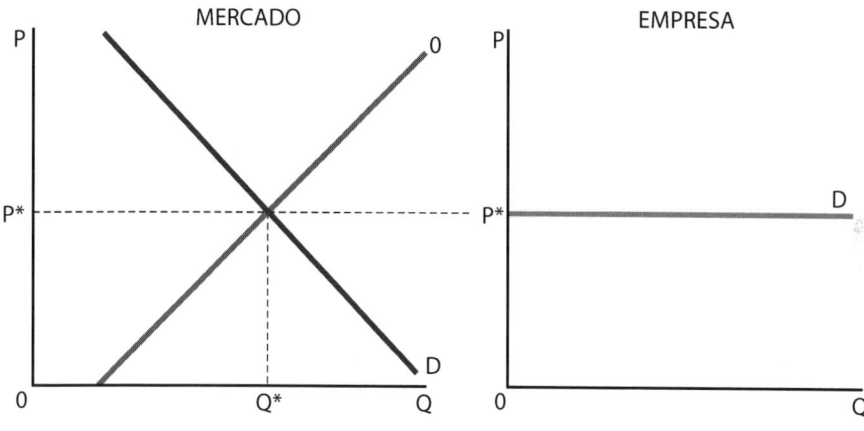

Figura 1

El precio de equilibrio P* se ha fijado en el **mercado** de competencia perfecta (al haberse igualado la oferta O y la demanda D del producto Q que se comercializa en ese mercado) y este precio es un dato, una constante, a la que se enfrenta cualquier **empresa** que actúe en ese mercado.

En competencia perfecta el precio se fija en el mercado. Será un dato para la empresa, la cual fijará la cantidad adecuada para intentar maximizar su beneficio.

El ingreso total (IT) de un productor que opere en el mercado de competencia perfecta (precio-aceptante) es igual al producto de la cantidad que vende (Q) por el precio de mercado (P). Al ser el precio independiente de la cantidad vendida, el ingreso marginal (IMg), que es la derivada del ingreso total, será igual al precio:

$$IT = P*Q$$

$$IMg = IT´ = P$$

Por otra parte, el ingreso medio (IMe) resulta de dividir el ingreso total entre la producción vendida y, por tanto, igual al precio:

$$IMe = IT/Q$$

Con ello, y solo en mercados de competencia perfecta, se cumple que:

$$\textbf{IMg = IMe = P = d}$$

siendo "d" la curva de demanda a la que se enfrenta la empresa que ya hemos comentado anteriormente que es una línea horizontal.

Para maximizar el beneficio en competencia perfecta partimos de la expresión del beneficio, que será la diferencia entre los ingresos totales (precio por cantidad producida, P*Q) y los costes totales (que también serán una función de la cantidad producida, CT = f (Q))

$$B = IT - CT$$

El productor en competencia perfecta pretende que su beneficio (B) sea máximo. Para hallar el máximo de la función de beneficio primero calcularemos la derivada de dicha función y la igualaremos a cero. Si la segunda derivada de la función de beneficio en ese punto es menor que cero, el beneficio será máximo:

1.ª derivada: B´= I´ - CT´ = 0

I´ es la derivada del ingreso total (IT). La derivada del ingreso total es el Ingreso marginal (IMg). En competencia perfecta, al ser el precio un dato, al venirle dado a la empresa, recordemos que el IMg = P

CT´ es la derivada del coste total (CT). La derivada del coste total es el coste marginal (CMg).

La expresión de arriba podemos reescribirla así:

$$IMg - CMg = 0$$

Y de ahí: IMg = CMg.

2.ª derivada: B´´ < 0

Hemos aplicado dos condiciones, de primer y de segundo orden.

Con la condición de primer orden nos aseguramos de encontrarnos en un máximo o un mínimo de la función de beneficio. Geométricamente será el lugar donde las pendientes de las curvas de coste total e ingreso total sean iguales y la pendiente de la función de beneficio sea igual a cero.

Con la condición de segundo orden comprobamos si estamos en presencia de un mínimo o de un máximo. Al ser menor que cero, significa que la pendiente de la curva de coste marginal es mayor que la pendiente de la curva del ingreso marginal, garantizando así que estamos en el punto de máximo beneficio.

Es imprescindible que se den las dos condiciones, ya que el ingreso marginal y el coste marginal pueden igualarse para un volumen de producción que no sea el de máximo beneficio, sino de mínimo beneficio.

Además hemos de pensar que si la empresa, dada su estructura de costes, no está obteniendo beneficios en la situación de equilibrio, sino pérdidas, estas serán las mínimas. Es decir, en equilibrio la empresa maximiza su beneficio o minimiza sus pérdidas. Por lo tanto, en todo caso, la producción de equilibrio es la producción que asegura la mejor situación posible al empresario; ya sea de máximo de beneficios o de mínimo de pérdidas.

Definamos la **condición de cierre** de la empresa:

La empresa tiene que cerrar cuando no producir sea más ventajoso que producir. En el corto plazo una empresa soporta costes fijos y variables. Los costes variables lo son en función del volumen de producción de la empresa. Por ello una empresa, produzca o no, incurrirá en unos costes fijos. Por tanto, la condición de cierre de una empresa es que no cubra los costes variables. Esta situación solo podrá mantenerla la empresa durante un corto plazo de tiempo, en la esperanza de poder generar ingresos suficientes más adelante para cubrir tanto los CF como los CV.

Vamos a estudiar distintas situaciones en las que puede encontrarse una empresa en competencia perfecta: con beneficio, o con pérdidas. Teniendo pérdidas, unas veces lo mejor será cerrar y otras, seguir produciendo.

Primera situación: El precio (P) se sitúa por encima de la curva de costes medios totales (CMe).

Esta empresa maximiza su beneficio con el volumen de producción Q* en el que se igualan ingreso marginal (IMg, IM en la figura 2) y coste marginal (CMg, CM en la figura 2). Para el precio de mercado P* (que está por encima del mínimo de los costes medios totales) y una producción Q* esta empresa está obteniendo beneficio. La diferencia entre ingresos totales y costes totales será el beneficio.

En el caso de que el precio coincida con el mínimo de los costes medios totales (CMe), no tendremos ni beneficios ni pérdidas. En este caso, se dice igualmente que el empresario obtiene un *beneficio normal"*. Entendemos por beneficio normal la remuneración del capital invertido que se incluye como gasto de la empresa. Por ello, es compatible la existencia del beneficio normal con la inexistencia de beneficios contables. A este punto en el que el precio coincide con los costes medios totales (P = CMe) lo llamamos **umbral de rentabilidad.**

Si el precio es mayor que el umbral de rentabilidad la empresa obtendrá beneficios extraordinarios ya que recibe ingresos que sirven para remunerar su capital y, además, generar un remanente extraordinario.

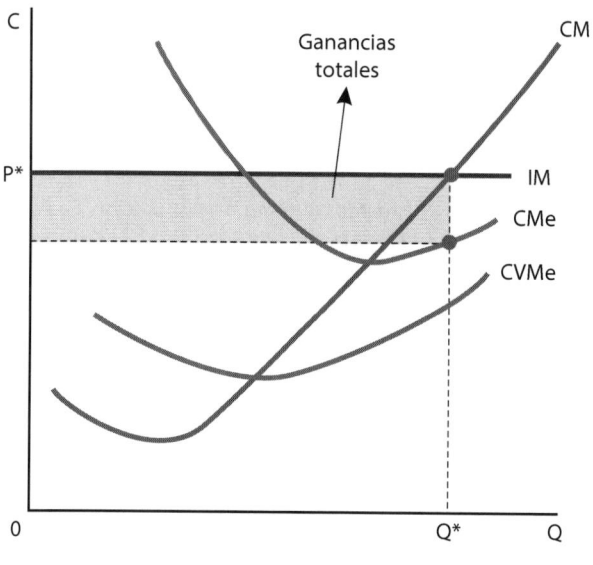

Figura 2

Segunda situación: El precio (P) se sitúa por encima de la curva de costes medios variables y por debajo de la curva de costes medios totales (CMe).

El volumen de producción con el que esta empresa maximiza beneficio para el precio de mercado existente es Q* (para esta producción IMg=CMg). Con esta producción el coste total (CT) es mayor que el ingreso total (IT). No obstante la empresa cubre los costes variables totales (CV) y parte de los costes fijos (CF), por lo que, a corto plazo, no cerrará. Si cerrase perdería el total de los costes fijos. Si no cierra, cubre parte de los costes fijos y todos los costes variables, por lo que la mejor decisión posible es no cerrar.

La figura 3 representa lo dicho arriba.

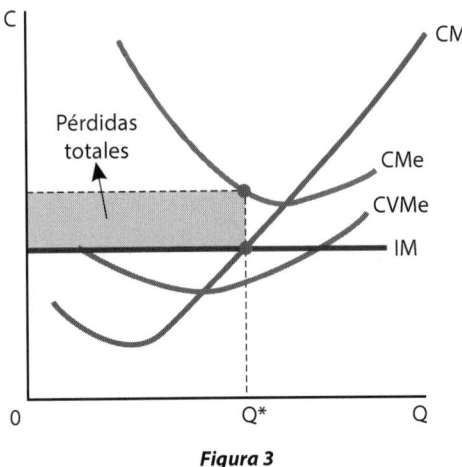

Figura 3

Tercera situación: El precio (P) se sitúa en el mínimo de la curva de costes medios variables (CVM).

Si el precio es igual al mínimo de la curva de costes medios variables (CVM), la empresa maximiza beneficio produciendo, en el ejemplo de la figura 4, un volumen igual a 7 camisas (para el que se igualan IMg=CMg). En esta situación los costes totales son superiores a los ingresos totales, y además la diferencia (CT-IT) es igual a la cuantía a la que ascienden los costes fijos. En esta situación el empresario va a incurrir en los mismos costes si cierra que si sigue produciendo, por lo tanto le da lo mismo seguir produciendo o cerrar. A este punto le llamamos **mínimo de explotación**. En definitiva, a la empresa le interesará producir siempre que el precio sea mayor que el mínimo de los costes medios variables.

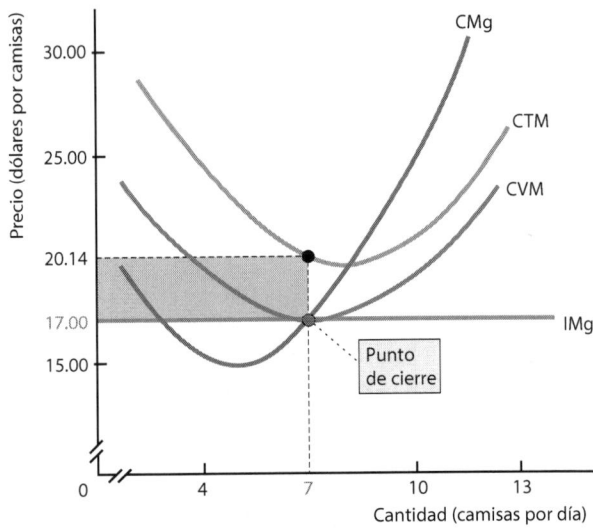

Figura 4

Resolvamos un ejercicio sobre lo explicado en este epígrafe:

La función de costes de una empresa que actúa en un mercado de competencia perfecta viene determinada por CT = 2X³ + 7X + 700. ¿A qué precio vende su producto, si el beneficio obtenido es de 3.300 um?

Solución:

Calculamos el coste marginal (CMg), que es la derivada del coste total:

$CMg = CT´ = 6X^2 + 7$

La condición de equilibrio en esta empresa es IMg = CMg.

En competencia perfecta sabemos que el precio (P) es igual al IMg por lo que podemos escribir:

P = CMg, luego

$P = 6X^2 + 7$

Por otro lado, el beneficio es:

$B = IT - CT = 3.300 = P*X - (2X^3 + 7X + 700) = (6X^2 + 7)X - (2X^3 + 7X + 700);$

$3.300 = 6X^3 + 7X - 2X^3 - 7X - 700;$

$3300 = 4X^3 - 700;$

$4000 = 4X^3;$

$1000 = X^3;$

X = 10

Y el precio será:

$P = 6*10^2 + 7 = 607$

2.2. La competencia imperfecta

Si en el primer epígrafe de esta pregunta hemos estudiado los mercados de competencia perfecta, antes de pasar al análisis de los mercados monopolísticos (el monopolio) nos referiremos a la competencia imperfecta en general.

El término "competencia imperfecta" fue acuñado por la economista inglesa Joan Robinson, en los años 30.

En términos generales, este tipo de competencia o tipo de mercado (como lo denominan diversos economistas) se caracteriza básicamente porque en él compiten desde unas cuantas hasta muchas empresas que pueden controlar en alguna medida el precio de su producto. En consecuencia, es el tipo de mercado en el que compite la gran mayoría de empresas y productos.

Por ello, resulta muy conveniente que el opositor conozca cuál es la definición de competencia imperfecta, cuáles son las características que la diferencian y cuáles son los tipos de mercados imperfectamente competitivos.

A) Definición de Competencia Imperfecta

Partiendo de las múltiples definiciones que los grandes economistas han elaborado, se puede definir, en síntesis, la competencia imperfecta de la siguiente manera: una situación del mercado en la que los vendedores o empresas que compiten en él tienen cierto control sobre el precio debido a que ofertan productos diferenciados y/o limitan el suministro. Además, en este tipo de mercado existe información incompleta del mercado y comportamiento emocional de compra, por lo que las empresas utilizan la promoción para informar, persuadir o recordar a su mercado meta las características y beneficios de sus productos. El monopolio, el oligopolio y la competencia monopolística, son los tres tipos de competencia imperfecta que existen en la actualidad.

B) Características que distinguen a la competencia imperfecta

El mercado de competencia imperfecta presenta las siguientes características que la distinguen de otros tipos de competencia o mercado:

a) Los vendedores pueden controlar en alguna medida el precio de su producto. Sin embargo, este margen de maniobra (del precio) varía de una industria a otra. Por ejemplo, en la venta de ordenadores personales, basta una diferencia de precios de unos pocos puntos porcentuales para que las ventas de una empresa resulten afectadas significativamente. En cambio, en el mercado de sistemas operativos, Microsoft tiene un monopolio casi total y una gran discreción para fijar el precio de su programa informático Windows.

b) Existe diferenciación del producto. Es decir, que cada empresa ofrece un producto que es al menos algo diferente al de otras. Por ello, las características (diseño, usos, servicios, etc.) que tienen los productos que pertenecen a este tipo de mercado, son algo diferentes a los del resto.

c) Existe información incompleta en el mercado. Por tanto, los compradores no conocen las características de todos los productos que se encuentran a la venta, ni de los diferentes precios a los que se les ofrece; como consecuencia, asumen las variaciones existentes.

d) Las empresas se valen de la promoción para informar, persuadir o recordar a su mercado meta acerca de las características y beneficios de sus productos. Es decir, que utilizan la venta personal, la publicidad y/o las relaciones públicas para obtener una determinada respuesta (como la compra) en su mercado meta.

e) Existe un patrón de precios altos y niveles de producción bajos. Esto se debe al hecho de que los vendedores pueden controlar en alguna medida el precio de su producto, lo que trae como consecuencia una disminución en la demanda (especialmente cuando los vendedores quieren incrementar sus beneficios incrementando sus precios).

C) Tipos de Mercados Imperfectamente Competitivos

Los economistas clasifican los mercados imperfectamente competitivos en tres estructuras diferentes:

1. El Monopolio

Un caso extremo de competencia imperfecta es el del monopolio, es decir, el de un único vendedor que tiene el control absoluto de una industria (el término "monopolista" viene de la palabras griegas mono, que significa uno, y polista, que significa vendedor). Actualmente es raro encontrar un verdadero monopolio. Los que existen generalmente gozan de algún tipo de protección del Estado.

2. El oligopolio

Este término significa "pocos vendedores". En este contexto, pocos pueden ser 2, 10 o 15 empresas, cada una de las cuales puede influir en el precio del mercado. Las industrias oligopolísticas son relativamente frecuentes (por ejemplo, en la economía estadounidense) en la industria manufacturera, en los transportes y en las comunicaciones.

3. La competencia monopolística

Ocurre cuando un gran número de vendedores produce bienes diferenciados a precios algo distintos y en la que ninguno posee una gran cuota de mercado. Por ejemplo, los ordenadores personales tienen características diferentes como la velocidad, la memoria, el disco duro, los módems, el tamaño y el peso. Como los ordenadores son productos diferenciados pueden venderse a precios algo distintos.

D) Consecuencias de la Competencia Imperfecta

Según los economistas Samuelson y Nordhaus, la competencia imperfecta hace que los precios sean superiores a los costes y que las compras de los consumidores disminuyan hasta alcanzar unos niveles ineficientes. El patrón de precios excesivamente altos y niveles de producción demasiado bajos es la característica distintiva de la ineficiencia que acompaña a la competencia imperfecta.

2.3. Monopolio

Es el caso extremo del mercado imperfectamente competitivo, puesto que únicamente existe un oferente en la industria.

Esta figura se puede dar tanto del lado de la oferta como del de la demanda, si bien es más frecuente el monopolio de oferta, de ahí que cuando hablamos de "monopolio" nos estemos refiriendo a este último.

El empresario monopolista juega un papel fundamental en el proceso de fijación de precios en su mercado, pues tiene capacidad para decidir su cuantía.

El monopolio es un mercado, libre, transparente, perfecto y forzado, en contraposición a normal, porque el monopolista no considera el precio independiente de su actuación.

A) Razones que justifican la aparición del monopolio

1. Control de un factor productivo en exclusiva por una empresa

Hace referencia también a la capacidad en exclusiva que corresponde a una empresa para acceder a las fuentes más importantes de materias primas indispensables para la producción de un determinado bien.

2. Patentes

Mediante ellas se accede a la explotación en exclusiva de ciertas técnicas que previamente han sido patentadas, lo que lleva consigo la concesión a la empresa en cuestión y por un determinado período de tiempo de un cierto poder monopolístico.

3. La ley

En estos casos surge el llamado monopolio legal, en el cual se conceden determinados servicios por parte del Estado y con carácter de exclusividad a ciertas empresas.

4. La naturaleza

A veces un monopolio surge como consecuencia de que las características técnicas de algunas industrias hacen que no deba entrar más de una empresa en ellas. Es lo que se llama "monopolio natural" que es aquel que se origina debido a que una sola empresa puede abastecer al mercado y sus costes medios a largo plazo todavía siguen bajando cuando se llega a los límites de la demanda del mercado. Un ejemplo son los servicios públicos. Es decir, el monopolio natural se puede dar si sucede que los costes medios son tan altos que si hay más de un oferente siempre habría pérdidas, o también por el hecho de que la demanda es muy pequeña con respecto a los costes.

Por tanto, en la base de un monopolio natural están razones tecnológicamente concretadas en estructuras de costes que permitan la existencia de economías de escala, esto es, costes medios decrecientes para niveles elevados de producción.

B) Equilibrio en el mercado monopolístico

La empresa monopolística se encontrará en equilibrio cuando al incrementar la producción en una unidad, la variación de los ingresos y los costes sea igual. En definitiva, como toda empresa, para determinar su equilibrio la empresa monopolística compara el coste marginal y el ingreso marginal.

En el monopolio la curva de demanda tiene pendiente negativa, pues en función del precio que fije los compradores demandarán más o menos cantidad. De esta forma, para incrementar las ventas, la empresa debe bajar el precio, afectando no solo a la última unidad sino a la totalidad de sus ventas.

De esta forma, la curva de ingreso marginal también tiene pendiente negativa y el ingreso marginal será igual al precio de la última unidad menos la disminución de ingresos que origina la bajada del precio de todas las unidades anteriores.

Analíticamente el equilibrio del monopolista lo calculamos así:

Partimos de la expresión del beneficio, que será la diferencia entre los ingresos totales (precio por cantidad producida, p.x) y los costes totales (que también serán una función de la cantidad producida, CT = f (X))

B = IT - CT

El monopolista pretende que su beneficio (B) sea máximo. Para hallar el máximo de la función de beneficio primero calcularemos la derivada de dicha función y la igualaremos a cero. Si la segunda derivada de la función de beneficio en ese punto es menor que cero, el beneficio será máximo:

1.ª derivada: B´= I´ - CT´ = 0

I´ es la derivada del ingreso total (IT). La derivada del ingreso total es el Ingreso marginal (IMg).

CT´ es la derivada del coste total (CT). La derivada del coste total es el coste marginal (CMg).

L expresión de arriba podemos reescribirla así:

IMg - CMg = 0

Y de ahí: IMg = CMg.

2.ª derivada: B´´ < 0

Ello indica que el ingreso marginal ha de ser igual que el coste marginal y que el coste marginal ha de crecer más deprisa que el ingreso marginal.

En cuanto al beneficio, a diferencia de lo que ocurre en el mercado de competencia perfecta, el monopolio es capaz de obtener beneficio a largo plazo. Así, este será igual a la diferencia entre el precio y el coste medio total multiplicada por la cantidad vendida.

En la figura 5 se representa el equilibrio en el monopolio.

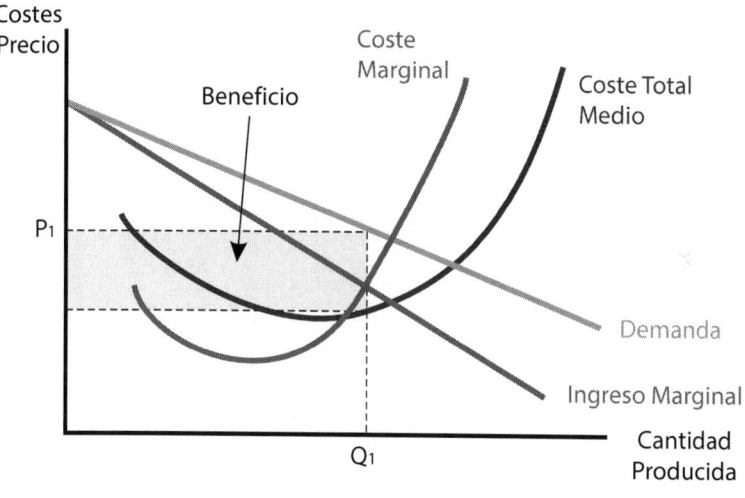

Figura 5

Pongamos un ejemplo numérico sobre lo que acabamos de explicar:

Un monopolista tiene la siguiente función de costes: CT = 50 + 3X + X². Su función de demanda es X = 3000 - 10P. Calcula la cantidad producida, el precio y el beneficio obtenido en equilibrio.

El equilibrio y por lo tanto, la maximización del beneficio se obtiene cuando IMg = CMg.

Lo primero que tenemos que hacer es expresar la demanda en función de X:

X - 3000 = - 10P

cambiando de signo a ambos lados de la igualdad:

3000 - X = 10P;

300 - X/10 = P

IT = P.X = (300 - X/10)X = 300X - X²/10

Calculamos la derivada del IT, es decir, el ingreso marginal (IMg):

IT´ = IMg = 300 - X/5

Calculamos la derivada del CT, es decir, el coste marginal (CMg):

CT´ = CMg = 3 + 2X

Igualamos IMg al CMg:

CMg = IMG;

3 + 2X = 300 - X/5

Despejamos X:

2X + X/5 = 297

10X + X = 1485

11X = 1485

X = 135

Sustituyendo X = 135 en P = 300X - X/10

P = 300.135 - 135/10

P = 286,5

Y para calcular el beneficio:

B = IT - CT

B = P.X - (50 + 3X + X^2) = 286,5*135 - (50 + 3*135 + 135^2) **= 19.997,5**

C) Discriminación de precios en el monopolio

Se produce en aquellos casos en los que el monopolista cobra precios diferentes a diversos consumidores no por razones de localización. Para ello, deben cumplirse los siguientes requisitos:

1. Posibilidad de fraccionamiento del mercado, de forma que el monopolista pueda identificar cada una de las fracciones del mismo.

2. No existencia de reventa para que los consumidores no especulen con las unidades del bien adquiridas a los diferentes precios.

La razón de la existencia de esta discriminación radica en el hecho de que, al existir consumidores dispuestos a pagar distintas cantidades de dinero por un mismo bien, pueda resultar rentable para el vendedor aprovecharse de ello. De esta forma, el vendedor dividirá el mercado del bien en tantos submercados como funciones de demanda distintas tengan sus demandantes.

Esta figura, evidentemente, no puede darse en el mercado de competencia perfecta, pues en él los precios vienen fijados por el mercado.

D) Regulación del monopolio

Los gobiernos intentan intervenir ante los monopolios para proteger a los consumidores y preservar la competencia. De este modo, se suele acudir, por una parte, a las denominadas leyes de lucha contra el monopolio, cuyo objetivo es dividir las industrias monopolistas en dos o más empresas o bien tratar de impedir que se forme un monopolio que aún no ha surgido.

Por otra parte y, en especial, tratándose de monopolios naturales, en los que estos han de ser aceptados y, por tanto, el gobierno únicamente puede regularlos, se suele acudir a una serie de reglas llevar a cabo dicha regulación. Son las siguientes:

1. Regla de la regulación mínima

Mediante ella, se deja que la empresa obtenga beneficios extraordinarios, siendo frecuente el establecimiento de un impuesto sobre el monopolista con el fin de reducir dichos beneficios y devolver a los consumidores, en forma de transferencia o bienes públicos, el exceso de precio que han pagado. Si bien, se produciría un desajuste en la asignación de recursos.

2. Regla del coste medio

Consiste en someter al monopolista a la obligación de fijar un precio que elimine los beneficios extraordinarios, estableciendo el precio más bajo sin forzar al monopolista a salir del mercado.

3. Regla del coste marginal

Con esta regla se lograría incrementar más la producción. Consiste en fijar el precio y situar la empresa en la situación donde se produciría un volumen de producción equivalente a una situación de competencia perfecta. Si bien, al seguir esta regla, la empresa se puede ver obligada a salir del mercado, por lo que, si quiere continuar con este tipo de regulación, deberá recurrir a un subsidio oficial suficiente que cubra las pérdidas.

3. Análisis de otros mercados: la competencia monopolística y el oligopolio

3.1. Competencia monopolística

En los mercados de competencia monopolística, aunque existen muchos vendedores, cada uno de ellos es capaz de diferenciar su producto del fabricado por sus competidores, de forma que actúa de hecho como monopolista de una marca determinada y, por tanto, se enfrenta a una curva de demanda con inclinación negativa. El mercado de automóviles o de electrodomésticos son ejemplos de competencia monopolística. En estos mercados la publicidad tiene un papel muy importante tratando de mantener y crear diferencias entre los productos y absorber la clientela. Se habla también de mercado de clientelas, entendiendo por tal un conjunto de mercancías que satisfacen un mismo tipo de necesidad, pero diferenciadamente.

Esta diferenciación de productos hace que estas empresas gocen de cierto poder de mercado en relación con sus productos, tengan cierto margen de maniobra a la hora de fijar sus precios y no sean meramente "precio-aceptantes".

A) Características de este tipo de mercado

a) Hay muchas empresas vendedoras.

b) Los productos que ofrecen no son completamente idénticos sino que presentan algunas diferencias. Cada empresa se enfrenta a una curva de demanda de pendiente negativa: si eleva el precio de su producto venderá menos y si lo baja venderá más.

Esto lo diferencia del mercado perfectamente competitivo donde el precio es fijado por el mercado. Cada empresa se encuentra con un precio dado (en el que no influye) y a dicho precio las empresas pueden vender la cantidad que desee.

c) Hay libertad de entrada y salida del mercado.

d) La competencia monopolística es un tipo de competencia imperfecta: las empresas no tienen el poder de mercado del monopolio, pero sí tienen cierto poder de mercado.

B) Comportamiento de las empresas

Al igual que en los otros modelos estas empresas buscan maximizar su beneficio, lo que le llevará a fijar su nivel de actividad en el punto de corte de la curva de ingreso marginal y de coste marginal.

Una vez determinado este nivel de actividad, el precio vendrá determinado por la curva de demanda.

Si el precio que determina la curva de demanda es superior al coste total medio la empresa obtendrá beneficios, si por el contrario él es inferior la empresa incurrirá en pérdidas.

A corto plazo el funcionamiento de este tipo de mercados se asemeja al del monopolio.

A largo plazo, si las empresas obtienen beneficio otras acudirán a este negocio desplazando la curva de oferta hacia la derecha, lo que hará caer el precio eliminando ese beneficio extraordinario.

Si por el contrario las empresas incurren en pérdidas algunas abandonarán el mercado, lo que desplazará la curva de oferta hacia la izquierda, haciendo subir el precio y eliminando las pérdidas.

El beneficio nulo a largo plazo es lo que diferencia a este tipo de mercado del monopolio donde sí es posible obtener beneficios de forma duradera (al no haber entrada y salida de empresas).

El punto de equilibrio a largo plazo en un mercado de competencia monopolística corresponde a un nivel de actividad inferior al que se alcanza en un mercado competitivo.

En este punto de equilibrio se puede destacar:

a) El coste marginal es igual al ingreso marginal, y como el ingreso marginal es inferior al precio, el coste marginal será también inferior al precio (igual que ocurre en el monopolio).

b) Para que el beneficio sea nulo, el precio ha de ser igual al coste total medio, condición que solo se cumple en el punto en el que la curva de demanda es tangente a la curva del coste total medio.

Por lo tanto, la empresa en un mercado de competencia monopolística produce en el tramo descendente de su curva de coste total medio, mientras que en mercados competitivos produce en el punto mínimo de su curva de coste total medio.

Las empresas monopolísticamente competitivas producen por debajo de la escala eficiente. Esta menor actividad conlleva que, a diferencia del mercado perfectamente competitivo, no se maximice el beneficio total.

En la figura 6 representamos el equilibrio a corto y largo plazo en competencia monopolística.

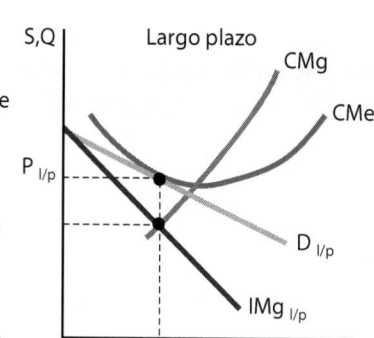

Figura 6

3.2. Oligopolio

En este tipo de mercado hay pocas empresas que venden el mismo producto, por lo que las decisiones de producción que adopte cada una de ellas repercuten en las demás.

Esto lo diferencia del mercado perfectamente competitivo donde el elevado número de partícipes hace que ninguno de ellos tenga poder de mercado, por lo que sus decisiones individuales no afectan al resto.

En un mercado oligopolista siempre se dará entre los partícipes la disyuntiva entre la colaboración o la competencia.

- Si colaboran, coordinando sus actuaciones (regulando la cantidad ofrecida), este mercado funcionará como un monopolio. En este caso, el beneficio que obtienen estas empresas aumenta en perjuicio de los compradores.

- Si, por el contrario deciden competir, su funcionamiento se aproximará al de un mercado competitivo (aunque no llegará a ser igual). Disminuirá el beneficio de estas empresas en favor de los consumidores.

Las autoridades públicas tratan de prohibir la colaboración entre las empresas oligopolistas favoreciendo la competencia.

a) Colaboración frente a competencia

La colaboración entre estas empresas se denomina "colusión" y el conjunto de empresas que colaboran forman un "cártel".

Un ejemplo de cártel es la OPEP (organización de países productores de petróleo). Los países que forman parte de este cártel (gran parte de los principales productores de petróleo) coordinan su volumen de producción tratando de influir en el precio del petróleo.

Aunque la colaboración entre estas empresas beneficia al conjunto de todas ellas, no siempre se da ya que cada una de ellas individualmente podría mejorar su situación incumpliendo el acuerdo.

Se da la paradoja de que individualmente a todas les beneficia hacer "trampas", pero si todas hacen "trampas" el resultado final para todas ellas es peor que si cumplen lo acordado.

Se trata de una situación similar a la descrita por el teorema del prisionero:

Años de condena		Prisionero A	
		Confiesa	No confiesa
Prisionero B	Confiesa	10 años a ambos	15 años prisionero A 0 años prisionero B
	No confiesa	15 años prisionero B 0 años prisionero A	1 año a ambos

Se puede observar cómo cualquiera de los condenados ve disminuir su condena si acusa a su compañero, y ello con independencia de la decisión que adopte el compañero de acusarle a él o no.

Esta situación lleva a los dos prisioneros a acusarse mutuamente con el resultado de que la condena final para cada uno de ellos es mayor que si ambos hubieran colaborado y no hubieran confesado.

Se puede observar que a veces es difícil que haya colaboración entre las empresas integrantes del oligopolio. No obstante, en algunos casos sí existe. El acuerdo suele funcionar cuando:

- Es posible detectar a quien lo incumple y se le puede penalizar. No se trata de una colaboración puntual en un momento dado, sino que la colaboración es repetitiva en el tiempo. Por ello, tras un primer episodio de falta de colaboración y una vez conocido sus resultados, las empresas serán más proclives a colaborar.

- Cuanto menor sea el número de empresas presentes en el mercado más fácil será la colaboración entre ellas, y mientras mayor sea el número esta será más difícil. Con pocas empresas el oligopolio se aproximará al monopolio, mientras que con un número elevado estará más cerca del modelo competitivo.

Esto se explica por lo siguiente: cuando la empresa oligopolista aumenta su producción sabe que se van a producir dos efectos:

- Un efecto producción que le beneficia (aumenta sus ventas luego aumentan sus ingresos).

- Un efecto precio que le perjudica (el aumento de la producción hace caer los precios disminuyendo los ingresos).

Cuanto menos partícipes haya en el mercado, el efecto precio negativo de la decisión unilateral de aumentar la producción será más relevante, pudiendo superar el efecto producción positivo. Por ello la empresa se lo pensará mucho antes de tomar esta decisión.

En cambio, cuanto más dividido esté el mercado el efecto precio negativo de su decisión de aumentar la producción más se diluirá, siendo más relevante el efecto producción positivo.

Los gobiernos tratan de evitar que haya colaboración entre las empresas oligopolistas ya que van en perjuicio del consumidor. Así, en la mayoría de países los acuerdos entre oligopolistas están prohibidos.

Si no hay colaboración entre las empresas ¿funciona el oligopolio como un mercado competitivo?

Su funcionamiento se aproximará al de un mercado competitivo pero no será exactamente igual.

Su nivel de producción será mayor que si actuaran coordinadamente, mientras que el precio será menor. No obstante, no se alcanzará el mismo nivel de actividad que en un mercado competitivo.

Si no hay acuerdo, cada partícipe actuará pensando exclusivamente en sus propios intereses pero será consciente de que su actuación repercutirá en los demás partícipes que podrían tomar represalias si se sintieran perjudicados.

Sabe que si aumenta notablemente su producción los demás reaccionarían probablemente de igual manera hundiendo el precio, por ello actuará con cierta cautela anticipando la posible reacción de las otras empresas.

Esto llevará a un nivel de producción mayor que el de un mercado monopolístico pero inferior al de un mercado competitivo.

El beneficio total que obtiene la sociedad en un mercado oligopolista es inferior al que genera un mercado competitivo ya que su nivel de actividad es menor.

En cambio, el precio será más elevado que en un mercado competitivo lo que implica que el oligopolio se beneficia a costa de los consumidores.

Los dos efectos anteriores justifican la intervención del Estado que tratará de evitar que surjan oligopolios, o al menos que no haya acuerdos entre sus integrantes.

b) Equilibrio en el oligopolio. El modelo de Cournot

Partiremos del siguiente supuesto: cada empresa piensa que sus rivales continuarán produciendo la misma cantidad independientemente de lo que ella decida. Analizaremos el supuesto en el que solo existen dos empresas (duopolio de Cournot). Así, cada duopolista considera dada la cantidad que produce el otro. Ello implica que la otra empresa no reaccionará a sus decisiones de producción.

La curva de demanda total la expresamos analíticamente así:

$P = a - bQ$

Q es la producción total del mercado oligopolista. Esta producción se reparte entre la empresa 1 y la empresa 2, resultando Q_1 y Q_2.

Por lo tanto podemos expresar la curva de demanda total así:

$P = a - b (Q_1 + Q_2)$.

Estudiaremos a la empresa 1:

Su curva de demanda la obtenemos restando bQ_2 de la ordenada en el origen de la curva de demanda de mercado:

$P = (a - bQ_2) - bQ_1$

Con ello se pretende expresar que la empresa 2 se ha llevado las Q_2 primeras unidades de la curva de demanda del mercado, dejando a la empresa 1 el resto (Q_1). S

Como Q_2 es positivo, la curva de demanda de la empresa 1 se obtiene desplazando hacia la derecha en Q_2 unidades el eje de ordenadas.

Por este motivo, a la curva de demanda de la empresa 1 se la denomina demanda residual.

Como en cualquier mercado, la empresa oligopolista alcanzará el equilibrio, maximizará su beneficio, cuando IMg = CMg.

Para maximizar el beneficio igualamos, para cada empresa, el coste marginal con el ingreso marginal.

Así, para la empresa 1 escribimos:

Su curva de demanda: $P = (a - bQ_2 - bQ_1)$

Su función de ingreso total: $IT_1 = P.Q_1 = aQ_1 - bQ_1Q_2 - bQ_1^2$

Derivando el ingreso total obtenemos el ingreso marginal:

$IMg_1 = a - bQ_2 - 2bQ_1$

Y para maximizar el beneficio igualamos ingreso marginal al coste marginal de la empresa 1:

$IMg_1 = CMg_1$

$CMg_1 = a - bQ_2 - 2bQ_1$

Despejando Q_1:

$Q_1 = (a - bQ_2 - CMg_1)/2b$ (Curva o función de reacción de la empresa 1)

Así, la maximización de beneficios nos lleva hasta la curva de reacción de la empresa 1. Esta función nos indica la cantidad que ofrecerá un oligopolista por cada cantidad que ofrezca el otro.

El modelo de Cournot es simétrico. Por lo tanto, la curva de reacción de la empresa 2 será:

$Q_2 = (a - bQ_1 - CMg_2)/2b$ (Curva o función de reacción de la empresa 2)

Podemos definir la función de reacción de cada uno de los duopolistas como aquella relación que indica su nivel de producción maximizador del beneficio en función del nivel de producción de la otra empresa.

Los duopolistas se encuentran en equilibrio estable en el punto de intersección de sus funciones de reacción.

Una vez que obtenemos el equilibrio mediante la intersección de las dos curvas de reacción podemos obtener el precio llevando las dos cantidades resultantes a la curva de demanda de mercado.

Para ilustrar lo dicho sobre el modelo de Cournot, resolveremos el ejercicio que se propuso en la *Convocatoria de 2013, turno libre*:

En un mercado existen solo dos empresas que se enfrentan a una curva de demanda P = 60 - 5Q, produciendo cada una con un coste marginal nulo. Siguiendo el modelo de Cournot:

a) Defina qué se entiende por función de reacción y determine la misma para cada una de las empresas.

b) Calcule el precio y la cantidad de equilibrio.

Solución:

Como dato nos facilitan que CMg1 = CMg2 = 0

Q1 = cantidad producida por la empresa 1.

Q2 = cantidad producida por la empresa 2

Partimos de la curva de demanda del mercado:

$P = 60 - 5Q$

$P = 60 - 5(Q1 + Q2) = 60 - 5Q1 - 5Q2$.

Para la empresa que produce Q1 unidades podemos escribir:

$P = 60 - 5Q2 - 5Q1$

El ingreso total para la empresa 1 es IT1 = PQ1, por lo tanto:

$IT1 = (60 - 5Q2 - 5Q1)Q1 = 60Q1 - 5Q1Q2 - 5Q1^2$

En el equilibrio, para cualquier mercado, IMg1 = CMg1. Por lo tanto, para la empresa 1 debemos calcular su ingreso marginal:

IMg1 = 60 – 5Q2 – 10Q1

Y sabemos (dato) que CMg1 = 0

Igualando ingreso marginal a coste marginal de la empresa 1:

60 – 5Q2 – 10Q1 = 0

Y despejando Q1, tenemos que:

Q1 = 6 – (Q2/2), que es la función de reacción de la empresa 1.

Para la empresa 2 haríamos el mismo razonamiento y llegaríamos también a obtener su función de reacción:

Q2 = 6 – (Q1/2)

Al ser el modelo simétrico puesto que CMg1 = CMg2, la cantidad producida en el equilibrio por la empresa 1 será la misma que la producida por la empresa 2. Es decir, Q1 = Q2.

Sabiendo esto, sustituyendo, por ejemplo, en la función de reacción de la empresa 1, tendríamos:

Q1 = 6 – (Q1/2)

Por lo tanto, **Q1 = 4** y por lo tanto **Q2 = 4**.

Y la cantidad total: **Q = Q1 + Q2 = 8**

Sustituyendo Q = 8 en P = 60 – 5Q obtenemos el precio de equilibrio:

P = 60 – 5*8 **= 20**

Gráficamente, representamos el modelo del duopolio de Cournot para la empresa 1 en la figura 7

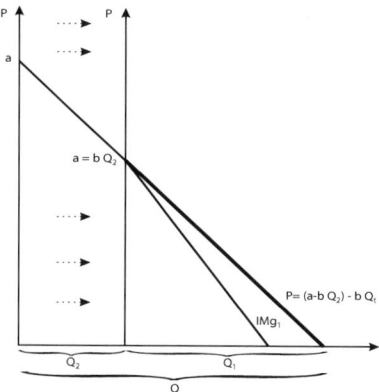

Figura 7

TEMA 27

El proceso productivo. Los costes de producción: Su estructura. Los principales elementos determinantes del coste de la producción. El coste de los subproductos

Un lugar ordenado, ventilado y bien iluminado es perfecto para mejorar tu estudio. Te explicamos cómo organizar tu **opozulo** en tu Curso MAD360.

1. El proceso productivo

El proceso productivo consiste en la transformación de factores productivos en bienes o servicios. Dicha transformación se hace mediante el uso de una tecnología.

Los tres elementos que aparecen en el proceso de producción son:

a) Los factores productivos de los que debe disponer la empresa para poder llevar a cabo su actividad. Son las entradas o inputs. Entre ellos podemos destacar las materias primas, la energía, la mano de obra, los equipos de producción, la información y otros bienes de activo fijo.

b) La tecnología: por tecnología entendemos la forma de combinar los medios humanos y materiales para elaborar bienes y servicios.

c) Los bienes o servicios que la empresa produce, los cuales, recordemos, pueden ser finales (destinados al consumo inmediato) o de capital (destinados a ser utilizados para producir otros bienes). Son las salidas u outputs.

En la figura 1 se ofrece de forma muy esquemática una representación del proceso productivo.

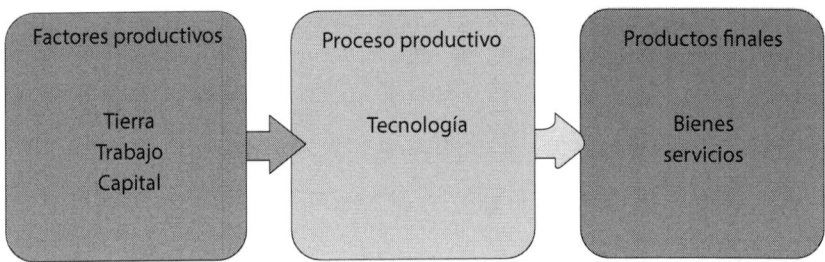

Figura 1

En cuanto a la clasificación de los procesos productivos, estos pueden clasificarse con arreglo a muchos criterios. Uno de los más importantes distingue entre la producción en serie y la producción intermitente o bajo pedido.

Un proceso productivo en serie consiste en la elaboración de un producto homogéneo o normalizado, sin diferenciación y destinado al consumo en masa. Algunos ejemplos pueden ser los azulejos, las mesas de oficina o los productos químicos.

Un proceso intermitente o bajo pedido está destinado a la fabricación de un producto más diferenciado, con características específicas, adaptado a las necesidades de un cliente concreto. Por ejemplo, los coches de lujo o los aviones privados.

En relación con la extensión temporal del proceso podemos clasificar los procesos de producción como continuos o intermitentes. En el primer caso, la producción se realiza de forma ininterrumpida, ya que las paradas del proceso implican costes muy elevados. Constituyen ejemplos de este tipo los altos hornos, las plantas químicas y las empresas de refinería. En el segundo caso, la producción no requiere continuidad ya que las interrupciones no suponen problemas técnicos, motivo por el que los costes de parada no son elevados.

Para finalizar esta pregunta vamos a definir cuatro conceptos relacionados con los procesos productivos: Rendimiento, productividad, eficiencia técnica y eficiencia económica.

Rendimiento absoluto es el output total del período, la producción total del período. El rendimiento relativo o **productividad media** (PMe) de los factores empleados se obtiene dividiendo las salidas, outputs o productos, entre las entradas, inputs o factores por unidad de tiempo y expresadas en unidades físicas:

$$PMe = Outputs/Inputs$$

La productividad media sirve para representar la **eficiencia técnica (e_t)**, ya que esta es la relación por cociente entre la producción lograda y los factores empleados en un intervalo de tiempo:

$$e_t = \text{Salida útil/Entradas}$$

Desde un punto de vista económico, la eficiencia se mide de la siguiente manera:

$$e_e = \text{Valor salida útil/Valor entradas}$$

Es lo que se conoce como **eficiencia económica (e_e)** que debe ser mayor que uno, ya que lo que se pretende conseguir es que el valor del producto en el mercado sea mayor que el coste de los factores de producción empleados.

2. Los costes de producción: su estructura

Con carácter previo al desarrollo del contenido de esta pregunta, debemos definir una serie de conceptos que nos van a ayudar a comprender el resto del tema.

Gasto: es la adquisición de los factores necesarios para la obtención de un determinado producto o servicio.

Coste: es el consumo valorado en dinero que se ha realizado en un determinado período de tiempo por el uso racional de los factores necesarios para la obtención de un determinado producto o servicio. Es la parte del gasto consumida o incorporada a la actividad productiva.

Inversión: es la parte del gasto que no se consume totalmente en la actividad productiva, el gasto no consumido.

Pago: es la salida de disponibilidades dinerarias o fondos de la empresa, ya sea por caja o por bancos.

Precio: es la expresión monetaria dada para poder adquirir un producto o servicio o también la cantidad de dinero que recibimos en sustitución del bien vendido.

Ingreso: es el resultado de multiplicar el precio del producto o servicio por el número de productos o servicios vendidos.

Margen: es la diferencia entre el ingreso generado por la venta de un producto o servicio y el coste de producción necesario para obtener los mismos. En la contabilidad de gestión se distinguen distintos márgenes:

– **Margen industrial:** es la diferencia entre el ingreso por venta y el coste de producción.

– **Margen comercial:** es la diferencia entre el margen industrial y los costes comerciales.

Resultado: es el excedente (ganancia o pérdida) obtenido por la diferencia entre ingresos y costes durante un determinado período de tiempo.

2.1. Clasificación de los costes

Existen múltiples clasificaciones de los costes que surgen del análisis de la actividad económica empresarial. Veamos algunas de ellas:

a) **Según la naturaleza de los factores que lo integran**: de materias primas, de mano de obra, etc.

b) **Según las áreas funcionales de la empresa**: costes de aprovisionamiento, de producción, de comercialización, de I + D, de administración, de dirección.

c) **Según la certeza de imputación de los factores a los productos**: costes directos, semidirectos e indirectos.

   – **Costes directos**: referidos a medios o factores consumidos en el proceso productivo por un producto, o por un centro o sección de coste, sobre los que se puede calcular prácticamente su medida técnica y económica.

   – **Costes semidirectos**: son aquellos que si bien no pueden ser aplicados directamente a un producto, se pueden localizar en un centro de coste, taller o sección.

   – **Costes indirectos**: son los que incluye el consumo de factores o medios de producción que, por afectar a un proceso en su conjunto, no se pueden calcular directamente, sino por distribución.

d) **Según la teoría económica**: costes totales, medios y marginales (ya definidos en un tema anterior). Relacionados con los costes marginales, tenemos los costes diferenciales e incrementales y los suplementarios.

   El coste diferencial es el menor coste por unidad para un aumento determinado del volumen de producción. Este concepto deriva directamente del concepto de coste marginal, al considerarlo un caso particular del aumento del volumen de producción.

   El coste incremental es el aumento del coste total producido como resultado de incrementar la actividad productiva en un determinado nivel.

   Se denominan costes suplementarios al incremento total de costes provocado por un aumento de la producción.

e) **Según la variabilidad del coste en relación con el volumen de producción**: fijos, semifijos o semivariables, variables y mixtos.

   – **Costes fijos**: permanecen sensiblemente fijos para un período de tiempo y nivel de actividad, al no estar afectados por el volumen de operaciones; esto no implica que sean invariables a largo plazo. Referidos al coste unitario fijo que se obtiene de dividir los costes por el número de unidades producidas, obtendremos un coste unitario decreciente con el volumen de producción. Entre ellos cabe destacar:

     * Costes de inactividad o estado parado: son aquellos costes fijos en los que la empresa incurre incluso en el supuesto de paralización temporal.

     * Costes de preparación de la producción: son aquellos costes fijos, consecuencia de poner el proceso productivo en condiciones de realizar su actividad.

     * Coste de marcha en vacío: lo forman los dos costes anteriores.

* Costes de subactividad: son los costes relativos a aquellos factores no utilizados en su totalidad en el proceso productivo, como consecuencia del nivel de actividad actual en la empresa. El nivel de actividad es el consumo u ocupación que se realiza de la capacidad productiva normal de la empresa, en relación tanto a factores productivos (planta y equipo), como al factor humano.

– **Costes variables**: son aquellos que varían en función del volumen de producción. Si la variación es proporcional, el coste unitario variable es constante. Dentro de los costes variables podemos diferenciar las siguientes clases:

* Costes proporcionales: en los que su variabilidad es proporcional al volumen de producción y tiene idéntico valor unitario para cualquier nivel.

* Costes progresivos: en los que la variabilidad es más que proporcional respecto al nivel de actividad y su valor unitario aumenta con el volumen de producción.

* Costes degresivos: en los que la variabilidad es menos que proporcional al volumen de producción; su valor unitario disminuye a medida que aumenta el nivel de actividad.

* Costes semifijos o en escalones: son aquellos que se producen por la necesidad de aumentar los medios de producción en forma discreta, lo que implica una discontinuidad en la función de costes. Su variabilidad se desarrolla dentro de unos intervalos, produciéndose una función a saltos.

– **Costes semivariables**: son aquellos que tienen los dos atributos de relación respecto a la variación de la variable fundamental. Estos costes no se adaptan estrictamente a la definición de coste variable ni a la de coste fijo. En la función de costes semivariables puede distinguirse:

* Costes reversibles: los cuales aumentan o disminuyen cuando aumenta o disminuye el volumen de producción.

* Costes irreversibles: los cuales aumentan con el volumen de producción, pero no descienden en la misma proporción si disminuye el nivel de actividad.

f) **Según su consideración temporal**: costes históricos o determinados *ex-post* y costes estándares o determinados *ex-ante*.

– Coste real, retrospectivo, histórico o efectivo: calculado a partir de los consumos reales en el proceso productivo durante un período de tiempo.

– Coste estándar, prospectivo o predeterminado: calculado a partir de los consumos predeterminados, a un precio estándar prefijado para un período futuro. También pueden ser considerados como un coste o norma.

g) **Según la toma de decisiones**: costes relevantes e irrelevantes y costes de oportunidad o implícitos.

– Los costes relevantes son los que tienen una importancia y oportunidad especial para cada toma concreta de decisiones; es decir, son costes modificables a través de la elección de una determinada posibilidad de actuación.

– Los costes irrelevantes no presentan relevancia en la toma de decisiones.

– Costes de oportunidad o implícitos: son aquellos costes que se miden por el valor de la renta que se podría obtener si el recurso económico fuera utilizado en su mejor alternativa.

h) Costes explícitos e implícitos.

- Los costes explícitos corresponden al pago de los factores de producción que la empresa adquiere de otros agentes económicos.

- Los costes implícitos son los costes de producción correspondientes a los recursos propiedad de la empresa. El concepto de coste implícito está íntimamente vinculado al concepto de coste de oportunidad.

i) Según la teoría de la producción: costes a corto y a largo plazo.

j) Con respecto al cálculo del resultado: costes del producto y costes del período.

- Costes de los productos: son los costes necesarios para realizar la producción que se considera quedan incorporados de forma intrínseca al valor de los bienes obtenidos susceptibles de ser almacenados, sirviendo, en consecuencia, de criterio de valoración de existencias.

- Costes del período: son los costes de distribución y venta, y los denominados costes de estructura (dirección, administración y financiación), que deben ser siempre reintegrados o cargados en el período que se produzcan, independientemente del nivel de producción y venta que se alcance.

k) Con relación al proceso productivo: costes específicos o individuales, costes comunes y costes conjuntos.

- Costes específicos o individuales: son los asignados en procesos simples que obtienen productos homogéneos.

- Costes comunes: son los costes que se asignan cuando un recurso productivo es utilizado en la producción de varios productos.

- Costes conjuntos: son una clase especial de costes comunes que surgen cuando el consumo de un mismo factor da lugar a la producción de una proporción fija inexorable de dos o más productos principales o coproductos.

l) Con relación al grado de previsión y control: costes controlables, no controlables y objetivo de coste.

- Costes controlables: son aquellos que permiten un grado de control y toma de decisiones, pudiendo los responsables de los centros o secciones influir tanto en la eficiencia de su utilización como en su cuantía, en el período considerado.

- Costes no controlables: no se encuentran bajo la influencia directa de los responsables de las secciones o centros de coste, de modo que la responsabilidad es asumida por niveles de dirección superior.

- Objetivo de coste (*target cost*): nivel de coste alcanzado para que una producción pueda ser rentable, ya que su precio está dado por el mercado y no puede alterarse.

m) Según el ámbito de cálculo de los costes y resultados: costes privados y costes sociales.

- Costes privados: son aquellos que pueden ser expresados en términos de valores de cambio, que se encuentran referenciados por el sistema de precios de mercado y que sirven para calcular el resultado.

- Costes sociales: son los derivados de la utilización por el sector privado de bienes públicos, que afectan al bienestar actual o futuro de la sociedad.

2.2. Estructura del coste

Definiremos con carácter previo los centros de actividad o de coste de la empresa. Los centros de coste son una agrupación de recursos humanos y técnicos, enmarcados en el organigrama de la empresa, orientados a la consecución de un determinado objetivo. La división de la empresa en distintos centros de coste dependerá de la naturaleza de la actividad empresarial. Así vamos a distinguir dos tipos de centros de actividad o costes: operativos y no operativos. Los primeros están ligados a la actividad de fabricación, mientras que los segundos estarán relacionados con actividades administrativas o comerciales.

La imputación de los costes a los bienes o servicios que hayan consumido alguna unidad del centro de costes dependerá del método de costes que utilicemos. Por ello vamos a describir los principales métodos de costes:

1. **Coste completo o *full costing*:** según este método todos los costes en los que incurre la empresa deben incorporarse al coste final. En este método los costes se clasifican en costes directos e indirectos.

2. **Coste variable o *direct costing*:** este método defiende que los costes del producto únicamente incluyen los costes variables, ya que los costes fijos no se consideran costes del producto sino costes del período. En este sistema se reclasifican los costes directos y los indirectos en fijos (independientes del nivel de producción a corto plazo) y variables (dependen del nivel de output generado por la empresa).

3. **Coste variable evolucionado:** es un refinamiento del anterior que consiste en añadir a los costes variables aquella parte de los costes fijos que pueden asignarse a un determinado producto.

4. **Coste estándar:** utiliza el coste previsto *a priori* de un determinado producto o servicio.

5. **Coste de imputación racional:** según este sistema el coste final está compuesto por la totalidad de los costes variables y por un porcentaje de los costes fijos.

6. **Método del coste basado en las actividades (ABC):** el coste final se formará con los costes directos y con los indirectos asociados a las actividades que generan valor dentro de la empresa.

* El método del coste completo o *full costing*.

En el método del coste completo todos los costes en los que incurre la empresa deben ser incorporados al coste final. Este método clasifica los costes según su naturaleza, es decir, los separa en costes directos e indirectos, sin distinguir si se trata de costes directos *variables* o *fijos* o costes indirectos *variables* o *fijos*.

Los costes directos son aquellos que pueden ser imputados directamente al producto, mientras que los costes indirectos son aquellos que no pueden ser imputados directamente a los productos obtenidos.

En este método, el coste directo está formado por el coste de la mano de obra y materias primas, incluida la energía, necesarias para la fabricación del producto. También en el proceso de fabricación hay otros costes de fabricación, los costes indirectos, que no pueden asignarse directamente a ningún producto en concreto. Entre ellos tenemos los costes de mantenimiento de la fábrica y de la maquinaria, la amortización de los equipos industriales, el personal directivo de la fábrica y los suministros diversos. La suma de los costes directos e indirectos da como resultado el coste de fabricación o coste industrial. Si añadimos al coste de producción los costes de administración y comercialización obtendremos el coste de explotación. Finalmente, si al coste de explotación le añadimos los costes financieros obtenemos el coste total de la empresa.

Coste de producción = (MO + MP + Energía) + Costes Indirectos de fabricación

Coste de explotación = Coste de producción + Costes de administración y comercialización

Coste total = Coste de explotación + Costes financieros

El modelo de *Full-Cost* ha sido objeto de las siguientes críticas:

1. Desde el punto de vista de la eficiencia interna. Puede llevar a confusión; desde el punto de vista global, costes que no se pueden asignar a una categoría de cargas determinadas, basándose en el criterio de la naturaleza económica o de la responsabilidad funcional.

2. Desde el punto de vista de la política de ventas, porque queda establecido que en determinados casos no se puede vender al precio de coste (el precio resulta del juego de oferta y demanda). Por tanto, es discutible el interés del coste total para orientar la política de ventas y la selección de productos rentables.

3. Desde el punto de vista de la determinación de resultados y de la presentación de Estados Contables. En el *Full-Cost* los inventarios quedan valorados, incorporando un coste que debe ser soportado únicamente por la producción del período, sobrevalorando los stocks, ya que incorporan costes sin relación directa con las operaciones de producción.

4. Desde el punto de vista práctico, son necesarias una serie de operaciones más complejas que suponen un retraso en la obtención de la información y un coste más elevado.

* El método del coste variable o *direct costing.*

El modelo *Direct-Cost* surgió como consecuencia de las necesidades informativas demandadas por la gestión de la empresa y de los nuevos modelos de gestión, tanto por la teoría económica como por la teoría de la empresa. Mientras que el modelo de coste completo o *full costing* establece que los costes fijos corresponden a los productos, por lo que pueden ser transferidos a siguientes períodos mediante la incorporación al valor de las existencias de productos terminados; el modelo del *Direct-Cost* parte de la consideración de que los costes fijos corresponden al período y en él han de ser absorbidos.

El modelo de Direct-Cost sirve como guía para tomar decisiones, centradas en la renta marginal de los nuevos productos o en las decisiones alternativas que pretenden conseguir el equilibrio o maximizar el beneficio.

La aplicación de este método supone distinguir entre costes fijos y variables en primer lugar. A su vez, los costes fijos y variables pueden ser directos e indirectos. Así tendríamos:

- Costes variables directos
- Costes variables indirectos
- Costes fijos directos
- Costes fijos indirectos

Al imputar únicamente las cargas variables la anterior clasificación puede reducirse a tres categorías:

- Costes variables directos (CVD)
- Costes variables indirectos (CVI)
- Costes fijos (directos e indirectos)

Como costes directos variables tenemos la mano de obra (MOD) y las materias primas (MP) consumidas en el proceso de producción de cada producto. Las cargas indirectas variables se imputan a cada producto utilizando los centros de costes como método de reparto. Finalmente, los costes fijos irán al final del ejercicio a la cuenta de resultados.

Así, el coste de producción según el *direct-costing* se calcula:

Coste de producción = CVD + CVI = MOD + MP + CVI

Este método de asignación de costes permite calcular los márgenes brutos (MB) de cada producto. Para ello comparamos los ingresos totales (IT) que obtiene cada producto con su venta con sus costes variables (CV):

$$MB_i = IT_i - CV_i$$

sumando todos los márgenes brutos de cada producto obtenemos el margen bruto de la empresa:

$$MB = MB_1 + MB_2 + ... + MB_n = \sum MB_i$$

Una vez obtenido el margen bruto de la empresa calculamos el margen neto (MN) como la diferencia entre el MB total de la empresa y sus costes fijos (CF) o del período:

MN = MB - CF

La utilización de este método permite realizar un análisis económico de los resultados con lo que se permite controlar la eficiencia de la gestión interna.

Las ventajas que presenta el método de *Direct-Cost*, relacionadas con la gestión, son:

1. Es un método menos complejo de cálculo, puesto que aunque se incluyen determinados costes indirectos para el cálculo del producto, la complejidad del reparto es mucho menor. La no utilización del coste fijo evita la toma de decisiones no óptimas. Independientemente de la ventaja de simplificación, hay que considerar que:

    Estas ventajas no se consiguen de forma completa al tener que realizar repartos convencionales de los costes variables comunes.

    El objetivo básico de mejora del control de gestión no se puede alcanzar sin la variabilidad de las cargas en la fase intermedia de los centros de costes y sin la aplicación individualizada por producto de las cargas fijas que son propias a cada uno de ellos.

2. La determinación de los márgenes de forma individualizada permite el cálculo del punto muerto y orienta la política de ventas, proporcionando los medios para determinar la relación coste-volumen-beneficio.

3. Es más fácil hallar y conocer el rendimiento por productos, porque los inventarios no aparecen sobrevalorados con los costes fijos.

4. El *Direct-Cost* se halla en correlación con la tendencia de las ventas y realiza un mejor reparto razonable de los resultados en el tiempo que los que puede proporcionar el coste completo, en función de las ventas. Como contraposición, este último es útil, en la política de ventas, si contiene un análisis de las cargas en función del criterio de variabilidad.

5. Permite aplicar el presupuesto flexible y la utilización de la contabilidad por coste estándar.

6. Con relación al control de responsabilidad y de rendimiento, la ventaja es real, puesto que se han relacionado previamente los distintos elementos de costes con responsabilidad.

7. Permite la aplicación de modernas técnicas matemáticas para resolver el problema de la programación a corto plazo de la producción.

En la figura 2. se comparan los métodos del *full-costing* y del *direct-costing*.

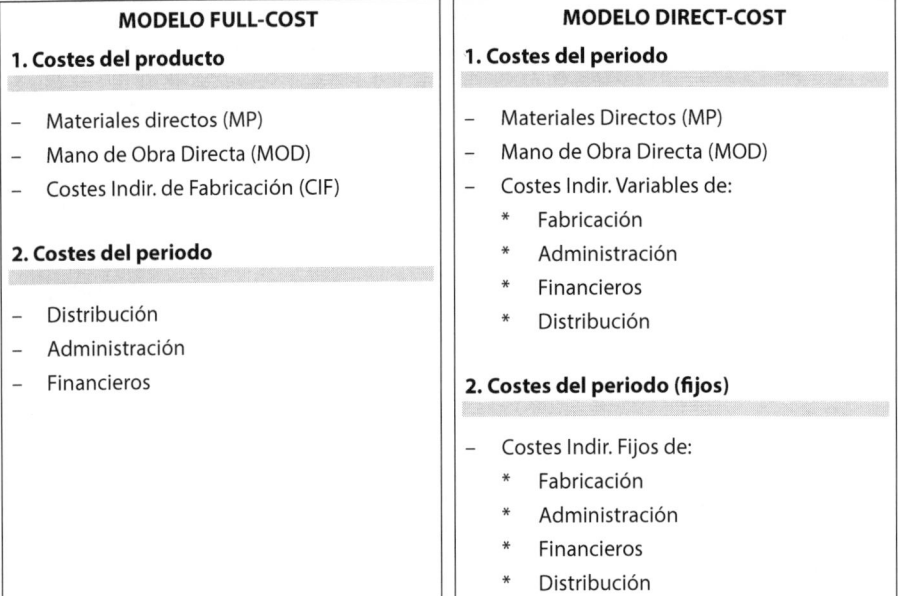

MODELO FULL-COST	MODELO DIRECT-COST
1. Costes del producto	**1. Costes del periodo**
– Materiales directos (MP) – Mano de Obra Directa (MOD) – Costes Indir. de Fabricación (CIF)	– Materiales Directos (MP) – Mano de Obra Directa (MOD) – Costes Indir. Variables de: * Fabricación * Administración * Financieros * Distribución
2. Costes del periodo	**2. Costes del periodo (fijos)**
– Distribución – Administración – Financieros	– Costes Indir. Fijos de: * Fabricación * Administración * Financieros * Distribución

Figura 2

* El método del coste variable evolucionado o *direct costing* evolucionado.

Este método intenta calcular el coste variable y los costes fijos específicos de cada producto. Según este método son costes de producción los costes variables y los costes fijos de cada producto; son costes del período los costes fijos indirectos.

Al igual que en el coste variable la aplicación de este método supone la separación de los costes en fijos y variables. De esta manera:

Costes directos variables: varían en función de la producción y se refieren directamente a los bienes fabricados.

Costes indirectos variables: a pesar de modificarse en función del nivel de producción no pueden imputarse a ningún producto o proceso por lo que se utiliza algún método de asignación.

Costes directos fijos: son costes independientes del nivel de producción pero directamente imputables a un determinado producto, ya que de no existir Este desaparecerían de la empresa.

Costes indirectos fijos: son los que proporcionan a la empresa la capacidad general de producir, almacenar y vender. Son costes de estructura o periódicos y no pueden asignarse a ningún producto.

En este método vamos a obtener tres márgenes: el bruto y neto calculados anteriormente y un margen intermedio denominado semibruto (MSB). Para calcular este último restamos los costes fijos directos (CFD) de cada producto al margen bruto:

$$MSB_j = MB_j - CFD_j$$

la suma de todos los márgenes semibrutos de cada producto nos dará como resultado el margen semibruto total de la empresa: $MSB = MSB_1 + MSB_2 + ... + MSB_n = \sum MSB_j$

El margen neto de la empresa (MN) lo calculamos restando costes fijos indirectos (CFI) al margen semibruto:

$$MN = MSB - CFI$$

Como en el método del *direct-costing*, este método es muy útil en el control de la gestión, porque permite adoptar un sistema de previsión contable ya que proporciona información sobre la evolución de los costes variables y los costes fijos imputados a un producto. Así se puede analizar cómo cada producto contribuye a los costes fijos indirectos y al beneficio de la empresa.

2.3. El punto muerto o umbral de rentabilidad

En economía, el punto muerto, punto de equilibrio o umbral de rentabilidad (en inglés *break-even point* - BEP) es el número mínimo de unidades que una empresa necesita vender para que el beneficio en ese momento sea cero. También podemos definirlo como aquel volumen de ventas que cubre todas las cargas de estructura o costes fijos del período más los costes variables correspondientes a dicho volumen. Es decir, cuando los costes totales igualan a los ingresos totales por venta o, dicho en otras palabras, el punto muerto indica el nivel de producción y venta a partir del cual la empresa empezará a obtener beneficios.

La expresión del punto muerto (en unidades físicas) se puede deducir de la siguiente manera:

$$B = MB - CF = (IT - CV) - CF = 0$$

$$B = P \cdot V - CMeV \cdot V - CF = (P - CMeV)V - CF = 0$$

$$V = CF / (P - CMeV)V \text{ (en unidades físicas)}$$

Siendo:

B = Beneficio

MB = Margen Bruto

CF = Costes fijos

IT = Ingresos totales

CV = Costes Variables

P = Precio unitario

V = Volumen de ventas en unidades físicas

CMeV = Coste medio variable o unitario

Gráficamente podemos representar el punto muerto según la figura 3.

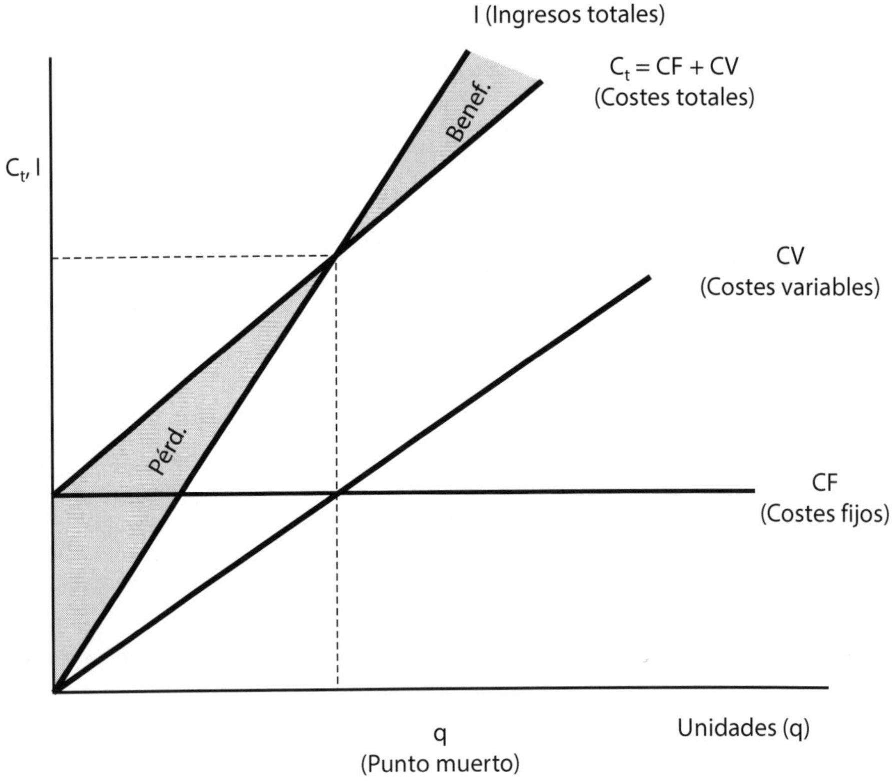

I (Ingresos totales)

$C_t = CF + CV$
(Costes totales)

Benef.

$C_{t'}$ I

CV
(Costes variables)

Pérd.

CF
(Costes fijos)

q
(Punto muerto)

Unidades (q)

Figura 3

3. Los principales elementos determinantes del coste de producción

Los principales elementos determinantes del coste de producción son:

- Los costes de materiales.

- El coste de la mano de obra.

– Los costes generales industriales.

– Los costes generales de administración y venta.

– Los costes financieros.

Veamos cada uno de ellos brevemente.

– **El coste de materiales.**

Lo calcularemos teniendo en cuenta no solo el importe que haya cargado el proveedor en factura por los materiales que sirve sino también añadiendo los gastos de transporte y conservación.

– **El coste de la mano de obra.**

Lo calcularemos en función de las horas y jornadas de trabajo que se han empleado en la producción del período. Se incluyen tanto los sueldos como las atenciones sociales a cargo de la empresa.

– **Los costes generales industriales.**

Podemos desglosar estos costes en dos conceptos:

* Amortizaciones o consumo de capital fijo.

* Servicios industriales: gastos originados por la dirección de las instalaciones fabriles, conservación de los talleres o fábricas, conservación de almacenes, etc.

– **Los costes generales de administración y venta.**

Los costes de administración incluyen las cargas por el mantenimiento de servicios generales que coordinan o controlan las demás funciones de la empresa, principalmente producción y distribución.

Los costes de comercialización computan las cargas que se producen en la empresa como consecuencia de la venta de mercancías y productos terminados.

– **Los costes financieros.**

Podemos dividirlos en explícitos (es el coste de la financiación ajena) e implícitos, derivados de la utilización de los recursos propios.

4. El coste de los subproductos

En los procesos productivos llamados de producción conjunta se obtienen además de uno o más productos principales otros productos de importancia menor para la empresa. Estos productos varios podemos clasificarlos en:

– **Coproductos**: se obtiene de forma simultánea varios bienes con un valor de venta similar.

– **Subproductos**: son productos obtenidos de forma accesoria a la actividad principal y que poseen un valor de venta significativamente inferior al del producto principal.

– **Residuos**: representan desechos ineludibles obtenidos en el proceso de producción cuyo valor de venta será muy pequeño.

– **Mermas**: son las pérdidas producidas en el seno del proceso productivo, productos que no reúnen los estándares de calidad exigidos al producto principal.

– **Desperdicios**: representan productos obtenidos en el proceso productivo que no tienen valor de venta y cuya eliminación suele producir un coste.

Cuando existe producción conjunta se plantea el problema de diferenciar el coste unitario de cada producto principal obtenido de forma conjunta. Para ello lo primero a realizar consiste en segregar aquellos costes que son fácilmente individualizables. Una vez hecho esto, los que quedan son los costes comunes.

Podemos concretar tres sistemas de individualizar los costes comunes entre las diferentes unidades de producción:

a) Imputar los costes comunes en función de las cualidades físicas de los productos obtenidos (volumen, tamaño, peso, calidad, etc.). Este es un criterio de base técnica.

b) En proporción al importe de los costes especiales o autónomos de cada producto. Se trata de un criterio de base económica.

c) En proporción a los precios de venta en el mercado de los distintos productos fabricados. Este es un criterio de base económica también, o mejor dicho, de base comercial.

4.1. Cálculo del coste de los subproductos

Para calcular el coste de los subproductos podemos establecer varios criterios o métodos:

a) Considerar que el valor de los subproductos reduce el coste general del producto obtenido.

b) Considerar que el subproducto solo incorpora costes a partir de un determinado punto del proceso económico.

c) Considerar que el coste del subproducto es nulo si la importancia económica del subproducto es poco significativa o casi nula.

d) Aplicar al subproducto un procedimiento contable similar al del producto principal. Este método se usa cuando el subproducto tiene un valor económico relevante.

e) Método del coste invertido o del precio de venta: se trabaja hacia atrás partiendo del precio de venta teniendo en cuenta u porcentaje prefijado de beneficio, costes de venta y costes de administración. La diferencia entre el precio de venta y los costes prefijados es el coste del subproducto.

f) Valoración a coste estándar o coste tipo, determinado teniendo en cuenta las características técnicas y económicas de la producción.

TEMA 28

La empresa como organización. Marco institucional. Concepto. Realidad económica y entorno. Clases de empresas y criterios de clasificación. Los objetivos de la empresa. Sistemas de dirección y gestión

La **multitarea** no existe cuando se prepara una oposición, necesitas toda tu concentración para sacar todo tu potencial. Te contamos más en tu Curso MAD360.

Índice

1. La empresa como organización. Marco institucional

A la organización empresarial corresponde el proceso de estructuración de los talentos (humanos, financieros y materiales) de los que dispone la empresa, para alcanzar los objetivos deseados. Son muchos los modelos de organización que podemos encontrar. Las estructuras más comunes son:

Organización lineal:

– Sistema de organización lineal con personal de asesoramiento.

– Sistema de organización lineal con comités o consejos.

Organización funcional:

– Sistema de organización funcional o departamental o de Taylor.

– Sistema de organización mixto, o sea la integral.

Organización matricial:

Uno de los aspectos en los que incide la organización es en el establecimiento de departamentos. Los departamentos designan un área o división en particular de una empresa. Al frente de cada departamento existe un administrador, que tendrá competencias respecto del desempeño de las actividades específicas del mismo.

Podemos distinguir entre departamentos de producción, de control de calidad, de ventas, de investigación de mercado, etc.

Por marco institucional entendemos que, al ser la empresa un elemento del subsistema productivo, se encuentra a su vez inmersa en un sistema económico más amplio. Y por ello estará condicionada por la estructura económica en la que se desenvuelva.

2. Concepto. Realidad económica y entorno

Podíamos **definir** a la empresa como el conjunto de factores de producción coordinados, que tienen la función de producir y cuyo objetivo viene establecido por el sistema de organización económica en el que desarrolle su actividad. En las economías de mercado, el objetivo establecido es la obtención del máximo beneficio.

En un sentido amplio, podemos entender por **entorno** «todo lo que está fuera de los límites de la empresa».

No obstante, podemos concretar un poco y distinguir dos tipos de entorno, el social y el específico.

El entorno social (o general) afecta, dentro de una sociedad concreta, a todas las empresas de la misma.

Las características del entorno general que influyen en las empresas son de tipo:

– Culturales.

– Económicas.

– Sociológicas.

– Tecnológicas.

– Demográficas.

– Legales.

- Educativas.
- Políticas.
- Recursos naturales.

El entorno específico (o particular), afecta más directamente a cada empresa propiamente dicha, son diferentes para cada empresa.

Entre las circunstancias que influyen sobre el entorno específico de cada empresa, podemos destacar:

- Clientela (tanto distribuidores como usuarios del producto de la empresa).
- Proveedores (de materias primas, bienes de equipo, de otros productos y servicios).
- Empleados.
- Competencia (respecto de clientes o proveedores).
- Elementos socio-políticos:
  * Control del gobierno sobre el sector.
  * Actitudes políticas sobre el producto y el sector.
  * Relaciones con los sindicatos.
- Elemento tecnológico.

2.1. La responsabilidad social de la empresa

La empresa ha llegado a ser un elemento muy importante en la sociedad humana porque además de ocuparse de satisfacer los gustos, deseos y necesidades de las personas, se ha convertido en fuente de influencia y poder. Así, la empresa es una de las principales fuerzas impulsoras del cambio social y ha aportado mejoras notables en el modo y estilo de vida de las personas.

Sin embargo, la actividad empresarial también provoca problemas e inconvenientes. Entre ellos podemos señalar como principales la especulación, la contaminación del medio ambiente o la ocupación del espacio. Por ello hoy, la empresa, debe tender a compaginar sus objetivos de máximo beneficio con la búsqueda de un mayor bienestar social.

Podemos definir tres niveles de compromiso de la empresa en la búsqueda de este equilibrio:

- Nivel interior: se refiere únicamente a responsabilidades básicas por el ejercicio eficiente de la actividad económica: producción, crecimiento económico y empleo.
- Nivel intermedio: se refiere a valores y responsabilidades sociales, como cuidado del medio ambiente, proporcionar mayor información a los consumidores o relaciones laborales.
- Nivel exterior: se refiere a responsabilidades de cambio social futuro como la lucha contra la pobreza, urbanismo sostenible, etc.

En relación con estos niveles, por parte de la empresa, surgen distintos enfoques:

a) Enfoque negativo: opuesto al incremento de la responsabilidad social de la empresa.

b) Enfoque positivo: favorable a la asunción de responsabilidad social por la empresa.

c) Enfoque intermedio: olvida el objetivo de maximizar el beneficio (que solo vela por los intereses de los accionistas), defendido por los dos enfoques anteriores, y se centra en atender también los intereses de directivos, trabajadores, clientes y entorno social en el que actúa la empresa.

2.2. Factores económicos que influyen en la empresa

Siguiendo lo publicado por la OIT (Organización Internacional del Trabajo), podemos clasificar los factores económicos que influyen en la empresa en nacionales e internacionales. Los nacionales podemos clasificarlos en temporales y permanentes.

Veámoslos:

Factores nacionales temporales:

- Nivel de actividad económica.
- Situación de la Balanza de Pagos.
- Tipos de interés.

Factores nacionales permanentes:

- Nivel general de la actividad económica:
  * Dimensiones del mercado nacional.
  * Disponibilidades del factor trabajo.
  * Existencias de capital social básico.
- Grado de desarrollo económico de la región donde opera la firma.
- Índice de crecimiento de la población.
- Grado de industrialización.
- Nivel salarial.
- Distribución de la riqueza.
- Disponibilidad de materias primas y capitales.

Factores internacionales:

- Nivel de la actividad económica mundial.
- Competencia entre empresas.
- Otros factores: disponibilidad de divisas, grado de proteccionismo, barreras comerciales, etc.

2.3. El marco social y tecnológico

Por marco social entendemos el entorno social en el que se desenvuelve y con el que se relaciona la empresa. Aquí debemos tener en cuenta tanto las asociaciones de trabajadores (sindicatos) como de los empresarios (patronales) como el Gobierno que interviene como mediador en las tensiones y conflictos que pueden surgir entre los dos primeros.

Por marco tecnológico nos referimos a cómo la empresa ha aprovechado los avances científicos y tecnológicos para mejorar sus procesos productivos en la búsqueda de sus objetivos.

3. Clases de empresas y criterios de clasificación

Definimos la empresa como una entidad económica de producción que se dedica a combinar capital, trabajo y recursos naturales con el fin de producir bienes y servicios para vender en el mercado.

Las empresas pueden ser clasificadas de distintas maneras: según la forma jurídica, el tamaño, la actividad y la procedencia del capital, entre otras.

Tipos de empresas de acuerdo con su forma jurídica:

1. Unipersonal: son aquellas empresas que pertenecen a un solo individuo. Es este quien debe responder ilimitadamente con su patrimonio frente a aquellos individuos perjudicados por las acciones de la empresa.

2. Sociedad Colectiva: son las empresas cuya propiedad es de más de una persona. En estas, sus socios responden de forma ilimitada con sus bienes.

3. Cooperativas: son empresas que buscan obtener beneficios para sus integrantes y no tienen fines de lucro. Estas pueden estar conformadas por productores, trabajadores o consumidores.

4. Comanditarias: en estas empresas existen dos tipos de socios: por un lado, están los socios colectivos que participan de la gestión de la empresa y poseen responsabilidad ilimitada. Por otro, los socios comanditarios, que no participan de la gestión y su responsabilidad es limitada respecto al capital aportado.

5. Sociedad de responsabilidad limitada (SRL): en estas empresas, los socios solo responden con el capital que aportaron a la empresa y no con el personal. Es una sociedad de capital.

6. Sociedad anónima (SA): estas sociedades poseen responsabilidad limitada en función del patrimonio aportado y sus titulares participan en el capital social por medio de acciones o títulos. Es una sociedad de capital.

Tipos de empresa de acuerdo con su tamaño:

1. Microempresa: son aquellas que poseen hasta 10 trabajadores y generalmente son de propiedad individual, su dueño suele trabajar en ella y su facturación es más bien reducida. No tienen gran incidencia en el mercado, tienen pocos equipos y la fabricación es casi artesanal.

2. Pequeñas empresas: poseen entre 11 y 49 trabajadores, tienen como objetivo ser rentables e independientes, no poseen una elevada especialización en el trabajo, su actividad no es intensiva en capital y sus recursos financieros son limitados.

3. Medianas empresas: son aquellas que poseen entre 50 y 250 trabajadores, suelen tener áreas cuyas funciones y responsabilidades están delimitadas y comúnmente tienen sindicato.

4. Grandes empresas: son aquellas que tienen más de 250 trabajadores, generalmente tienen instalaciones propias, sus ventas son muy elevadas y sus trabajadores están sindicalizados. Además, estas empresas tienen posibilidades de acceder a préstamos y créditos importantes.

Tipos de empresa según el sector de actividad:

1. Empresas del sector primario: son aquellas que, para realizar sus actividades, usan algún elemento básico extraído de la naturaleza, ya sea agua, minerales, petróleo, etc.

2. Empresas del sector secundario: se caracterizan por transformar a la materia prima mediante algún procedimiento.

3. Empresas del sector terciario: son empresas en que la capacidad humana para hacer tareas físicas e intelectuales son su elemento principal.

Tipos de empresa según la procedencia del capital:

1. Empresas públicas: son aquellas en las que el capital proviene del Estado, ya sea municipal, provincial o nacional.

2. Empresas privadas: su capital proviene de particulares.

3. Empresas mixtas: en este caso, el capital proviene tanto de particulares como del Estado.

Respecto de las **empresas públicas**, podemos distinguir **tres formas de gestionarlas**:

a) Empresas con presupuesto autónomo: en esta forma de gestión, la empresa dispone de sus propios ingresos y realiza sus gastos con independencia del presupuesto público. No obstante, la gestión de la empresa la realiza la Administración Pública.

b) Empresas con administración autónoma: funcionan de manera parecida a una empresa privada. Sin embargo, la propiedad corresponde al Estado, que puede imponer directrices de gestión y nombrar al equipo directivo.

c) Empresas con gestión delegada: en este tipo de empresa pública, se cede la explotación a un concesionario que tiene que aceptar algunas condiciones como, por ejemplo, fijar determinadas tarifas o precios, conservar las instalaciones, etc. También se establece la manera en que se van a repartir los beneficios con la Administración y el tiempo que durará la concesión, finalizada la cual, las instalaciones revertirán a la Administración. La ventaja principal de esta forma de gestión es que el Estado sigue ostentando la propiedad y el control de la sociedad, pero no debe preocuparse por la gestión de la misma. Los inconvenientes pueden llegar si las condiciones de la concesión resultan ser demasiado favorables para una de las partes o si las condiciones de la concesión no son cumplidas por el concesionario.

En cuanto a las principales **razones que generalmente se señalan para crear una empresa pública**, se resumen en las siguientes:

1. Falta de rentabilidad privada de una actividad interesante desde un punto de vista social.

2. Control de precios en el sector.

3. Necesidad de realizar elevadas inversiones que la iniciativa privada no puede asumir por no ser rentables a corto plazo.

4. Combatir situaciones de monopolio y oligopolio.

5. Promover el desarrollo industrial y el empleo en determinadas regiones.

6. Evitar que los intereses privados prevalezcan sobre los generales en sectores especialmente relevantes por su interés.

7. Razones de interés militar y de defensa nacional.

8. Razones de prestigio nacional a nivel internacional.

Las primeras cinco razones son de orden económico-social; las tres últimas son de orden político-social.

Para terminar, veamos las **principales diferencias entre una sociedad de capital y una sociedad cooperativa:**

SOCIEDAD DE CAPITAL:

a) Fin: obtención de beneficio para el capital.

b) N.º de socios: puede ser ilimitado.

c) Solo pueden ser socios los que aporten capital.

d) No cuenta la persona, sino el capital.

e) Capital fijo.

f) Objetivos independientes generalmente de los socios.

g) La condición de socio se transfiere con las participaciones del capital.

h) Los beneficios se reparten en proporción al capital aportado.

i) Las reservas se reparten entre los socios en caso de liquidación.

SOCIEDAD COOPERATIVA:

a) Fin: satisfacer las necesidades de los socios.

b) N.º de socios: ilimitado.

c) Pueden ser socios los que realicen la actividad de la cooperativa.

d) El elemento principal es la persona.

e) Capital variable.

f) Objetivos dependientes de las necesidades de los socios.

g) La condición de socio es intransferible.

h) Los beneficios se reparten en proporción a la actividad realizada.

i) Las reservas no se reparten.

4. Los objetivos de la empresa

La empresa, generalmente, va a tener múltiples objetivos que querrá conseguir al mismo tiempo. Por ello deberá jerarquizarlos y hacerlos compatibles.

A la hora de elaborar y formular sus objetivos la empresa se va a encontrar con una serie de problemas que son:

a) Identificar claramente cuáles son sus objetivos.

b) Tener en cuenta el factor oportunidad en la programación de los objetivos.

c) Formular los objetivos racionalmente de manera que se puedan conseguir.

En cuanto a los factores determinantes en la formulación de objetivos tenemos:

1. Los distintos grupos de intereses que existen dentro (o fuera) de la empresa (accionistas, trabajadores, proveedores, clientes, Estado, etc.) generan restricciones y condiciones a la hora de establecer los objetivos.

2. También los objetivos van a ser condicionados por el tipo de empresa que los elabora (privadas o públicas; grandes o pequeñas...).

3. Las nuevas técnicas de administración y la necesaria distinción entre propiedad y dirección de la empresa.

Mientras Cyert y March señalan que las empresas no tienen objetivos, sino que los tienen las personas, Ansoff postula que se puede distinguir entre objetivos, responsabilidades y restricciones.

Por último, señalar que los objetivos deben ser compatibles entre sí y con el sistema de información que tenga la empresa, al ser estos herramientas para la evaluación, control y coordinación de la misma.

5. Sistemas de dirección y gestión

A la dirección de la empresa corresponde la organización de la misma en los talentos (humanos, financieros y materiales) de los que dispone para alcanzar los objetivos deseados. Son muchos los modelos de organización que podemos encontrar. Las estructuras más comunes son:

- Organización lineal

  * Sistema de organización lineal con personal de asesoramiento.

  * Sistema de organización lineal con comités o consejos.

- Organización funcional

  * Sistema de organización funcional o departamental o de Taylor.

  * Sistema de organización mixto, o sea, la integral.

- Organización matricial

Una de las funciones de la organización es el establecimiento de departamentos. Los departamentos delimitan un área o división en particular de una organización sobre la cual un administrador posee autoridad respecto del desempeño de actividades específicas, de acuerdo con su uso más general. Los departamentos pueden ser de producción, de control de calidad, de ventas, de investigación de mercado, etc.

Siguiendo a Simon, las empresas (organizaciones), se construyen en tres niveles:

a) Nivel físico de producción (sistema básico).

b) Nivel de procesos programados de producción: gestiona las operaciones rutinarias del nivel físico.

c) Nivel de procesos no programados: vigila los procesos del primer nivel.

Las organizaciones, siguiendo con Simon, se dividen en subsistemas principales, estos en subsistemas específicos y así sucesivamente en formas de divisiones o departamentos y estos en secciones o unidades operativas.

Basándonos en la teoría de Simon, Forrester y Mélése, el sistema empresa puede ser estudiado conforme las distintas naturalezas de circulación de valores por su estructura y en relación con su entorno:

Circulación de valor en unidades físicas entre los elementos o unidades operativas de la empresa y con su entorno (por ejemplo, materiales, máquinas, productos…).

Circulación de valor en unidades monetarias entre los elementos o unidades operativas de la empresa y con su entorno (por ejemplo, transacciones financieras, dinero…).

Circulación de datos obtenidos de los dos procesos anteriores y que son transformados en información (por ejemplo, contabilidad de la empresa y estadísticas económicas).

Circulación de información entre los miembros de la organización y su correspondiente realimentación (comunicación).

Circulación de información para apoyar la acción futura o para tomar decisiones (sistema de información para la dirección).

Estas clases de circulación configuran cinco subsistemas o sistemas empresariales, tal y como se muestra en la figura 1.

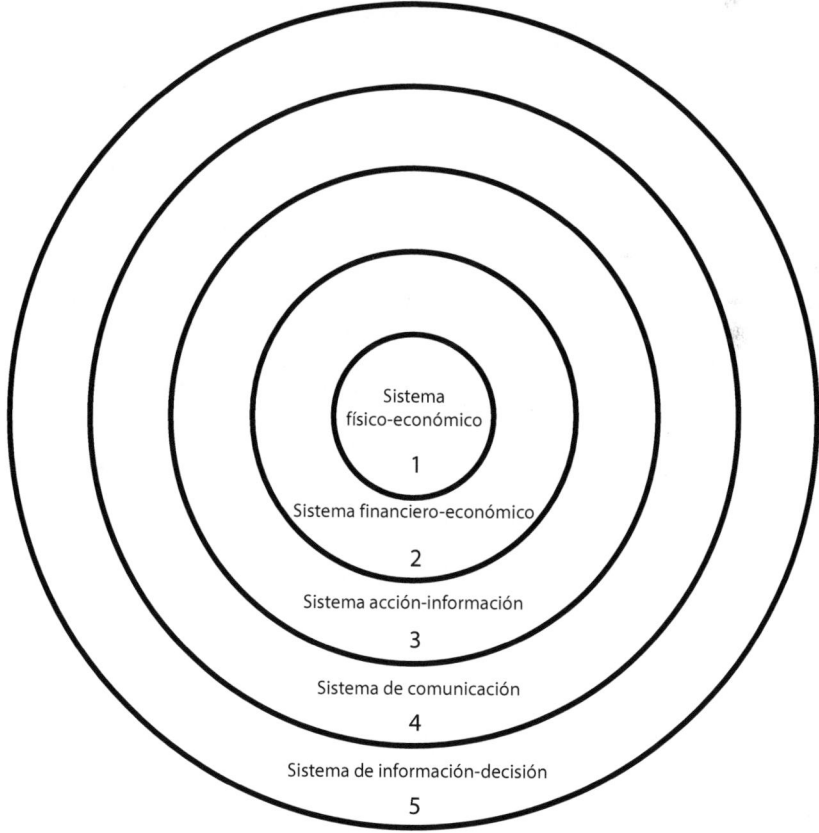

Fuente: Bueno (2004)

Figura 1

La agregación de los subsistemas 1 y 2 representa el «sistema técnico» o «tecnológico» de la empresa, conjunto de «operaciones» que transforman los valores reales y financieros de la organización, según el ciclo de explotación y el ciclo de capital de la misma.

Es decir, los dos primeros sistemas forman el sistema físico de la empresa (que Simon llama básico) que configura los procesos reales de transformación de factores en productos. El sistema físico-económico corresponde al ciclo de explotación o de las operaciones corrientes, y al ciclo del capital técnico o de las operaciones de inversión real. El sistema físico financiero (considerada la unidad monetaria en sentido físico) responde a los mismos ciclos, pero en sentido financiero: de tesorería para el de explotación y de capital, o de obtención de recursos financieros para el de inversión real.

La agrupación de los otros tres subsistemas representa el «sistema de dirección» o de «administración» de la empresa, pudiendo inclusive, desgajarse el sistema de comunicación como parte integrante del «sistema psico-social» o «humano» de la organización.

Estos tres últimos sistemas se corresponden con la concepción del proceso de dirección de Forrester: información-decisión-acción-información.

Si aceptamos como hipótesis que el sistema financiero-económico recoge básicamente operaciones de capital en sentido tanto financiero como técnico, además de las operaciones de tesorería, nos quedarán para el sistema físico-económico las operaciones del ciclo de explotación: aprovisionamiento, producción y comercialización.

Pero el funcionamiento del sistema en su totalidad o, al menos en alguna parte, necesita una dirección o una gestión. Ello exige una información para el proceso decisorio, tanto en su versión de planificación como de control, decisiones que darán lugar a un conjunto de acciones o de manejo de las operaciones citadas. La información procederá tanto del exterior como de la propia estructura del sistema, exigiendo los adecuados canales de comunicación para que esta llegue en la forma y el momento oportunos a los centros decisorios. En conclusión, los sistemas físicos, por una parte, y de dirección y gestión, por otra, están en constante interacción.

El sistema de dirección se compone de dos subsistemas. Uno se refiere al propio alcance de la dirección (como conjunto de decisiones y estrategias globales, y de la función de planificación a largo plazo, impulsora y motivadora de todo el grupo humano que conforma la empresa); el otro se refiere a la gestión (como conjunto de decisiones específicas operativas, y de las funciones de planificación y de control a corto plazo, equilibradora, coordinadora y operativa). En este sentido Mélése define el sistema de gestión como *"el conjunto de reglas, procedimientos y de medios que permiten aplicar métodos a un organismo (el sistema físico) para realizar ciertos objetivos"*. El sistema de gestión puede descomponerse por tanto en:

1. Subsistema de información y de comunicación

2. Subsistema de decisión

    2.1. Subsistema de programación

    2.2. Subsistema de control

3. Subsistema de operaciones

Cuestión que también se puede hacer extensiva, aunque con las características y su propio nivel, al sistema de dirección. Se puede clasificar así:

– Subsistema de dirección:

    * Subsistema de planificación

    * Subsistema de control

- Subsistema de gestión:
  * Subsistema de información
  * Subsistema de decisión
  * Subsistema de programación
  * Subsistema de control
  * Subsistema de operaciones

Estos sistemas pueden corresponder tanto a un nivel total o agregado de las operaciones de la empresa como a otro nivel inferior de operaciones concretas del ciclo de explotación o del de capital.

Si sintetizamos funcionalmente los sistemas empresariales citados, podemos llegar a esta clasificación de los mismos:

Subsistemas del ciclo de explotación:

- Aprovisionamiento (compras de factores de producción)
- Producción (transformación de factores en productos)
- Distribución y comercialización (marketing y venta de productos)

Subsistemas del ciclo de capital:

- Financiación (obtención de recursos financieros)
- Inversión (aplicación de los recursos financieros)

Subsistemas del ciclo de capital:

- Financiación (obtención de recursos financieros)
- Inversión (aplicación de los recursos financieros)

Subsistemas directivos:

- Planificación y control
- Información y comunicación

Los últimos sistemas presentan una doble acepción, como ya se ha señalado, una de carácter global (que atiende al conjunto de los sistemas empresariales) y otra de carácter específico o para cada uno de los citados subsistemas, ya que cada uno de ellos puede necesitar su propio circuito de información-decisión.

TEMA 29

El fondo de comercio: Significación económica. Técnica de su valoración. Valoración de la empresa en funcionamiento

Anota las **tareas pendientes** y planifica tus menús para liberar tu mente de cuestiones irrelevantes y concentrarte en el estudio. Te contamos más en tu Curso MAD360.

1. El fondo de comercio: significación económica

El fondo de comercio es el valor inmaterial de la empresa. Este valor inmaterial depende de muchos factores. Entre ellos podemos señalar: la buena organización, las patentes, sus marcas, su nombre comercial, el buen hacer de sus directivos, la cantidad y calidad de su clientela, la posición de sus productos en el mercado, su localización, etc.

El fondo de comercio es el valor actual de los superrendimientos o superbeneficios que una empresa produce, por lo tanto, el fondo de comercio expresa la estimación de la capacidad productora de beneficios de la empresa en funcionamiento.

El fondo de comercio siempre va a ser una magnitud variable para cada empresa que depende no solo de la inversión realizada sino del conjunto de circunstancias antes mencionadas.

Todas las magnitudes que se utilizan para la estimación del fondo de comercio se valoran subjetivamente, teniendo en cuenta las expectativas del empresario sobre la evolución de las circunstancias externas e internas que afectan a la empresa.

2. Técnica de su valoración

Para determinar el fondo de comercio se utilizan frecuentemente dos métodos: el método indirecto o alemán, y el método directo o anglosajón. Veamos cada uno de ellos.

El método indirecto o alemán

En este método, el valor del fondo de comercio (FC) se calcula como la diferencia entre el valor de rendimiento (VR) de la empresa y su valor sustancial (VS). Los conceptos de valor de rendimiento y valor sustancial los trataremos en la última pregunta del tema. Lo expresamos así:

$$FC = VR - VS$$

El método directo o anglosajón

Este método es el que calcula el fondo de comercio a través de los superrendimientos o superbeneficios.

Se calcula el valor del fondo de comercio por el valor actual de la diferencia entre las rentas generadas por la empresa y las que pueden considerarse normales. Con este enfoque, el fondo de comercio se materializa en unos rendimientos extraordinarios cuya actualización determina el valor del fondo (superrendimientos).

Se parte de la comparación, en cada ejercicio, entre el beneficio (B) que obtiene la empresa y el que se consideraría normal (BN) en el sector o en la economía. La diferencia entre ambos es el superrendimiento o superbeneficio (SR):

$$SR = B - BN$$

El fondo de comercio sería el valor actual de los superrendimientos.

Si los beneficios son distintos cada año (B_1, B_2, ..., B_n), el valor actual de los superrendimientos, es decir, el fondo de comercio (FC), lo calcularíamos de la siguiente manera:

$$FC = (B_1 - BN_1)(1+k)^{-1} + (B_2 - BN_2)(1+k)^{-2} + ... + (B_n - BN_n)(1+k)^{-n} \quad (29.1)$$

Siendo k la tasa de actualización o descuento (tipo de interés o bien la propia tasa de rendimiento normal de las empresas del sector).

Si suponemos que los beneficios son constantes cada año, la expresión anterior se expresaría así:

$$FC = (B - BN)a_{n\urcorner k} \quad (29.2)$$

Siendo

$$FC = SR \, a_{n\urcorner k}$$

Si el horizonte temporal fuera infinito, la expresión (29.2) la escribimos:

$$FC = (B - BN)/k \quad (29.3)$$

$$FC = SR/K$$

Ahora bien, el beneficio que obtiene la empresa (B) también se puede expresar como el producto de la tasa de rentabilidad que obtiene la empresa (r) por su valor sustancial (VS):

$B = r \cdot VS$

Y el beneficio normal (BN) lo podemos expresar como el producto de la tasa de rentabilidad normal del sector (k) por el valor sustancial (VS):

$BN = k \cdot VS$

En estos casos se cumple que r>k.

Así, la expresión (29.2.) la escribimos:

$$FC = [(r - k) \, VS]a_{n\urcorner k} \quad (29.4.)$$

Y si el horizonte de valoración fuera infinito, la expresión (29.3.) la escribiríamos:

$$FC = [(r - k) \, VS]/k \quad (29.5.)$$

Por último, cabe mencionar que algunos autores consideran que el tipo de rendimiento normal debe aplicarse al valor global de la empresa y no a su valor sustancial. La justificación está en que el comprador va a pagar por la empresa su valor global, motivo por el que invirtiendo ese importe al tipo de rentabilidad normal obtendría un beneficio igual al producto de la tasa de rentabilidad normal por el valor global de la empresa. Teniendo en cuenta esta precisión, el superrendimiento sería igual a:

$SR = r \, VS - k * VG$

Para calcular el fondo de comercio según esta definición de superrendimiento bastaría sustituirla en las expresiones anteriores.

3. Valoración de la empresa en funcionamiento

A la hora de realizar la valoración de una empresa en funcionamiento es necesario aplicar algunos principios que permitan reducir lo más posible la subjetividad del proceso. Estos principios son:

a) Principio de objetividad.

b) Principio de prudencia valorativa.

c) Principio de especialización de ejercicio. A cada ejercicio económico se le deben imputar los ingresos y gastos que en él se produzcan.

d) Principio de permanencia del criterio de valoración. El criterio o criterios de valoración elegidos deben mantenerse durante todo el proceso de valoración, a no ser que se hayan producido circunstancias que aconsejen modificarlos.

e) Principio de unidad de valoración. El valor global de la empresa tiene que ser único.

f) Principio de anticipación al futuro. Para determinar el valor de una empresa no solo hay que tener en cuenta su realidad patrimonial actual, sino también las perspectivas futuras de beneficio.

Una vez definidos los principios, pasemos a exponer los distintos métodos de valoración:

- **Valor matemático o contable**: Se calcula como la diferencia entre el activo real neto (ARN) y los recursos ajenos (RA). Coincide con el valor del patrimonio neto.

$$VC = AR - RA$$

- **Valor de liquidación:** es el valor que se espera obtener cuando la empresa va a liquidarse, va a desaparecer. Es igual al valor de los ingresos (VI) obtenidos con la venta de los elementos de su activo, menos las deudas que la empresa tiene (RA) y descontados los gastos de liquidación (GL).

$$VL = VI - RA - GL$$

- **Valor de reposición o reconstitución de la empresa:** es el coste que representaría adquirir una empresa con la misma capacidad de producción y de generación de beneficios que la empresa que se está valorando actualmente.

- **Valor sustancial:** es el valor de reposición actualizado de todos los bienes y derechos que componen la empresa, es decir, el activo (A) menos las deudas que esta tiene con terceros (RA). Por lo tanto, es el valor de los capitales propios según los valores de reposición actualizados. El valor sustancial suele considerarse como el valor material de la empresa.

$$VS = A - RA$$

- **Valor bursátil:** es el valor en bolsa de la empresa. También se le conoce como Capitalización Bursátil. Se calcula multiplicando la cotización en el mercado de valores de las acciones de la empresa (Cotiz) por el número de acciones de la misma (Nº Accs).

$$VB = Cotiz \cdot NºAccs$$

- **Valor de rendimiento:** es igual al valor actualizado de los beneficios esperados de la empresa.

Es el valor que tiene la empresa en funcionamiento. Por tanto, será función del beneficio medio anual esperado (B), del número de años que la empresa permanezca en funcionamiento (n) y del tipo de actualización o descuento (k):

$$VR = f(B,n,k)$$

Si suponemos que la duración de la empresa es de n años y que existe un tipo de actualización constante, el valor de rendimiento se expresará así:

$$VR = B(1+k)^{-1} + B(1+k)^{-2} + ... + Bn(1+k)^{-n}$$

Si ahora suponemos que el beneficio es constante en todo el horizonte temporal de valoración, la expresión anterior la escribimos así:

$$VR = Ba_{n \rceil k}$$

Finalmente, si consideramos un horizonte temporal infinito:

$$VR = B/k$$

Vamos a terminar esta pregunta con la exposición de los dos métodos principales para calcular el **valor global** de una empresa: el método indirecto o alemán y el método directo o anglosajón. Como el opositor habrá adivinado, ambos métodos se basan en los métodos del mismo nombre que hemos estudiado para calcular el fondo de comercio.

Método alemán o indirecto de valoración de empresas

En el método indirecto o alemán se considera que el valor de la empresa en funcionamiento es el valor de rendimiento. Por otra parte, el valor tangible se estima mediante el valor sustancial. El fondo de comercio, como ya vimos, se calcula por diferencia entre el valor de la empresa en funcionamiento y su valor tangible, esto es, como la diferencia entre el valor de rendimiento y el sustancial: $FC = VR - VS$

El valor global de la empresa (VG) sería la suma de los valores de su parte tangible y de su parte intangible. Esto es, la suma de su valor sustancial y el fondo de comercio. Así, el valor global, en principio, coincidiría con el valor de rendimiento. Sin embargo, para calcular el valor global solo se va a sumar la mitad del fondo de comercio al valor sustancial. La justificación radica en el proceso de negociación entre la parte compradora y la vendedora.

Por lo tanto, el valor global se expresa así:

$$VG = VS + FC/2 = VS + (VR - VS)/2 = (VS + VR)/2$$

Método anglosajón o directo de valoración de empresas

En el método directo o anglosajón vamos a calcular en primer lugar el valor material de la empresa y de forma separada se determina el fondo de comercio mediante el ya explicado método de los superrendimientos. Una vez estimados los valores de la parte tangible y de la inmaterial, se calcula el valor global de la empresa.

En el método directo, el valor global se estima añadiendo al fondo de comercio, calculado por el procedimiento de los superrendimientos, el valor sustancial. Por tanto, será igual a:

$$VG = VS + FC$$

Por su parte, el fondo de comercio se podrá calcular por cualquiera de las expresiones recogidas en el epígrafe anterior.

TEMA 30

La financiación de la estructura fija de la empresa: La autofinanciación. La función financiera de los fondos de amortizaciones. Las llamadas amortizaciones financieras o de capital. Equilibrio entre amortizaciones técnicas y amortizaciones financieras

MAD360

Nada ocurre por pura suerte: el **trabajo y la perseverancia** son la base del éxito.
Te explicamos más en tu Curso MAD360.

Índice

1. La financiación de la estructura fija de la empresa: la autofinanciación

La empresa, para llevar a cabo su actividad productiva y de distribución de los productos fabricados necesita recursos financieros con los que podrá acometer las inversiones necesarias para realizar esa actividad.

Como ya sabemos, en el balance de la empresa se recogen en el activo las inversiones y en el pasivo las fuentes de financiación de las mismas.

El **activo** está formado por aquellas masas patrimoniales que representan la estructura económica de la empresa. Es decir, se trata de elementos que constituyen bienes y derechos que son propiedad de la misma.

Según define el Marco conceptual del Plan General de Contabilidad (PGC) español de 2007, los activos son los bienes, derechos y otros recursos controlados económicamente por la empresa, resultantes de sucesos pasados de los que se espera obtener beneficios o rendimientos económicos en el futuro.

Según el apartado 5.º del Marco conceptual del PGC, los activos deben reconocerse en el balance cuando sea probable la obtención a partir de los mismos de beneficios o rendimientos económicos para la empresa en el futuro, y siempre que se puedan valorar con fiabilidad. El reconocimiento contable de un activo implica también el reconocimiento simultáneo de un pasivo, la disminución de otro activo o el reconocimiento de un ingreso u otros incrementos en el patrimonio neto, dependiendo el contexto de la contabilidad.

De acuerdo con el Plan General Contable, el activo se desglosa en dos grandes masas patrimoniales: el activo no corriente y el activo corriente.

Activo no corriente. A su vez se desglosa en:

- Inmovilizado intangible
- Investigación y desarrollo
- Patentes, licencias, marcas y similares
- Fondo de comercio
- Aplicaciones informáticas
- Inmovilizado material
- Instalaciones técnicas y otro inmovilizado material
- Inmovilizado en curso y anticipos
- Inversiones potenciales
- Inversiones en empresas del grupo y asociadas a largo plazo
- Inversiones financieras a largo plazo
- Instrumentos de patrimonio
- Créditos a terceros
- Otros activos financieros
- Activos por impuesto diferido

Activo corriente. Está compuesto por:

– Activos corrientes mantenidos para la venta.

– Existencias

– Comerciales

– Deudores comerciales y otras cuentas a cobrar

– Clientes por ventas y prestación de servicios

– Accionistas (socios) por desembolsos exigidos

– Inversiones en empresas del grupo y asociadas a corto plazo

– Inversiones financieras a corto plazo

– Instrumentos de patrimonio

– Periodificaciones

– Efectivo y otros activos líquidos equivalentes

– Tesorería

El **pasivo** está constituido por la estructura financiera de la empresa, es decir, las deudas u obligaciones que esta tiene con terceros, los fondos aportados por el empresario o los socios y los beneficios no distribuidos.

En contabilidad, mientras el activo comprende los bienes y derechos financieros de la empresa, que tiene la persona o empresa, el pasivo recoge sus obligaciones: es la financiación proporcionada por los acreedores y representa lo que la empresa debe a terceros.

El pasivo está agrupado según su exigibilidad, es decir, según la mayor o menor urgencia en el pago. Así, existen pasivos a corto plazo y pasivos a largo plazo.

Los pasivos a corto plazo o **pasivo corriente** son aquellos cuyo pago es más urgente, producen más tensión sobre el efectivo. El poder saber qué cantidad de los pasivos de la empresa son a corto plazo y que cantidad son a largo plazo, permite a los acreedores evaluar la factibilidad de la empresa para conseguir financiación.

El pasivo a largo plazo, pasivo fijo o **pasivo no corriente** está compuesto por las deudas y obligaciones a largo plazo así como por los recursos financieros propios destinados a incrementar el volumen de la empresa y reforzar la estructura del capital. Por lo tanto está integrado por préstamos y acreedores a largo plazo, obligaciones y bonos, capital y reservas, etc.

Los **recursos financieros propios** o capitales propios están formados por las aportaciones hechas por los socios (propietarios), es decir, el capital y las primas de emisión y por los beneficios no distribuidos y que se quedan en la empresa para mantener o incrementar sus posibilidades de obtener nuevos beneficios, es decir, las reservas. Al capital y a las reservas también se les denomina también neto patrimonial o recursos propios.

1.1. El equilibrio entre inversiones y financiaciones. El concepto de fondo de rotación o maniobra

Para que exista correspondencia entre el tipo de inversión y el tipo de fuente financiera, el activo no corriente tiene que ser financiado por capitales permanentes (propios o ajenos), es decir, por el pasivo no corriente; y el activo corriente debe ser financiado por créditos a corto plazo, es decir, por el pasivo corriente más los fondos propios. No obstante, financiar todo el activo corriente con pasivo corriente es sumamente arriesgado desde un punto de vista financiero porque cualquier desfase en la corriente de cobros en relación con la corriente de pagos llevaría a la empresa a una posible suspensión de pagos.

Se entiende por **fondo de maniobra** (también denominado capital de trabajo, capital circulante, capital corriente, fondo de rotación, *working* capital o capital de rotación), a la parte del activo corriente que es financiada con recursos de carácter permanente (pasivo no corriente más fondos propios). Es una medida de la capacidad que tiene una empresa para continuar con el normal desarrollo de sus actividades en el corto plazo.

Gráficamente:

ACTIVO		PASIVO
ACTIVO NO CORRIENTE		**FONDOS PROPIOS**
	FM > 0	**PASIVO NO CORRIENTE**
ACTIVO CORRIENTE		**PASIVO CORRIENTE**

El fondo de maniobra (FM) puede ser definido desde dos puntos de vista básicos: un primer punto es el activo, como una parte del activo corriente y una segunda visión que procede del pasivo o recursos financieros como recurso permanente.

Enfoque del activo corriente

Desde este punto de vista, el fondo de maniobra representa la parte del activo corriente que está financiada por fuentes de financiación permanentes. Es decir, que el capital con el que se ha obtenido la parte del activo corriente que representa el fondo de maniobra se ha de devolver a largo plazo o en algunos casos ni siquiera hace falta devolverlo ya que no es exigible al formar parte de los fondos propios. En este enfoque, el FM es una consecuencia de la operativa diaria de la compañía: los recursos a largo plazo que una empresa tiene para financiar las necesidades operativas de corto plazo, una vez que ha financiado sus activos no corrientes. Matemáticamente su resultado es igual al enfoque de los recursos permanentes, pero desde el punto de vista financiero tiene un enfoque diferente.

El fondo de maniobra según este punto de vista expresa la parte del activo corriente que se comporta como activo no corriente. Si en un momento determinado se tuviesen que devolver todas las deudas a corto plazo (pasivo corriente) que ha acumulado la empresa, el FM es lo que quedaría del activo corriente. Por lo tanto, según este punto de vista, cuanto mayor sea el FM de una empresa menos riesgo habrá de que caiga en insolvencia.

$$FM = AC - PC$$

El fondo de maniobra será la diferencia entre el activo corriente y el pasivo corriente.

Enfoque de los capitales permanentes

Este punto de vista nos da una visión financiera del FM, que siendo matemáticamente igual al resultado anterior, tiene un concepto y análisis diferentes. En este enfoque, el fondo de maniobra es el exceso de los recursos permanentes (pasivo no corriente o pasivo a largo plazo más los recursos propios de la empresa), sobre el activo no corriente. Con estos recursos a largo plazo se están financiando operaciones a corto plazo de la empresa.

En este enfoque, el FM es una parte de los recursos financieros, son los recursos que tiene la empresa para operar, es decir, para financiar su tesorería, cuentas por cobrar, inventario y otros activos corrientes.

Desde este punto de vista, un FM elevado equivale a un excedente no de activo corriente, sino de recursos permanentes disponibles.

Esta diferencia de enfoque es importante para compañías que operan en entornos de difícil financiamiento, donde es necesario que se conozca los recursos que la compañía tiene para operar en el corto plazo.

$$FM = CP - ANC = (FP + FA_{L/P}) - ANC$$

El fondo de maniobra es la diferencia entre los capitales permanentes (CP), integrados por los fondos propios (FP) más los fondos ajenos a largo plazo ($FA_{L/P}$), también denominados "Pasivo No Corriente" y el activo no corriente (ANC).

La simplificación aportada por el fondo de maniobra motiva su amplia utilización en la práctica del análisis financiero. Las normas que rigen la financiación de la empresa y también el fondo de maniobra únicamente establecen que las empresas deben ser solventes. No se puede manifestar *a priori* con carácter unívoco el valor del fondo de maniobra, ni tan siquiera su signo.

Las empresas de carácter industrial que trabajan bajo pedido, como pueden ser las empresas de astilleros, construcción aeronáutica y obra pública, necesitan un fondo de maniobra muy grande por sus propios procesos de producción, mayor que en el resto de industrias. El sector comercial suele requerir menor necesidades de fondo de maniobra, por su alta rotación de productos y elevado grado de liquidez.

El análisis complementario del período medio de maduración, así como del plazo concreto de vencimiento de las deudas a corto plazo y disponibilidades de medios, complementará el adecuado estudio de la situación patrimonial puesta de relieve en el balance de situación.

Si el FM es negativo, habitualmente es un indicador de la necesidad urgente de aumentar el activo corriente para poder devolver las deudas a corto plazo. Esto se puede conseguir con medidas, como vender parte del inmovilizado (activo no corriente) para conseguir disponible (activo corriente), endeudarse a largo plazo o realizar una ampliación de capital.

En algunas actividades empresariales el FM negativo puede considerarse normal, como en algunas empresas de distribución minorista o de servicios donde el negocio es más financiero que de circulante (como ejemplo los grandes supermercados donde los proveedores cobran más tarde que pagan los clientes, estos normalmente al contado). Por ello, deben consssiderarse adicionalmente los sectores de actividad, antigüedad y tamaño de la entidad, etc.

1.2. La autofinanciación

1.2.1. Concepto

Las fuentes de financiación de la empresa se pueden clasificar generalmente en internas y externas, según que los recursos financieros hayan sido generados en el interior de la empresa o que procedan del exterior de la misma.

La financiación interna o autofinanciación está formada por los recursos que genera la propia empresa. Es una fuente financiera que integra el Pasivo. Concretamente forma parte del Patrimonio Neto o recursos o fondos propios de la entidad.

Las amortizaciones, las provisiones y los beneficios no distribuidos forman parte de la autofinanciación de la empresa. Por contra, la financiación externa tiene como principales integrantes la emisión de acciones y obligaciones y la obtención de préstamos y créditos a corto y largo plazo.

Es muy importante no confundir la financiación externa con la financiación ajena. La financiación externa está formada tanto por las deudas contraídas por la empresa como por el capital social. Cuando la empresa emite acciones está aumentando a la vez sus recursos propios y externos. Propios porque pertenecen a los accionistas y no a terceros; externos porque proceden del exterior.

1.2.2. Ventajas e inconvenientes de la autofinanciación

La autofinanciación presenta importantes ventajas para las empresas que tienen dificultades para captar financiación ajena por las fuertes garantías que se les suele exigir, ahora bien, precisamente esta ventaja se puede convertir en un inconveniente porque al carecer estos recursos de un coste explícito se pueden llegar a invertir sin aplicar criterios de valoración rigurosos.

El hecho de que la autofinanciación no tenga asociado un coste explícito no quiere decir que la utilización de estos recursos financieros no conlleve un importante coste de oportunidad.

El incremento de la autofinanciación supone una mejora de la solvencia financiera de la empresa, ahora bien, los resultados que se destinan a autofinanciación restan dividendos y, por tanto, la rentabilidad por dividendos disminuye.

1.2.3. Clases de autofinanciación

Según la finalidad o el destino de los recursos generados internamente por la propia empresa se distingue entre autofinanciación de mantenimiento y autofinanciación de enriquecimiento.

1. Autofinanciación de mantenimiento

La autofinanciación de mantenimiento son recursos generados por la propia empresa que tienen como finalidad mantener el valor de los activos. Está constituida por aquellos fondos que garantizan la continuidad de la empresa manteniendo su patrimonio.

La autofinanciación de mantenimiento está formada por las provisiones y amortizaciones.

Las provisiones son fondos que representan obligaciones expresas o tácitas pero que en la fecha de cierre del ejercicio son indeterminadas en cuanto a su importe exacto o a la fecha en la que se producirán.

Las amortizaciones productivas son la expresión de la depreciación sistemática anual efectiva sufrida por los bienes de inmovilizado tangible, intangible e inmobiliario.

Es preciso tener en cuenta el paso del tiempo y la función financiera de las cuotas de amortización técnica, en tanto no se requiera su aplicación al destino para el que fueron creadas. Es decir, los recursos generados por las amortizaciones se deben invertir a medida que se generan. Eso sí, la empresa debe arbitrar posibles soluciones para que cuando llegue el momento de renovar los bienes cuente con los recursos financieros necesarios. Estos no tienen por qué proceder de la liquidación de las inversiones en las que inicialmente se materializaron los fondos de amortización sino de cualquier otra alternativa que la empresa plantee con anticipación.

2. Autofinanciación de enriquecimiento

La autofinanciación de enriquecimiento o autofinanciación propiamente dicha, son los recursos generados por la propia empresa destinados a incrementar su capacidad productiva. La autofinanciación de enriquecimiento está formada por los beneficios retenidos, esto es, por las reservas (legal, voluntarias, estatutarias, especiales, etc.).

Los factores que influyen sobre la autofinanciación y, por tanto, sobre el crecimiento de la empresa son, entre otros: el coste de las deudas, la rentabilidad de la inversión, la política de retención de beneficios, autofinanciación en sentido estricto, los impuestos, etc.

Es importante considerar la relación entre las políticas financieras y el crecimiento de la empresa materializado a través de la realización de proyectos de inversión, tanto en activo no corriente como en activo corriente, para conseguir los volúmenes de ventas prefijados. Esto requiere aumentar los recursos financieros permanentes para financiar dicho crecimiento. En este sentido entra en juego lo que se conoce como *efecto multiplicador de la autofinanciación*, si se verifican las hipótesis que lo rigen: crecimiento del endeudamiento en un montante deducido de la expresión correspondiente, considerando que la empresa desea mantener su estructura fija de capital al ir reinvirtiendo en la propia empresa su autofinanciación.

Con todo, para concluir, las ventajas e inconvenientes de este modo de financiación frente a las de otras fuentes alternativas a largo plazo se derivan de su coste, disponibilidad, etc. En todo caso, la financiación interna suele resultar insuficiente para hacer frente a las necesidades financieras de la empresa, que, por tanto, ha de recurrir a la financiación externa (ahorro del exterior de la empresa).

1.2.4. El efecto multiplicador de la autofinanciación

El efecto multiplicador de la autofinanciación es el incremento de los recursos financieros totales de una empresa derivado de la utilización de la autofinanciación, siempre que la empresa pretenda mantener una determinada relación entre recursos propios y ajenos. A esta relación entre recursos propios y ajenos se le denomina coeficiente de endeudamiento (cociente entre recursos ajenos y recursos totales). Así, un grado de endeudamiento del 50% implica que el 50% de los recursos financieros son propios y el otro 50% ajenos, por lo que, si la empresa quiere mantener el citado coeficiente, un aumento de 500.000 euros de autofinanciación supone un incremento de otros 500.000 euros de recursos ajenos. Esta circunstancia supondría que un incremento de 500.000 euros de autofinanciación produjera un efecto multiplicador que haría que los recursos totales aumentasen en 1.000.000 de euros.

Cálculo del efecto multiplicador:

Denominaremos:

- FP = Fondos (recursos) Propios
- C = Capital
- A = Autofinanciación (Reservas)
- FA = Fondos Ajenos
- FT = Fondos Totales
- L = Coeficiente de endeudamiento
- K = multiplicador de la autofinanciación

Sabemos que FP = C + A

Y que FT = FP + FA = C + A + FA

Definimos L = FA/FT

Despejando en la anterior expresión FA tenemos:

FA = L.FT

Y sustituyendo FA = L.FT en la expresión FT = C + A + FA tenemos:

FT = C + A + L.FT   (a)

Si la autofinanciación se incrementa en ΔA, tendremos:

FT + ΔFT = C + A + ΔA + L (FT + ΔFT)   (b)

Restando la expresión (a) a la (b) tenemos:

ΔFT = ΔA + L.ΔFT

Despejando ΔFT:

ΔFT(1- L) = ΔA

ΔFT = ΔA/(1-L) = ΔA[1/(1-L)]

A la expresión **1/(1 - L)** lo denominamos **multiplicador de la autofinanciación (K)**.

El multiplicador de la autofinanciación también puede expresarse así:

K = (FP + FA)/FP

Siempre que la empresa tenga recursos (fondos) ajenos el multiplicador de la autofinanciación será superior a la unidad.

El incremento de los recursos (fondos) totales (ΔFT) que experimentará una empresa ante un incremento de la autofinanciación (ΔA) lo calcularemos a través del multiplicador de la autofinanciación:

ΔFT = ΔA.K

Si una empresa necesita mantener un determinado grado o nivel o coeficiente de endeudamiento ¨L¨, un incremento de la autofinanciación de ΔA euros, supone un incremento de los recursos (fondos) totales de K. ΔA euros.

Cuanto mayor sea el coeficiente de endeudamiento mayor será el efecto multiplicador de la autofinanciación y con ello el incremento tanto de los recursos ajenos como de los recursos totales.

2. La función financiera de los fondos de amortizaciones

Los bienes de equipo o cualquier elemento del activo van perdiendo valor conforme son utilizados en el proceso productivo o también por el simple transcurso del tiempo. Es lo que conocemos como depreciación. Solo cabe hablar de depreciación cuando nos referimos a elementos del activo que van a ser utilizados durante varios ejercicios. En el caso de que el elemento del activo desaparezca con un solo acto, hablamos de consumo, no de depreciación.

Generalmente se entiende por "amortización" la imputación o asignación de la depreciación al coste de la producción industrial.

Por otro lado, se denomina "fondo de amortización" al fondo que se va generando o constituyendo para ir compensando la depreciación que sufren los elementos del activo amortizables.

Las **causas o tipos de depreciación** son:

a) Depreciación física: se debe al mero transcurso del tiempo.

b) Depreciación funcional: se debe a la pérdida de valor de los bienes depreciables por su uso o utilización.

c) Obsolescencia o depreciación económica: la obsolescencia (obsoleto significa "fuera de uso") se puede producir por alguna de las siguientes tres causas:

   1. Obsolescencia tecnológica: por la aparición de una innovación que deje fuera de uso máquinas que no tienen incorporada esa innovación.

   2. Obsolescencia por alteración de la retribución de algún factor productivo.

   3. Obsolescencia por variaciones de la demanda.

d) Depreciación por caducidad o agotamiento: se suele dar en explotaciones mineras, canteras, etc. Los equipos industriales pierden valor porque se agota el recurso natural que se ha estado explotando.

2.1. La función financiera de las amortizaciones

Aunque el objetivo de la amortización productiva es hacer frente a la depreciación de los activos, también tiene una importante función como fuente financiera de la empresa. Esta función se basa en que las cuotas de amortización se van acumulando periódicamente, pero desde el momento en el que se dotan, hasta que se necesita reponer el activo pasan varios años. Durante este tiempo, el importe acumulado se convierte en un recurso financiero para la empresa que puede utilizar con distintas funciones. La utilización de estos recursos dependerá de la situación en la que se encuentre la empresa:

En una situación de estabilidad o de recesión, los fondos de la amortización pueden utilizarse para hacer frente a las deudas de la empresa, evitando así un mayor endeudamiento derivado de los créditos.

En épocas de expansión, las cuotas de amortización pueden utilizarse para incrementar la capacidad productiva de la empresa, adquiriendo nuevos activos. En este sentido puede producirse el denominado efecto expansivo o efecto Lohman Ruchti, que es analizado en el siguiente epígrafe.

2.2. El efecto Lohman-Ruchti o efecto expansivo de las amortizaciones

Este efecto, formulado por los especialistas alemanes Lohman y Ruchti, consiste en la utilización de los recursos procedentes de la amortización técnica, a medida que se van generando, para incrementar la capacidad productiva de la empresa.

Para ser efectivo este efecto, valga la redundancia, la empresa debe encontrarse en fase de crecimiento. En esta situación, con los recursos financieros acumulados mediante las cuotas de amortización, la empresa puede ir adquiriendo nuevos equipos, sin esperar a que finalice la vida útil del activo amortizado, y de esta manera se irá incrementando su capacidad productiva.

Los supuestos que tienen que darse para que se produzca este efecto son:

a) La empresa debe estar creciendo.

b) Inexistencia de obsolescencia tecnológica.

c) Cierto grado de divisibilidad del equipo productivo.

d) Capacidad productiva de la maquinaria constante.

e) Ausencia de inflación.

3. Las llamadas amortizaciones financieras o de capital

En esta pregunta vamos a definir las llamadas amortizaciones financieras o de capital. Para empezar, no debemos confundirlas con las amortizaciones técnicas ya vistas en una pregunta anterior.

Entendemos por amortización financiera la devolución (generalmente de forma fraccionada en el tiempo) de un capital recibido por la empresa. Este capital recibido puede ser ajeno (por ejemplo un préstamo o un empréstito) o propio, es decir, el capital aportado por los socios que en un momento y condiciones determinadas se les reintegra.

Definidas las amortizaciones técnicas y financieras, podemos concluir que las amortizaciones técnicas proporcionan liquidez a la empresa, mientras que las amortizaciones financieras, evidentemente, se la restan.

4. Equilibrio entre amortizaciones técnicas y financieras

Hemos definido en la pregunta anterior la amortización financiera como la devolución, generalmente en forma fraccionada de un capital recibido por la empresa, propio o ajeno.

Podemos pensar, en el primer caso, devolución del capital aportado por los socios. Y podemos pensar en un caso concreto de empresa como puede ser la que explota una concesión y para ello emplea determinados bienes de equipo depreciables y amortizables que han sido precisamente adquiridos con los fondos aportados por los socios. Cuando la concesión se termine, los bienes de equipo deben estar amortizados (amortización técnica) y habrá que devolver a los socios sus aportaciones (amortización financiera). Pues bien, para conseguir esto, los fondos constituidos con las amortizaciones técnicas no se destinarán a adquirir nuevos activos (porque la concesión ha finalizado) sino que estos se destinarán a la devolución del capital recibido de los accionistas.

Si pensamos en el segundo caso, devolución del capital obtenido mediante financiación ajena, igualmente, cuando concluya la concesión, los fondos constituidos con las amortizaciones técnicas se destinarán a la devolución del capital recibido más sus correspondientes intereses (amortización financiera).

Para conseguir lo anterior es necesario que exista un necesario equilibrio entre las amortizaciones técnicas y financieras y para ello se recurre generalmente a técnicas de programación lineal.

Las variaciones de la renta de la empresa: Estudio de sus causas. La comparación entre la rentabilidad esperada y la real. La rentabilidad, su medida. La rentabilidad de la empresa y el interés del capital invertido en la misma

¡Sal de la rutina! Prueba técnicas de estudio nuevas, cambia tu opozulo por la biblioteca o el parque y activarás nuevas zonas de tu **memoria**. Te contamos más en tu Curso MAD360.

Índice

1. Las variaciones de la renta de la empresa. estudio de sus causas

Una de las principales causas de la variación de la rentabilidad de la empresa es la variación de los resultados empresariales a lo largo del tiempo. Para estudiar las causas que inciden en la variación del resultado de la empresa de un período a otro vamos a referirnos a la teoría elaborada por *Schamelenbach*. Su método consiste en realizar un análisis comparado de los resultados de una empresa durante dos períodos consecutivos e imputar la incidencia de tres causas, que ahora veremos, en la variación del beneficio obtenido por la empresa entre los mencionados ejercicios.

Por tanto, lo que se pretende analizar es la diferencia del beneficio entre el ejercicio t y el ejercicio t+1:

Diferencia = B_{t+1} - B_t

Las principales causas que conducen a la modificación de los resultados son:

a) Variación en el margen de beneficios.

Para analizar esta causa suponemos que la empresa fija sus precios aplicando un margen de beneficios (Z) sobre sus costes de ventas (CV). El aumento de dicho margen implica una mejora en el resultado empresarial:

Designaremos:

V_t = Volumen de ventas del ejercicio t.

V_{t+1} = Volumen de ventas del ejercicio t+1.

CV_t = Coste de ventas del ejercicio t.

CV_{t+1} = Coste de ventas del ejercicio t +1.

Z_t = Margen del año t

Z_{t+1} = Margen del año t+1

Podemos escribir:

$V_t = CV_t + Z_t {}^* CV_t$

De esta expresión despejamos Z_t:

$Z_t = (V_t - CV_t)/CV_t$

$V_{t+1} = CV_{t+1} + Z_{t+1} {}^* CV_{t+1}$

Si suponemos que en el ejercicio t+1 se ha mantenido el mismo margen de beneficio que en el primer año, el volumen de ventas alcanzado sería V'_{t+1}, que sería:

$$V'_{t+1} = CV_{t+1} + Z_t {}^* CV_{t+1}$$

Siendo entonces la diferencia

$$V_{t+1} - V'_{t+1} = B_a$$

la parte de la variación del beneficio atribuible a la variación en el margen de beneficio.

b) Variación en el nivel de actividad (alteración en el volumen de ventas de la empresa).

Como ya sabemos, cuando el margen unitario (P-CMeV) es positivo, un aumento de las ventas implica un incremento del beneficio de la empresa.

En este caso vamos a comparar la actividad realizada por la empresa en el ejercicio t+1 con la que desarrolló en el ejercicio t.

La relación entre las actividades desarrolladas (medidas en términos de coste de ventas) en uno y otro ejercicio la escribimos así:

$$(CV_{t+1}/CV_t) = 1 + K$$

Siendo K el incremento relativo (positivo o negativo) de actividad.

Aplicando K al beneficio del año t:

$$K*B_t = B_b$$

que será la parte de la variación del beneficio entre uno y otro ejercicio correspondiente a la variación en el nivel de actividad.

c) Variación en el grado de ocupación.

La última causa considerada corresponde al mejor aprovechamiento de los recursos fijos de la empresa. Es decir, cómo la empresa puede aumentar su producción sin incrementar en la misma cuantía sus costes industriales, mejorando de esta forma sus resultados.

Esta última causa la calculamos por diferencia con las dos anteriores. Esto es:

$$(B_{t+1} - B_t) - B_a - B_b = B_c$$

2. La comparación entre la rentabilidad esperada y la real

Definimos la rentabilidad de la empresa (R) como la relación que existe entre el beneficio que obtiene y los capitales invertidos en la misma.

R = Bº/Capitales invertidos

La **rentabilidad esperada** en una empresa es fundamental cuando se va a decidir sobre las inversiones que hay que realizar para obtenerla. Solo cuando esta rentabilidad esperada sea mayor que la que se podría obtener con otras alternativas, la inversión se realizará. Una vez que la empresa ya está en funcionamiento, el propietario procederá a comparar, mediante los adecuados análisis, la **rentabilidad real** (la que se ha obtenido) con la esperada. Si ambas rentabilidades no coinciden, habrá que realizar un detallado estudio que determine las causas que han provocado esa diferencia y, si procede, corregirlas para que se adapten a las previsiones realizadas.

3. La rentabilidad, su medida

3.1. La rentabilidad de la empresa

Un poco más arriba hemos expresado la rentabilidad, en general, así:

R = Bº/Capitales invertidos

Ahora vamos a precisar un poco más y vamos a ir concretando qué entendemos por beneficio y qué entendemos por capitales invertidos y en función de las definiciones que ofrezcamos, obtendremos distintas expresiones de rentabilidad.

Si atendemos al **numerador** de la expresión de arriba (Bº), en función de las distintas acepciones de beneficio que utilicemos nos podemos encontrar:

a) Beneficio económico (BE): es la diferencia entre los ingresos totales (IT) y los costes totales (CT) de explotación (BE = IT - CT). Utilizamos los costes de explotación, por lo tanto, no incluimos los gastos (costes) financieros. (Los costes financieros los calculamos multiplicando los fondos ajenos por el coste del capital ajeno (i): I = FA*i). De esta manera se obtiene el resultado de la empresa independientemente de las fuentes de financiación utilizadas. Esta magnitud también se denomina beneficio antes de intereses e impuestos (BAIT) y también resultado de explotación.

BAIT = IT - CT

b) Beneficio neto (BN): se obtiene una vez descontado el coste de la financiación ajena (I). Por tanto, es igual al beneficio económico menos los costes financieros. Esta magnitud también es denominada beneficio antes de impuestos (BAT).

BAT = BAIT - I

c) Beneficio líquido (BL): es igual al beneficio neto menos los impuestos pagados por la empresa (T). También se le conoce como beneficio después de impuestos (BDT).

BDT = BAT - T

Si atendemos al **denominador** de la expresión anterior (capitales invertidos) tenemos:

a) Rentabilidad económica (Re): es la rentabilidad de los capitales totales (FT). Se obtiene por la relación entre los beneficios (B) obtenidos por la empresa y el total de recursos utilizados en la misma, ya sean estos propios (FP) o ajenos (FA).

b) Rentabilidad financiera (Rf): es la rentabilidad de los fondos o capitales propios. Relaciona el beneficio obtenido con los fondos propios.

c) Rentabilidad del accionista: relaciona los ingresos que este percibe con los capitales que ha invertido. Estos capitales figuran como capital social o como reservas de primas de emisión.

3.2. La medida de la rentabilidad

Partiendo de lo expuesto en el epígrafe anterior vamos a encontrarnos con diferentes medidas o expresiones de rentabilidad.

3.2.1. Rentabilidad económica o interna (Re)

También denominada rentabilidad de los capitales totales o rentabilidad obtenida por la inversión (ROI).

La calculamos así:

$$Re = BAIT/AT$$

siendo AT el activo total.

También podemos expresarla así:

Re = BAIT/(FP + FA)

Definida la rentabilidad económica, podemos descomponerla en los factores que influyen en ella: margen y rotación:

Si llamamos:

B = BAIT

V = Ventas

A = Activo total medio

Podemos descomponer la Re en:

$$Re = B/A = (B/V)*(V/A)$$

Representando B/V el margen comercial, que es el beneficio obtenido por cada euro vendido; y V/A, la rotación, es decir, el número de veces que las ventas contienen el activo.

Así, un aumento de la rentabilidad económica puede deberse exclusivamente a un aumento del margen o de la rotación o a una combinación de ambos. Para aumentar el margen comercial, la empresa deberá, bien reducir sus costes, bien aumentar sus precios de venta. Si la empresa decide actuar sobre el segundo componente, la rotación, deberá mejorar la eficiencia con la que utiliza sus recursos para generar ingresos. Podríamos decir que, en general, si la empresa desarrolla su actividad en un mercado muy competitivo, la empresa deberá optar por actuar sobre el componente "rotación", mientras que en mercados más restringidos, con un número de competidores escaso, la empresa deberá optar por actuar sobre el componente "margen".

3.2.2. Rentabilidad financiera o de los fondos propios (Rf)

La rentabilidad financiera o de los fondos propios relaciona el beneficio antes de impuestos con los fondos propios de la empresa:

$$Rf = BAT/FP$$

Utilizando el método de *Dupont*, tal como hicimos en el apartado de la rentabilidad económica, podemos descomponer la rentabilidad financiera en tres componentes; margen, rotación y factor de apalancamiento o relación de endeudamiento:

$$Rf = (B/V)*(V/A)*(A/FP)$$

De acuerdo con lo expuesto, una empresa puede aumentar su rentabilidad financiera antes de impuestos actuando sobre tres factores:

1.º Sobre el margen comercial neto: puede incrementar su rentabilidad financiera disminuyendo costes o llevando a cabo una política de precios más racional.

2.º Sobre la rotación del activo: al aumentar la rotación se incrementa la rentabilidad porque la empresa mejora su eficiencia.

3.º Sobre la relación de endeudamiento: generalmente un incremento de los fondos ajenos sobre los fondos propios mejora la rentabilidad financiera.

Para terminar, comentaremos que, a la hora de medir la rentabilidad financiera podríamos sustituir el BAT por otra magnitud, el Cash-flow "recursos generados". Y si hablamos de cash-flow, debemos distinguir entre dos tipos de cash-flow: El ya mencionado cash-flow "recursos generados" (cash-flow económico) y el cash-flow "flujo de efectivo" (cash-flow financiero).

Cash-flow económico: Representa los recursos generados por la empresa durante un período de tiempo. Es la suma de los beneficios de la empresa más las amortizaciones. Se utiliza para estudiar la capacidad de la empresa para generar recursos, para incrementar su patrimonio neto. Es el que podríamos utilizar para sustituir el BAT en el numerador de la expresión de la rentabilidad financiera:

Rf = Cash-Flow "Recursos generados"/FP

Cash-flow financiero: Son las entradas y salidas de efectivo, de tesorería de la empresa durante un período de tiempo determinado. Recoge los movimientos de efectivo de la entidad. Se utiliza para analizar la capacidad que tiene la empresa para generar tesorería, liquidez.

Finalmente vamos a definir una última magnitud, el **EBITDA**: EBITDA son las siglas en inglés de *Earnings Before Interests, Taxes, Depreciations and Amortizations*. Es decir, es el beneficio antes de intereses, impuestos, depreciaciones y amortizaciones productivas. Es un indicador muy utilizado, especialmente por la prensa económica, como referencia sobre la actividad de las empresas. Tomando como referencia la cuenta de resultados, el EBITDA se calcula partiendo del Resultado de explotación al que también se denomina *Earnings Before Interests, Taxes* (EBIT), es decir el BAIT o beneficio económico (BE) que ya definimos más arriba. Posteriormente, se realizan los siguientes ajustes:

– Se suman las cantidades destinadas en el período a dotar provisiones.

– Se suman las cantidades destinadas en el período a dotar las amortizaciones productivas.

EBITDA = EBIT + AMORTIZACIONES + PROVISIONES

EBITDA = BE + AMORTIZACIONES + PROVISIONES

El EBITDA coincide con el OIBDA, *Operative Income Before Depreciations and Amortizations* o ganacia operativa antes de depreciaciones y amortizaciones.

El EBITDA mide la capacidad de la empresa para generar beneficios considerando únicamente su actividad productiva. Para comprender su significado hay que considerar el efecto de las partidas que se incluyen en su cálculo, así como los aspectos a tener en cuenta en su interpretación.

4. La rentabilidad de la empresa y el interés del capital invertido en la misma

4.1. Relación entre la rentabilidad económica y la rentabilidad financiera: la estructura financiera y el apalancamiento financiero

En este epígrafe vamos a analizar el impacto de la estructura financiera, y más concretamente, de los fondos ajenos y de la relación fondos ajenos/fondos propios, sobre la rentabilidad financiera.

La siguiente igualdad se verifica en cualquier empresa:

$$Rf = Re + (FA/FP)(Re - i)$$

Donde "i" es el tipo de interés (en tanto por ciento) o coste de la financiación ajena.

Y muestra la relación que existe entre la rentabilidad financiera y la rentabilidad económica. De hecho, para llegar hasta esta expresión se parte de las definiciones de rentabilidad financiera y rentabilidad económica como se podría demostrar.

A la relación FA/FP se le llama "factor de apalancamiento", *leverage*, palanca o coeficiente o ratio de endeudamiento.

A la expresión (FA/FP)(Re - i), se le denomina "efecto apalancamiento" y puede ser positivo o negativo.

Si el apalancamiento financiero es positivo, significa que la rentabilidad económica (Re) es mayor que el coste de la financiación ajena (i) y entonces, la rentabilidad financiera (Rf) será mayor que la rentabilidad económica. En este caso, a la empresa le interesará endeudarse (aumentar la relación FA/FP) ya que así se incrementará la rentabilidad financiera.

Si el apalancamiento financiero es negativo, significa que la rentabilidad económica (Re) es menor que el coste de la financiación ajena (i) y entonces, la rentabilidad financiera (Rf) será menor que la rentabilidad económica. En este caso, la empresa deberá reducir su endeudamiento (disminuir la relación FA/FP) ya que así podrá incrementar la rentabilidad financiera.

4.2. Coeficientes de apalancamiento

En este apartado vamos a seguir estudiando los factores que inciden en la rentabilidad económica y la rentabilidad financiera. En concreto, veremos la relación que existe entre los costes fijos, los costes de la financiación ajena y las variaciones en la rentabilidad. Para ello definiremos los coeficientes de apalancamiento financiero, operativo y total.

* El coeficiente de apalancamiento operativo (*operating leverage*)

Definimos el coeficiente de apalancamiento operativo (Aop) como la variación porcentual que experimenta la rentabilidad económica o interna (Re) cuando las ventas de la empresa (V) varían un 1%:

$$Ao = (\delta Re/\delta V)(V/Re)$$

Si nos fijamos en la expresión de arriba, podemos decir que, simplemente, el coeficiente de apalancamiento operativo es la elasticidad de la Re respecto de las ventas.

Ahora bien, como ya sabemos, la Re es el cociente entre el beneficio económico (BAIT) y el activo (AT), por lo que una variación en las ventas solo afectaría al numerador, al ser el denominador una constante. Por esta razón, la variación porcentual que sufre la rentabilidad económica es debida solamente a la variación que afecta al beneficio económico, siendo ambas idénticas tal como se expresa a continuación:

$$Ao = (\delta BAIT/\delta V)(V/BAIT)$$

El BAIT lo podemos expresar así:

$$BAIT = (P-CMeV)* V - CF,$$

donde P, es el precio; CMeV, es el coste medio variable, V, el volumen de ventas y CF, los costes fijos de la empresa.

Por lo que, sustituyendo en la anterior expresión de apalancamiento operativo, esta se transforma en la siguiente:

$$Ao = [(P-CMeV)* V]/[(P-CMeV)* V - CF]$$

Como hemos visto, el apalancamiento operativo tiene que ver con la existencia de costes fijos en la empresa. Cuanto mayor sea la proporción de los costes fijos, mayor será la variación que experimenta la rentabilidad económica ante variaciones en las ventas.

* El coeficiente de apalancamiento financiero (*financial leverage*)

Definimos el coeficiente de apalancamiento financiero (Af) como la variación porcentual que sufre la rentabilidad financiera o de los recursos propios (Rf) cuando el beneficio económico varía un 1%.

$$Af = (\delta Rf/\delta BAIT)(BAIT/Rf)$$

Según la anterior expresión, el coeficiente de apalancamiento financiero es la elasticidad de la rentabilidad financiera respecto al BAIT.

Como sabemos, la Rf es el cociente entre el beneficio neto (BAT) y los fondos propios (FP). Por otro lado, de antes sabemos que BAT = BAIT - I. Por ello deducimos que una variación del BAIT solo implica al numerador de la rentabilidad financiera, al ser los recursos propios constantes. Por esta razón, la variación porcentual que sufre la Rf ante un cambio en el BAIT de un 1% se debe solamente a la variación que experimenta el BAT, siendo ambas iguales. Por eso podemos escribir:

$$Af = (\delta Rf/\delta BAIT)(BAIT/Rf) = \mathbf{(\delta BAT/\delta BAIT)(BAIT/BAT)}$$

Nota: **δ** es el símbolo que se utiliza para expresar la "derivada" de una función. **δRf/δBAIT** se lee como "derivada de la rentabilidad financiera respecto al BAIT"

Como BAT = BAIT - I = (P-CMeV)* V - CF - I,

Terminamos llegando a:

$$Af = [(P-CMeV)* V- CF]/[(P-CMeV)* V - CF- I]$$

Lo que viene a señalar el impacto que tiene sobre la rentabilidad financiera la variación de su beneficio económico. Así, el coeficiente de apalancamiento financiero nos sirve para estudiar la influencia que, sobre la rentabilidad financiera tiene el que la empresa empiece a endeudarse.

* El coeficiente de apalancamiento total

Es la variación porcentual que experimenta la rentabilidad financiera cuando las ventas de la empresa varían un 1%:

$$At = (\delta Rf/\delta V)(V/Rf)$$

Por consiguiente, el coeficiente de apalancamiento total es la elasticidad de la rentabilidad financiera respecto a las ventas y señala el efecto que tiene la variación de las ventas sobre la rentabilidad financiera.

El coeficiente de apalancamiento total es el producto del coeficiente de apalancamiento operativo por el coeficiente de apalancamiento financiero.

$$At = Ao*AF$$

4.3. Ratios bursátiles

Los ratios bursátiles sirven para completar la información proporcionada por los análisis de rentabilidad de la empresa. El principal objetivo de un accionista de una empresa es obtener el máximo dividendo.

Un ratio bursátil relaciona algunas magnitudes de la empresa con otras que proporcionan los mercados de valores. Veamos los más importantes:

a) Capitalización bursátil o valor en bolsa (CB):

   CB = N.º de acciones x cotización de una acción

b) Beneficio por acción (BPA):

   BPA = Beneficio Neto/N.º de acciones

c) *Cash-flow* por acción (CFA):

   CFA = Beneficio Neto + Amortizaciones/N.º de acciones

   CFA = *Cash Flow* (recursos generados)/N.º de acciones

d) *Price earning ratio* (PER): en castellano, ratio precio-ganancia. Es el ratio más utilizado en Bolsa. Indica el número de veces que el beneficio por acción está contenido en el precio de mercado de la misma. Los valores con un alto potencial de crecimiento de los beneficios tendrán un PER alto (lo que también conlleva la posibilidad de un apreciable descenso en el valor de los títulos si no se cumplen las expectativas), y viceversa. Conceptualmente, expresa la valoración que realiza el mercado sobre la capacidad de generación de beneficios de la empresa.

   PER = Capitalización bursátil/Beneficio Neto

   PER = Cotización de una acción/Beneficio neto por acción

e) *Price Cash-Flow Ratio* (PCFR):

   PCFR = Cotización/*Cash Flow* por acción

f) *Pay-out ratio*:

   ***Pay-out ratio* = Dividendo/Bº Neto**

   ***Pay-out ratio* = (Rf - ICI)/Rf**

Donde Rf es la rentabilidad financiera e ICI es el Índice de Crecimiento Interno, es decir, el porcentaje de incremento de los fondos propios (FP) como consecuencia de la reinversión de beneficios:

ICI = Beneficios retenidos/FP

El análisis financiero: La estructura de las fuentes de financiación. El equilibrio financiero. El control financiero

Si no sabes cómo **empezar**, te damos todas las claves en tu Curso MAD360.

Índice

1. El análisis financiero: la estructura de las fuentes de financiación

1.1. El análisis financiero

El análisis financiero utiliza la información suministrada por las cuentas anuales para estudiar la situación financiera de la empresa en lo que respecta a su liquidez y solvencia, estructura de su pasivo, estructura de su activo y la relación que existe entre las fuentes de financiación y el activo de la empresa.

Los instrumentos con que se cuenta para realizar el análisis financiero son: el Estado de Origen y Aplicación de Fondos, los ratios y las previsiones financieras.

En cuanto a los métodos de análisis financiero, puede realizarse un análisis estático o un análisis dinámico.

También el análisis puede realizarse utilizando cifras absolutas, usando el método de Valores globales o el método de las diferencias; o utilizando cifras relativas, usando los métodos de los porcentajes verticales, porcentajes horizontales o números índices, o mediante ratios.

1.2. Estructura de las fuentes de financiación

Vamos a centrarnos en la estructura del pasivo de una empresa.

Distinguimos entre los recursos o fondos propios y los recursos o fondos ajenos.

A su vez, dentro de los fondos ajenos separaremos el corto del largo plazo.

* Fondos propios (FP).

Los fondos propios están formados por los fondos procedentes de los propietarios de la empresa y por los que esta ha sido capaz de generar mediante la autofinanciación. También se les llama pasivo no exigible o neto. Sus componentes son:

a) Capital: son las aportaciones realizadas por los propietarios o accionistas. Constituye una garantía para los acreedores de la empresa.

b) Reservas: son los beneficios no distribuidos que permanecen en la empresa para aumentar su estructura económica. Distinguimos:

   – Legales: las obligatorias establecidas por ley.

   – Estatutarias: establecidas por los estatutos de la sociedad.

   – Voluntarias: constituidas libremente por la empresa.

   – Primas de emisión: se crean cuando se emiten acciones o participaciones por encima de su valor nominal.

   – Reservas de regularización o actualización: constituidas al amparo de leyes de regularización o actualización de balances.

c) Remanente: beneficios no distribuidos ni aplicados a ninguna otra cuenta.

d) Resultados negativos de ejercicios anteriores: reducen los fondos propios.

* Fondos ajenos a corto plazo (FAc/p)

Están formados por todas las obligaciones que la empresa debe atender dentro del ejercicio económico, es decir, con un plazo de vencimiento inferior a un año.

También se les conoce con las denominaciones pasivo a corto plazo, pasivo corriente, exigible a corto o créditos de funcionamiento.

Está compuesto por las cuentas de proveedores, acreedores, pagos pendientes al personal, préstamos de entidades financieras, deudas pendientes con Hacienda o Seguridad Social, etc.

* Fondos ajenos a largo plazo (FAl/p)

Están formados por todas las obligaciones que la empresa debe atender en un plazo superior al ejercicio económico, es decir, con un plazo de vencimiento superior a un año.

También se le denomina pasivo a largo plazo, pasivo no corriente, pasivo fijo, exigible a largo y créditos de financiamiento.

Sus componentes son los préstamos a largo plazo obtenidos por la empresa, obligaciones y bonos emitidos, préstamos bancarios a largo plazo, etc.

* Formas especiales de financiación

Estudiaremos el *factoring* y el *leasing*.

El *factoring* consiste en la financiación de cuentas a cobrar mediante la cesión de los derechos de cobro sobre clientes a un factor o intermediario financiero que asume su gestión de cobro y el riesgo de impago.

Las principales ventajas del *factoring* son que proporciona un servicio de análisis de créditos relativamente barato y que la financiación crece con las ventas. Por el contrario, sus inconvenientes son los altos costes si las facturas son numerosas y de pequeña cuantía y el debilitamiento de la posición financiera con la venta de las cuentas a cobrar.

El *leasing* es una operación financiera a medio y largo plazo mediante la cual una empresa utiliza un determinado bien de equipo sin tener que comprarlo. Para ello, formalizará un contrato de arrendamiento con opción de compra con una sociedad de leasing.

Podemos distinguir entre el *Leasing* financiero y el *Leasing* operativo.

1.3. Factores que influye en la elección de las fuentes de financiación

La elección de las distintas fuentes de financiación dependen de los siguientes factores:

a) El coste de la fuente: es uno de los factores más importantes.

b) El riesgo, que es la mayor o menor probabilidad de devolver la financiación obtenida.

c) La variabilidad de la ganancia o de los flujos de renta obtenidos.

d) La posible incidencia sobre el control de la empresa.

e) La rapidez: en función de la urgencia que exista en realizar la inversión.

f) Incidencia en la imagen de la empresa.

g) Otras: dimensión y situación de la empresa.

2. El equilibrio financiero

2.1. Concepto y situaciones de equilibrio financiero

Se dice que existe equilibrio financiero cuando la empresa es capaz de atender sus obligaciones y deudas a sus respectivos vencimientos.

Podemos describir cuatro situaciones de equilibrio y desequilibrio financiero:

a) Máxima estabilidad.

b) Situación normal.

c) Inestabilidad o suspensión de pagos.

d) Quiebra.

Pasemos a estudiar cada una de ellas y su representación gráfica.

a) Máxima estabilidad

Es la situación que se suele dar al principio de la vida de la empresa, en el momento de su constitución. La empresa todavía no se ha endeudado, ni a corto ni a largo plazo, estando financiado su activo corriente (AC) y su activo no corriente (ANC) exclusivamente con fondos propios (FP).

Se produce la siguiente igualdad: ANC + AC = FP

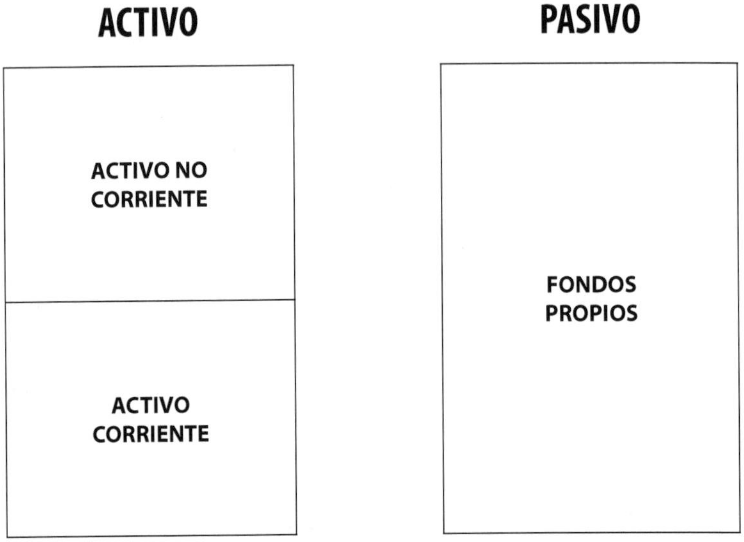

ACTIVO   **PASIVO**

ACTIVO NO CORRIENTE	**FONDOS PROPIOS**
ACTIVO CORRIENTE	

Figura 1

b) Situación normal

Conforme la empresa va realizando su actividad, necesita financiarse con créditos a corto y a largo plazo. Lo lógico, para mantener su estabilidad financiera es que el activo corriente (AC) se financie con pasivo corriente (PC) y que el activo no corriente (ANC) sea financiado a largo plazo (pasivo no corriente) aunque también es deseable, para aumentar la estabilidad financiera, que una parte del activo corriente sea financiada a largo plazo, surgiendo así un fondo de maniobra (FM) positivo.

En esta situación se dará que AC>PC y FM>0

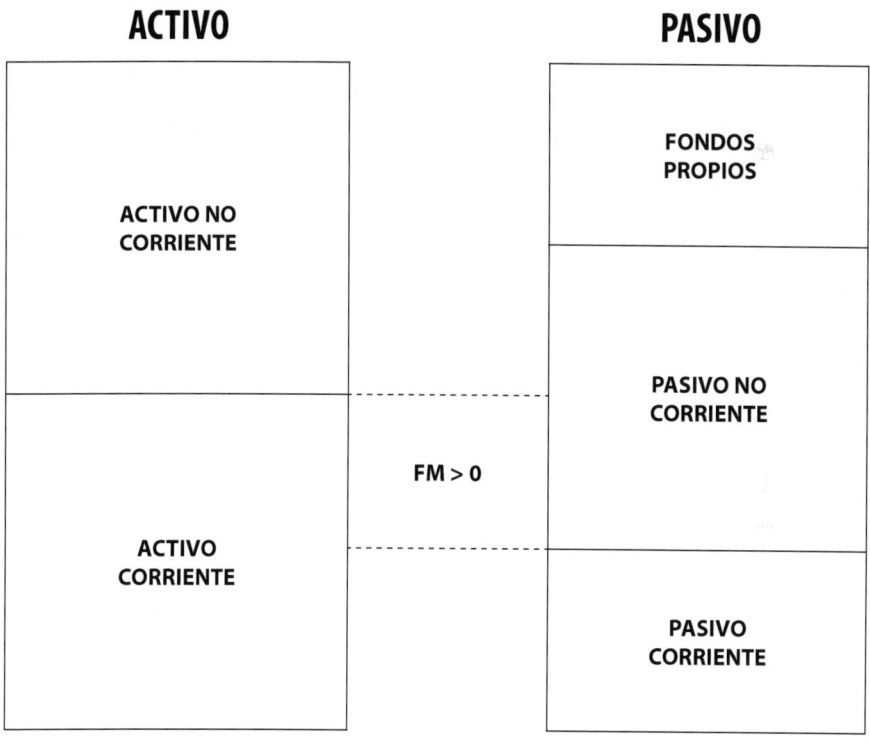

Figura 2

c) Inestabilidad o suspensión de pagos

En esta situación la empresa no puede hacer frente a sus vencimientos con sus acreedores a corto plazo con su activo corriente. El activo corriente es menor que el pasivo corriente, o lo que es lo mismo, parte del activo no corriente está financiado con recursos a corto plazo. El fondo de maniobra será negativo.

En esta situación AC<PC y FM<0

ACTIVO
PASIVO
FONDOS PROPIOS
ACTIVO NO CORRIENTE
PASIVO NO CORRIENTE
FM < 0
PASIVO CORRIENTE
ACTIVO CORRIENTE

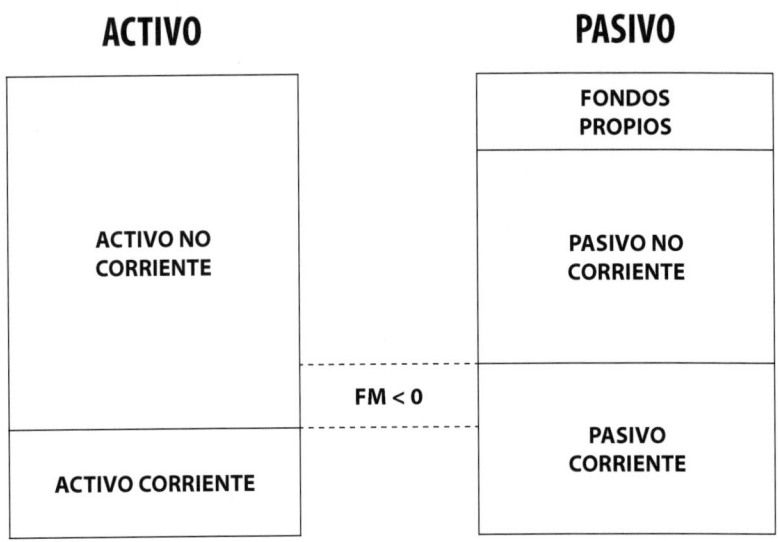

Figura 3

d) Quiebra

En esta situación, la empresa, con la totalidad de sus bienes y derechos (Activo total), es incapaz de atender todas sus obligaciones a corto y largo plazo (Pasivo total). Es decir, si se liquidara la empresa, no se podría pagar a todos sus acreedores.

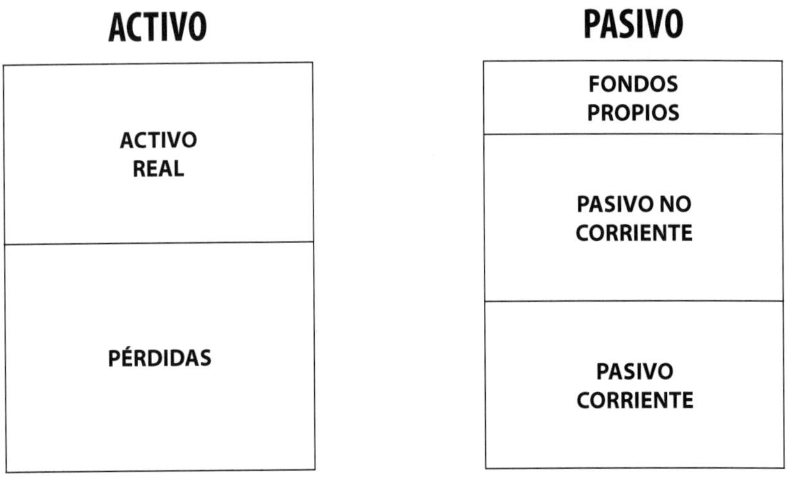

ACTIVO
PASIVO
FONDOS PROPIOS
ACTIVO REAL
PASIVO NO CORRIENTE
PÉRDIDAS
PASIVO CORRIENTE

Figura 4

2.2. El período medio o de maduración

Definimos el Período Medio o de Maduración (PM) como el tiempo que transcurre desde que la empresa invierte una unidad monetaria en la compra de materias primas que va a utilizar para fabricar su producto hasta que recupera esa unidad monetaria a través de la venta del producto terminado y posterior cobro a sus clientes.

El **período de maduración económico** de una empresa industrial o manufacturera estará compuesto por cuatro subperíodos que denominaremos P1 (Subperíodo medio de Aprovisionamiento); P2 (Subperíodo medio de Fabricación); P3 (Subperíodo medio de Venta) y P4 (Subperíodo medio de Cobro). Así:

$$PM = P1 + P2 + P3 + P4$$

Si la empresa compra las materias primas a crédito a sus proveedores, la financiación otorgada por estos reduce el período de maduración, expresándolo así:

$$PM = P1 + P2 + P3 + P4 - P5$$

P5 es el subperíodo medio de Pago a proveedores y a la expresión de arriba se la conoce como **período de maduración financiera.**

El período medio nos da una idea del ritmo más o menos acelerado del proceso productivo, y, por esta razón, cuanto menor sea el período medio, mayor será la eficiencia de la empresa.

Para calcular el PM y sus distintos subperíodos emplearemos el método de las rotaciones.

1. Subperíodo medio de aprovisionamiento y almacenamiento de materias primas (P1):

Denominaremos r1 a la rotación de las materias primas, esto es, el número de veces que, en un año, se renueva el stock medio de materias primas (MP).

$$r1 = \text{Consumo anual de MP/Stock medio de MP}$$

$$P1 = 365/r1$$

2. Subperíodo medio de fabricación (P2):

Denominaremos r2 a la rotación de los productos en curso de fabricación (PCF) y será el número de veces que, en un año, se renueva el stock medio de productos en curso de fabricación.

$$r2 = \text{Coste de producción anual/Stock medio de PCF}$$

$$P2 = 365/r2$$

3. Subperíodo medio de venta (P3):

La rotación de los productos terminados (r3) será el número de veces que se renuevan en un año las existencias medias de productos terminados (PT).

$$r3 = \text{Coste de ventas anual/Stock medio de PT}$$

$$P3 = 365/r3$$

4. Subperíodo medio de cobro a clientes (P4):

Denominaremos r4 a la rotación del crédito a clientes, es decir, el número de veces que, en un año, se renueva el crédito medio a clientes.

r4 = Ventas anuales a crédito/Stock medio de créditos comerciales

P4 = 365/r4

5. Subperíodo de pago a proveedores (P5):

Denominamos r5 a la rotación de proveedores, es decir, el número de veces que, en un año, se renueva la deuda media con proveedores.

r5 = Compras anuales de MP/Stock medio de deudas con proveedores

P5 = 365/r5

No todas las empresas tienen un período de maduración con los cuatro subperíodos que hemos explicado. Las empresas comerciales que realizan sus ventas al contado tienen un PM = P3 días; si se trata de una empresa comercial con ventas al contado y a crédito, su período de maduración será PM = P3 + P4 días; por último, una empresa manufacturera que trabaja bajo pedido y cobra a la entrega del mismo, tendría un período medio así: PM = P1 + P2 días.

Conocido el período de maduración, podemos calcular **el Fondo de Maniobra mínimo, ideal o necesario (FMi)**. Este no tiene por qué coincidir con el Fondo de Maniobra (AC - PC) que hayamos podido calcular basándonos en los datos del balance de la empresa.

El cálculo del FMm lo efectuamos mediante la suma algebraica de los importes de los *Stocks medios* (inmovilizaciones) que figuran en el denominador de cada una de las rotaciones calculadas. Además añadiremos el saldo medio de la Tesorería de la empresa:

FMi = Saldo medio de Tesorería + Stock medio de MP + Stock medio de PCF + Stock medio de PT + Stock medio de créditos comerciales - Stock medio de deudas con proveedores.

Para terminar esta pregunta, y relacionado con el FMi definiremos el **Coeficiente Básico de Financiación (CBF)**:

CBF = CP/(ANC + FMi)

siendo CP Capitales Permanentes (es decir, la suma de los Fondos Propios y los Fondos Ajenos a largo plazo) y ANC el Activo No Corriente.

En cuanto a la interpretación del CBF:

Si CBF > 1, el FM real > FM ideal. El FM es excesivo. La empresa debe reducirlo para incrementar su rentabilidad.

Si CBF = 1, el FM real de la empresa coincide con su FM ideal.

Si CBF < 1, el FM real > FM ideal. Existe peligro de suspensión de pagos.

2.3. El análisis de los ratios

Un ratio (razón, coeficiente o índice) es el cociente de dos magnitudes relacionadas entre sí. Se pueden expresar en tantos por ciento o en tantos por uno.

En esta pregunta vamos a detenernos en dos tipos de ratios:

- De situación.
- De rotación.

2.3.1. Ratios de situación

Se obtienen de los datos del balance de la empresa y tienen carácter estático. Tenemos tres clases:

- Del activo.
- Del pasivo.
- De síntesis o equilibrio financiero.

Ratios de situación del activo

Relacionamos los distintos componentes del activo con el activo total (AT). Nos dan una visión de la estructura económica de la empresa:

Ratio de activo corriente = AC/AT

Ratio de tesorería = T/AT

Ratio de realizable = R/AT

Ratio de existencias = E/AT

Ratio de activo no corriente = ANC/AT

Ratios de situación del pasivo

Estos ratios nos dan una imagen de la estructura financiera de la empresa. Se obtienen relacionando cada uno de los componentes del pasivo con el pasivo total (PT):

Ratio de pasivo corriente = PC/PT

Ratio de capitales permanentes = CP/PT

Ratio de fondos propios = FP/PT

Ratio de fondos ajenos = FA/PT

Ratio de pasivo no corriente = PNC/PT

Ratios de equilibrio financiero (de síntesis)

Vienen a medir la solvencia financiera de la empresa tanto a corto como a largo plazo.

Ratios de solvencia financiera a corto plazo

Quizás sean los que mayor importancia tienen en el análisis financiero a corto plazo.

a) Ratio de liquidez = AC/PC

Un valor razonable para este ratio es entre 1,5 y 1,8. Si su valor es mayor que uno, el fondo de maniobra de la empresa será positivo. Si es menor que uno, el fondo de maniobra es negativo. Da una medida de la solvencia de la empresa a corto plazo.

b) Ratio de tesorería ordinaria (acid test) = (T + R)/PC

T es la tesorería y R el realizable, es decir, las cuentas de clientes y créditos a cobrar. Su valor medio debe estar aproximadamente en 0,8. Mide la capacidad de la empresa de hacer frente a sus deudas a corto plazo con sus disponibilidades líquidas más las cantidades que espera cobrar de sus clientes.

c) Ratio de tesorería inmediata = T/PC

Mide la capacidad de la empresa de hacer frente a sus deudas a corto plazo con sus recursos más líquidos. Debe situarse su valor en torno a 0,8.

Ratios de solvencia financiera a largo plazo

Con estos ratios se analiza la solvencia financiera de la empresa a largo plazo.

a) Ratio de garantía (o distancia a la quiebra) = A/FA

A es el activo total y FA los fondos ajenos. Ofrece una medida de la garantía total que la empresa ofrece a sus acreedores tanto a corto como a largo plazo. Su valor normal debe estar en torno a 2. Si es inferior a 1, la empresa estará en situación teórica de quiebra.

b) Ratio de firmeza = ANC/PNC

ANC es el activo no corriente y PNC el pasivo no corriente. Representa el grado de seguridad que la empresa ofrece a sus acreedores a largo plazo. El valor medio debe estar en torno a 2. Ello significa que el activo no corriente está financiado en un cincuenta por ciento por el pasivo no corriente.

c) Ratio de financiación del inmovilizado = CP/ANC

Su valor indica en qué cuantía los capitales permanentes están financiando al activo no corriente. Su valor normal debe estar en torno a 2.

d) Ratio o coeficiente de endeudamiento = FA/FP

Este ratio nos muestra la relación entre los fondos ajenos y los fondos propios de la empresa. Si el ratio es menor que 0,5, la empresa todavía tiene una importante capacidad de endeudamiento. Si el ratio está entre 0,5 y 1, la empresa todavía está en condiciones de acudir a la financiación ajena. Si el ratio es superior a 2, la capacidad de endeudamiento de la empresa es muy limitada.

2.3.2. Ratios de rotación

Estos ratios tienen un carácter dinámico y relacionan las distintas masas patrimoniales, tanto del activo como del pasivo con el volumen de ventas (V). Se les conoce también por la denominación de ratios de gestión o ratios de actividad.

- **De activos:**
  * Del activo total = V/AT
  * Del activo no corriente = V/ANC
  * Del activo corriente = V/AC
  * De clientes = V/C
  * De existencias = V/E

– **De pasivos:**

* Del pasivo total = V/PT

* De capitales permanentes = V/CP

* De fondos propios = V/FP

3. El control financiero

En la actualidad, el control financiero se ha convertido en una parte fundamental de las finanzas de cualquier empresa. Por este motivo, es muy importante entender qué significa, cuáles son sus objetivos y utilidades y qué pasos hay que seguir para su correcta implantación

El control financiero puede entenderse como el estudio y análisis de los resultados reales de una empresa, enfocados desde distintas perspectivas y momentos, comparados con los objetivos, planes y programas empresariales, tanto a corto como en el mediano y largo plazo.

Dichos análisis requieren de unos procesos de control y ajustes para comprobar y garantizar que se están siguiendo los planes de negocio. De esta forma, será posible modificarlos de la forma correcta en caso de desviaciones, irregularidades o cambios imprevistos.

En ocasiones, el control financiero únicamente sirve para comprobar que todo funciona bien y se están cumpliendo, sin alteraciones considerables, las líneas marcadas y los objetivos propuestos a nivel financiero, de ventas, ganancias, superávit, etc. De esta forma, la empresa gana en seguridad y confianza, afianzándose su patrón de funcionamiento y las decisiones que se estén tomando.

Un desajuste en las finanzas de la empresa puede poner en peligro los propósitos generales de la organización, perder ventaja frente a la competencia y, en ciertos casos, incluso verse comprometida su propia supervivencia. Por eso es importante detectarlos a tiempo.

También se pueden identificar diversas áreas y circuitos, que sin estar incurriendo en fallos o desviaciones graves, son susceptibles de mejorarse por el bien general de la empresa.

Asimismo, el control financiero sirve también para:

A) Poner en marcha medidas de prevención. En ocasiones, el diagnóstico precoz de determinados problemas detectados por el control financiero hace innecesaria las acciones correctoras, sustituyéndose por medidas únicamente de prevención.

B) Comunicar y motivar a los empleados. El conocimiento exacto de la situación de la empresa, con sus problemas, errores y aspectos que se están ejecutando correctamente, propicia una mejor comunicación de los empleados, así como la motivación de los mismos para que sigan en la línea correcta o mejoren los aspectos necesarios.

C) Actuar sobre las áreas que lo precisan. Un diagnóstico de la situación de poco serviría si no se realizan actuaciones concretas que permitan reconducir una situación negativa, gracias a la información concreta y detallada proporcionada por el control financiero.

El control financiero debe diseñarse en función de unas estrategias muy bien definidas para que los administradores de las empresas sean capaces de:

1. Detectar desviaciones en los presupuestos, balances y otros aspectos financieros.

2. Establecer diferentes escenarios operativos que pongan a prueba la rentabilidad, el volumen de ventas y otros parámetros.

Aunque existen muchos tipos y metodologías distintas, se pueden distinguir una serie de pasos muy comunes en la gran mayoría de estrategias de implementación de control financiero.

Primer paso: analizar la situación inicial. El primer paso consiste en realizar un exhaustivo, fiable y detallado análisis de la situación de la empresa en varias áreas: tesorería, rentabilidad, ventas, etc.

Segundo paso: elaboración de pronósticos y simulaciones. Sobre la base de la situación inicial previamente analizada y el establecimiento de una serie de parámetros o indicadores, se puede elaborar una serie de pronósticos y simulaciones de diferentes contextos y escenarios.

Estas acciones de simulación resultan de inestimable ayuda a la hora de tomar las decisiones adecuadas en aspectos cruciales como: inversiones, rentabilidad, cambios de sistemas de producción, etc.

Tercer paso: detección de las desviaciones de los estados financieros básicos. Los estados financieros básicos son los documentos que debe crear la empresa al preparar el ejercicio contable. Aunque existen más, estos son los tres de mayor importancia: balance general, estado de resultados (o de ganancias y pérdidas) y flujo de efectivo.

Estos análisis y pruebas en distintos entornos es una parte fundamental del control financiero, pues permiten detectar a tiempo problemas, errores y desviaciones sobre la situación idónea o los objetivos iniciales.

Cuarto paso: corrección de las desviaciones. Muy poca utilidad práctica tendría el control financiero si, posteriormente, no se tomasen las decisiones adecuadas en relación con las acciones correctivas a ejercer para conducir las cuentas de la empresa por la senda adecuada y prefijada en los objetivos generales de la organización.

Cómo acceder al Curso

Cuerpo Técnico de Hacienda
Derecho Civil y Mercantil. Economía Volumen 2

El uso de los códigos **es exclusivo de los compradores de los productos de Editorial MAD**. Cada producto posee un código único y de un solo uso. Es personal e intransferible y da acceso a servicios y contenidos adicionales. Editorial MAD se reserva el derecho de hacer cuantas comprobaciones sean necesarias para identificar al legítimo poseedor del código y dejar de dar servicio a quien haga uso fraudulento del mismo, además de emprender cuantas acciones legales estime oportunas según la legislación vigente.

Deberás acceder a:

mad.es/registro-campus

Si una vez aceptadas las condiciones de uso del Campus decides hacer uso del mismo, necesitarás del siguiente código de acceso junto con los códigos del resto de títulos que se exigen (si fuera el caso):

NP7GCHQ52V